이 책을 만드신 선생님

최문섭 최희영 한송이 고길동 송낙천 최영욱 김종군 박민선

이 책을 검토하신 선생님

'수학나눔연구회' 선생님들

최상위수학 중 3-1
펴낸날 [개정판 1쇄] 2019년 4월 25일 [개정판 13쇄] 2024년 2월 1일
펴낸이 이기열
펴낸곳 (주)디딤돌 교육
주소 (03972) 서울특별시 마포구 월드컵북로 122 청원선와이즈타워
대표전화 02-3142-9000
구입문의 02-322-8451
내용문의 02-336-7918
팩시밀리 02-335-6038
홈페이지 www.didimdol.co.kr
등록번호 제10-718호
구입한 후에는 철회되지 않으며 잘못 인쇄된 책은 바꾸어 드립니다.

최상위 수학

중 3/1

디딤돌

Structure

상위권을 위한 심화 학습 교재, 최상위 수학

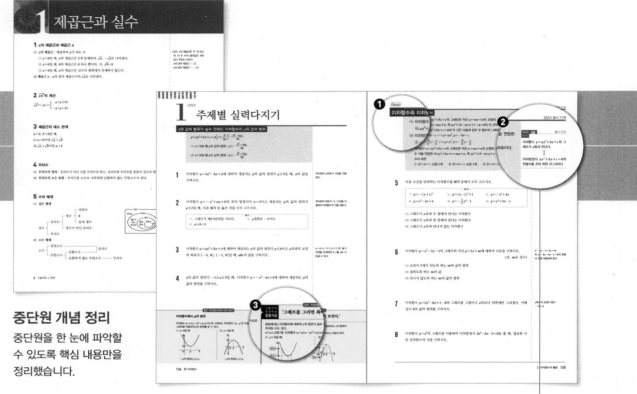

중단원 개념 정리

중단원을 한 눈에 파악할
수 있도록 핵심 내용만을
정리했습니다.

1 STEP 주제별 실력 다지기

고난도 문제 유형들을 주제별로 정리하여
차근차근 실력을 쌓을 수 있도록 하였습니다.

❶, ❷ DEEP의 심화 주제와 최상위 NOTE를
통해서 최상위 실력을 쌓을 수 있는 바탕을
마련하였습니다.

❸ 고등까지 연결되는 중등개념을 통해
학년별 내용을 연계하여 파악하고 연계된 내용
안에서의 핵심을 볼 수 있도록 하였습니다.

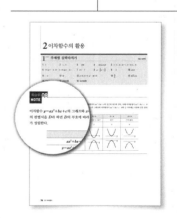

정답과 풀이

정답과 풀이에서 최상위 NOTE를
심도 있게 다루어 원리에 대한
이해를 더욱더 견고히 할 수
있도록 하였습니다.

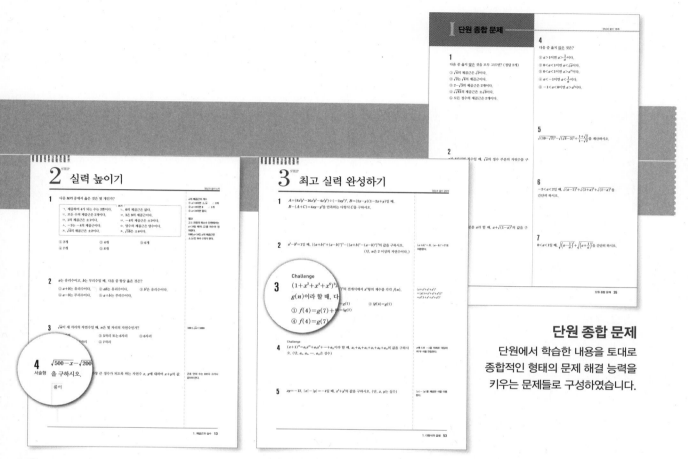

2 STEP 실력 높이기

특목고 시험 등에 잘 나오는 문제들을 통해
실전 감각을 익히고, 서술형 문항을 통해
논리적인 사고를 키울 수 있도록 하였습니다.

3 STEP 최고 실력 완성하기

문제해결력을 요구하는 심화문제들을 통해서
최고의 실력을 완성할 수 있도록 하였고,
Challenge에서는 최상위 문제들을 실었습니다.

단원 종합 문제

단원에서 학습한 내용을 토대로
종합적인 형태의 문제 해결 능력을
키우는 문제들로 구성하였습니다.

Contents

I 실수와 그 연산

1 제곱근과 실수 ·· 006

2 근호를 포함한 식의 계산 ···················· 021

단원 종합 문제 ······································· 035

II 식의 계산

1 다항식의 곱셈 ······································ 040

2 인수분해 ··· 056

단원 종합 문제 ······································· 068

III 이차방정식

1 이차방정식 ··· 072

2 이차방정식의 활용 ······························· 086

단원 종합 문제 ······································· 101

IV 이차함수

1 이차함수의 그래프 ································ 106

2 이차함수의 활용 ·································· 123

단원 종합 문제 ······································· 135

I 실수와 그 연산

1. 제곱근과 실수
2. 근호를 포함한 식의 계산

1 제곱근과 실수

1 a의 제곱근과 제곱근 a

(1) **a의 제곱근** : 제곱하여 a가 되는 수

 ① $a>0$일 때, a의 제곱근은 2개 존재하며, $\sqrt{a}$, $-\sqrt{a}$로 나타낸다.

 ② $a=0$일 때, 0의 제곱근은 0 하나 뿐이다. 즉, $\sqrt{0}=0$

 ③ $a<0$일 때, a의 제곱근은 실수의 범위에서 존재하지 않는다.

(2) **제곱근 a** : a의 양의 제곱근이며 $\sqrt{a}$로 나타낸다.

> ■ 양수 a의 제곱근은 두 개 있으며, 이 두 수의 절댓값은 서로 같고 부호는 다르다.
> a의 양의 제곱근 ⇨ $\sqrt{a}$
> a의 음의 제곱근 ⇨ $-\sqrt{a}$

2 $\sqrt{a^2}$의 계산

$$\sqrt{a^2}=|a|=\begin{cases} a\ (a\geq 0) \\ -a\ (a<0) \end{cases}$$

> ■ $a\geq 0$일 때
> ① $(\sqrt{a})^2=a$
> ② $(-\sqrt{a})^2=a$
> ③ $\sqrt{a^2}=a$
> ④ $\sqrt{(-a)^2}=a$

3 제곱근의 대소 관계

$a>0$, $b>0$일 때,

(1) $a>b$이면 $\sqrt{a}>\sqrt{b}$

(2) $\sqrt{a}>\sqrt{b}$이면 $a>b$

4 무리수

(1) **무리수의 정의** : 유리수가 아닌 수를 무리수라 하고, 유리수와 무리수를 통틀어 실수라 한다.

(2) **무리수의 소수 표현** : 무리수를 소수로 나타내면 순환하지 않는 무한소수가 된다.

> ■ 무리수는 수직선 위에 나타낼 수 있으며, 서로 다른 두 무리수 사이에는 무수히 많은 무리수가 있다.

5 수의 체계

(1) **실수 체계**

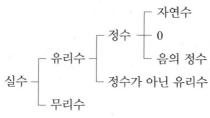

> ■ 실수 : real number
> 유리수 : rational number
> 무리수 : irrational number
> 정수 : integer
> 자연수 : natural number

(2) **소수 체계**

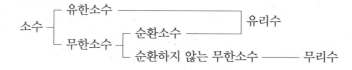

> ■ 순환소수는 순순환소수와 혼순환소수로 나뉜다.
> ① 순순환소수 : 소수 부분이 모두 순환마디인 소수
> 예 $1.234234\cdots$
> ② 혼순환소수 : 소수 부분에 순환마디가 아닌 부분이 있는 소수
> 예 $3.12524524\cdots$

STEP 1 주제별 실력다지기

제곱근의 성질

(1) $\sqrt{a^2}=|a|=\begin{cases} a \ (a \geq 0) \\ -a \ (a < 0) \end{cases}$

(2) $a \geq 0$일 때, $(\sqrt{a})^2=\sqrt{(-a)^2}=(-\sqrt{a})^2=a$

(3) $a < 0$일 때, $(\sqrt{-a})^2=\sqrt{(-a)^2}=(-\sqrt{-a})^2=-a$

---

1 $(-12)^2$의 양의 제곱근을 x, $\sqrt{81}$의 음의 제곱근을 y라 할 때, $x+y$의 값을 구하시오.

---

2 $a > 0$일 때, 다음 **보기** 중 그 값이 a인 것을 모두 고르시오.

┌─────────────── 보기 ───────────────┐
ㄱ. $(-\sqrt{a})^2$ ㄴ. $-\sqrt{a^2}$ ㄷ. $(\sqrt{a})^2$ ㄹ. $-\sqrt{(-a)^2}$ ㅁ. $\sqrt{(-a)^2}$
└────────────────────────────────────┘

---

3 $A=\sqrt{(x-1)^2}+\sqrt{(x+1)^2}$일 때, 다음 **보기** 중 옳은 것을 모두 고르시오.

┌─────────────── 보기 ───────────────┐
ㄱ. $x < -1$이면 $A=-2x$
ㄴ. $-1 \leq x < 1$이면 $A=-2$
ㄷ. $x \geq 1$이면 $A=2x$
└────────────────────────────────────┘

> x의 값의 범위에 따라 $x-1$, $x+1$의 부호가 양수인지 음수인지 따져 본 후 계산한다.

---

4 $\sqrt{(3-2\sqrt{2})^2}+\sqrt{(3\sqrt{2}-5)^2}$의 값을 구하시오.

> $3-2\sqrt{2}=\sqrt{9}-\sqrt{8}>0$
> $3\sqrt{2}-5=\sqrt{18}-\sqrt{25}<0$

---

5 다음 물음에 답하시오.

(1) $0 < a < b < c$일 때, $\sqrt{(a-b)^2}+\sqrt{(b-c)^2}+\sqrt{(c-a)^2}$을 간단히 하시오.

(2) $ab < 0$, $a > b$일 때, $|a|+\sqrt{(b-a)^2}+\sqrt{(-2b)^2}+\sqrt{(-a)^2}$을 간단히 하시오.

> $ab > 0$
> $\Longleftrightarrow a, b$의 부호가 같다.
> $ab < 0$
> $\Longleftrightarrow a, b$의 부호가 다르다.

1. 제곱근과 실수 **7**

근호로 표현된 정수

(1) $\sqrt{a+6}$이 정수가 될 조건 (단, a는 정수)

$a+6$이 0 또는 완전제곱수 $(1, 4, 9, \cdots)$가 되어야 한다.

(2) $\sqrt{6a}$가 정수가 될 조건 (단, a는 정수)

$a=0$ 또는 $a=6\times($완전제곱수$)$의 꼴이어야 한다.

즉, $a=6\times1^2, 6\times2^2, 6\times3^2, \cdots$

6 음이 아닌 두 정수 a, b에 대하여 $\sqrt{a}+\sqrt{b}\leq2$이고, $\sqrt{a}+\sqrt{b}$가 정수가 되는 순서쌍 (a, b)를 모두 구하시오.

$\sqrt{a}\geq0, \sqrt{b}\geq0$

7 $\sqrt{891-81a}$가 자연수일 때, 자연수 a의 값의 합을 구하시오.

$891-81a=81(11-a)$

8 $\sqrt{384-12x}$가 자연수일 때, 자연수 x의 값의 합을 구하시오.

$384-12x=12(32-x)$

9 $\sqrt{\dfrac{252}{x}}$가 자연수가 되는 가장 작은 자연수 x의 값을 구하시오.

252의 약수 중에서 x의 값을 찾는다.

10 $\sqrt{\dfrac{21600}{x}}$이 정수가 되는 정수 x의 개수를 구하시오.

실수의 대소 관계

(1) a, b의 대소 관계
- $a-b>0$이면 $a>b$
- $a-b=0$이면 $a=b$
- $a-b<0$이면 $a<b$

(2) $a>0$, $b>0$일 때,
- $a>b$이면 $\sqrt{a}>\sqrt{b}$
- $a<b$이면 $\sqrt{a}<\sqrt{b}$
- $a^2-b^2>0$이면 $a>b$
- $a^2-b^2=0$이면 $a=b$
- $a^2-b^2<0$이면 $a<b$

(3) 범위에 따른 수의 대소 관계
  ① $0<x<1$일 때,
  - $x<\dfrac{1}{x}$
  - $x<\sqrt{x}$
  - $x>x^2>x^3>\cdots$

  ② $x>1$일 때,
  - $x>\dfrac{1}{x}$
  - $x>\sqrt{x}$
  - $x<x^2<x^3<\cdots$

$(a+b)^2=a^2+2ab+b^2$
$(a-b)^2=a^2-2ab+b^2$

11 다음 중 대소 관계가 옳은 것을 모두 고르면? (정답 2개)

① $3>\sqrt{3}+2$
② $\sqrt{2}=\sqrt{4}-\sqrt{2}$
③ $-\sqrt{0.8}>-\sqrt{0.7}$
④ $2\sqrt{3}>3\sqrt{2}-1$
⑤ $5\sqrt{3}<3\sqrt{5}+2$

$a>0$, $b>0$이고 a, b의 대소 관계를 알아볼 때, $a-b$ 또는 a^2-b^2의 부호를 조사한다.

12 $A=5\sqrt{2}-2$, $B=5$, $C=4\sqrt{3}-2$일 때, 세 수 A, B, C의 대소 관계를 정하시오.

13 $A=3\sqrt{5}-2\sqrt{2}$, $B=2\sqrt{10}-3$의 대소 관계를 정하시오.

A^2-B^2의 부호를 조사한다.

14 $a=\sqrt{11}+\sqrt{19}$, $b=\sqrt{10}+\sqrt{20}$, $c=\sqrt{18}+\sqrt{12}$일 때, a, b, c의 대소 관계를 정하시오.

$a>0$, $b>0$, $c>0$이므로 제곱하여 그 대소 관계를 비교한다.

15 $0<a<1$인 실수 a에 대하여 다음을 큰 순서대로 나열하시오.

$$a, \quad \sqrt{a}, \quad a^2, \quad \frac{1}{a}, \quad \frac{1}{\sqrt{a}}$$

무리수의 정의

- 유리수가 아닌 실수
- 순환하지 않는 무한소수

최상위 **01** NOTE   풀이 2쪽

$x^2=2$가 되는 수 x는 존재하지만 유리수는 아니다.

(유리수)±(무리수)=(무리수)
알아두면 편리한 완전제곱수
$11^2=121, 12^2=144, 13^2=169,$
$14^2=196, 15^2=225, 16^2=256,$
$17^2=289, 18^2=324, 19^2=361,$
$24^2=576, 25^2=625$

16 다음 중 무리수인 것을 모두 고르시오.

$$\pi, \quad \sqrt{0.16}, \quad \sqrt{\dfrac{144}{9}}, \quad \sqrt{14.4}, \quad 2-\sqrt{6}$$

17 오른쪽 그림을 보고 옳지 <u>않은</u> 것을 모두 고르면?

(정답 2개)

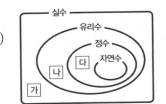

가 : 무리수
나 : 정수가 아닌 유리수
다 : 0 또는 음의 정수

① 0.3은 가에 속하지 않는다.

② $\sqrt{4}$는 다에 속한다.

③ $\sqrt{6}$은 가에 속한다.

④ $1-\sqrt{2}$는 가에 속한다.

⑤ $\dfrac{2}{3}$는 다에 속한다.

0의 제곱근은 0 뿐이다.

18 다음 **보기** 중에서 옳은 것은 몇 개인가?

━━━ 보기 ━━━
ㄱ. 모든 무한소수는 무리수이다.
ㄴ. 0이 아닌 모든 유리수는 무한소수로 나타낼 수 있다.
ㄷ. 모든 유리수는 유한소수이다.
ㄹ. -100은 $\sqrt{10000}$의 제곱근이다.
ㅁ. 음이 아닌 수의 제곱근은 반드시 2개가 있고, 그 절댓값은 같다.
ㅂ. $\sqrt{16}=\pm4$

① 1개   ② 2개   ③ 3개
④ 4개   ⑤ 5개

중3 무리수

$x^2=2$의 해는 유리수에서 구할 수 없으므로 새로운 수체계가 필요해진다. 이처럼 수체계는 점점 더 복잡한 식의 답을 찾는 과정에서 확장되었다.

	□ 구하기	수의 체계
초5	$3+\square=4$	자연수
중1	$3+\square=2$	정수
	$3\times\square=2$	유리수
중3	$\square^2=3$	무리수

※ (실수)=(무리수)+(유리수)

고1 복소수

고등까지 연결되는 **중등개념**

식의 답을 찾는 과정에서 수체계가 확장되었다.

중등 과정에서는 실수의 범위에서만 수를 다루므로 모든 실수는 제곱하면 0 또는 양수가 된다. 즉 x가 실수라면 $x^2 \geq 0$인 것이다. 그렇다면 $x^2=-1$과 같은 방정식을 풀려면 어떻게 해야 할까? 이때 필요한 개념이 제곱해서 음수가 되는 경우($x^2<0$)이고, 이러한 필요에 의해서 생긴 새로운 수를 허수, 실수와 허수를 통틀어 복소수라 한다.

허수단위: 수학자들은 제곱해서 음수가 되는 수를 만들기 위해 제곱하여 -1이 되는 수가 있다고 정했다. 이를 '상상의(imaginary) 수', '허수'라 이름 붙이고 $i=\sqrt{-1}$로 나타냈다.
즉 i는 제곱하여 -1이 되는 수이므로 $i^2=-1$이다.

※ 실수(real number)는 '실제로 존재하는 수'이고, 허수(imaginary number)는 '상상의 수'이다.

실수의 수직선에의 대응

한 변의 길이가 1인 정사각형의 대각선의 길이는 $\sqrt{2}$가 된다.

확인 오른쪽 그림에서 □PQRS는 한 변의 길이가 x인 정사각형이고,

그 넓이는 □ABCD의 넓이의 $\frac{1}{2}$이므로 2가 된다.

즉, $x^2=2$이므로 $x=\sqrt{2}\ (\because x>0)$

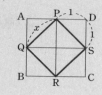

△DPS에서 피타고라스 정리
를 이용하면 $\overline{PS}^2=\overline{DP}^2+\overline{DS}^2$
이므로
$x^2=1^2+1^2=2$
$\therefore x=\sqrt{2}\ (\because x>0)$

참고
피타고라스 정리

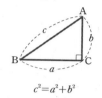

$c^2=a^2+b^2$

19 $2<\sqrt{x}<4$이고 $\sqrt{x}$는 무리수일 때, 자연수 x는 모두 몇 개인지 구하시오.

20 오른쪽 그림과 같이 한 변의 길이가 수직선 위의 점 A(2)에서 점 B(3)까지의 거리인 정사각형 ABCD가 있다. 점 A를 중심으로 하고 대각선 AC를 반지름으로 하는 반원을 그려 수직선과 만나는 점을 각각 P(x), Q(y)라 할 때, $y-x$의 값을 구하시오.

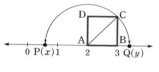

21 오른쪽 그림과 같은 수직선 위의 □ABCD는 정사각형 이고 B(-4), C(-2)이다. $\overline{BD}=\overline{BQ}$, $\overline{CA}=\overline{CP}$일 때, $\overline{PQ}$의 길이를 구하시오.

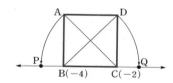

$\overline{BD}=\overline{AC}=2\sqrt{2}$

22 오른쪽 그림과 같은 정사각형 ABCD의 넓이를 이용하여 가로, 세로의 길이가 각각 2, 1인 직사각형의 대각선의 길이는 $\sqrt{5}$임을 설명하시오.

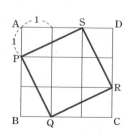

무리수의 정수 부분과 소수 부분

무리수는 정수 부분과 소수 부분으로 나눌 수 있다. 즉,
(무리수)=(정수 부분)+(소수 부분)
(소수 부분)=(무리수)-(정수 부분)

23 다음 실수를 정수 부분과 소수 부분으로 나누시오.

(1) $2\sqrt{3}$ (정수 부분 :   , 소수 부분 :   )

(2) $3\sqrt{2}-1$ (정수 부분 :   , 소수 부분 :   )

(3) $3\sqrt{2}-2$ (정수 부분 :   , 소수 부분 :   )

> (소수 부분)
> =(무리수)-(정수 부분)

24 $4-\sqrt{3}$의 소수 부분을 a라 할 때, a^2-4a+3의 값을 구하시오.

> $(a-b)^2=a^2-2ab+b^2$

25 $\dfrac{1}{\sqrt{2}-1}=\alpha+\beta$ (α는 정수, $0\le\beta<1$)로 나타낼 때, $\alpha-\beta$의 값을 구하시오.

> $(a+b)(a-b)=a^2-b^2$
> 분모의 유리화
> $$\frac{1}{a+\sqrt{b}}=\frac{1}{a+\sqrt{b}}\times\frac{a-\sqrt{b}}{a-\sqrt{b}}$$
> $$=\frac{a-\sqrt{b}}{a^2-b}$$

26 $5-\sqrt{2}$의 정수 부분을 a, 소수 부분을 b라 할 때, $\dfrac{1}{b+2}+\dfrac{1}{2a-b}$의 값을 구하시오.

27 $4\sqrt{2}$의 소수 부분을 a라 할 때, $\sqrt{18}-\sqrt{98}$을 a를 이용하여 나타내시오.

2^{STEP} 실력 높이기

1 다음 **보기** 중에서 옳은 것은 몇 개인가?

> **보기**
>
> ㄱ. 제곱하여 4가 되는 수는 2뿐이다.
> ㄴ. 0의 제곱근은 없다.
> ㄷ. 모든 수의 제곱근은 2개이다.
> ㄹ. 3은 9의 제곱근이다.
> ㅁ. 1의 제곱근은 ±1이다.
> ㅂ. −4의 제곱근은 ±2이다.
> ㅅ. −2는 −4의 제곱근이다.
> ㅇ. 양수의 제곱근은 양수이다.
> ㅈ. $\sqrt{4}$의 제곱근은 ±2이다.
> ㅊ. $\sqrt{16}$은 ±4이다.

① 2개   ② 4개   ③ 6개
④ 7개   ⑤ 8개

a의 제곱근의 개수
① $a>0$이면 $\pm\sqrt{a}$ ∴ 2개
② $a=0$이면 0   ∴ 1개
③ $a<0$이면 없다.

참고
고 1 과정의 복소수 단원에서는 $a<0$일 때의 $\sqrt{a}$를 허수라 정의한다.
이때 $a<0$인 a의 제곱근은 $\pm\sqrt{a}$인 허수 2개가 된다.

2 a는 유리수이고, b는 무리수일 때, 다음 중 항상 옳은 것은?

① $a+b$는 유리수이다.   ② ab는 유리수이다.   ③ b^2은 유리수이다.
④ $a-b$는 무리수이다.   ⑤ $a\div b$는 무리수이다.

3 $\sqrt{n}$이 세 자리의 자연수일 때, n은 몇 자리의 자연수인가?

① 5자리   ② 5자리 또는 6자리   ③ 6자리
④ 6자리 또는 7자리   ⑤ 7자리

$100 \le \sqrt{n} < 1000$

4
서술형 $\sqrt{500-x}-\sqrt{200+y}$가 가장 큰 정수가 되도록 하는 자연수 x, y에 대하여 $x+y$의 값을 구하시오.

근호 안의 수는 0보다 크거나 같아야 한다.

풀이

5 1000 이하의 자연수 n에 대하여 $\sqrt{n}$, $\sqrt{2n}$, $\sqrt{3n}$, $\sqrt{5n}$이 모두 무리수가 되는 n의 개수를 구하시오.

√ 안의 수 n, $2n$, $3n$, $5n$이 (자연수)^{2}이 되지 않아야 한다.

6 다음 중 두 실수의 대소 관계로 옳지 <u>않은</u> 것은?

① $\sqrt{3}+1>\sqrt{2}+1$ ② $\sqrt{3}<4-\sqrt{3}$ ③ $3\sqrt{2}-1>2\sqrt{3}-1$

④ $3>\sqrt{3}+1$ ⑤ $2\sqrt{2}-\sqrt{3}<3\sqrt{3}-3\sqrt{2}$

대소 비교
(1) (좌변) $-$ (우변) □ 0
(2) (좌변) >0, (우변) >0이면 (좌변)$^2-$(우변)^2 □ 0

7 $a<0<b$이고 $|a|>|b|$일 때, $\sqrt{(a^2-b^2)^2}+b\sqrt{(a-b)^2}$을 간단히 하시오.

8 $3(2-a)>5a+7$을 만족하는 a에 대하여 다음 식을 간단히 하시오.

$$(\sqrt{-2a})^2-\sqrt{(1-a)^2}+||a|-a|$$

9 두 유리수 a, b에 대하여 $a<b$, $ab<0$일 때, $\sqrt{(a-b)^2}-\sqrt{(-2a)^2}-\sqrt{(-b)^2}$을 간단

서술형 히 하시오.

$\sqrt{(\quad)^2}$에서 ( ) 안의 값이 양수인지 음수인지 확인한다.

풀이

10 $-3 < x < y < 0$일 때, 다음 중 그 값이 가장 큰 것은?

① $\sqrt{(3-x)^2}$　　　② $-\sqrt{(x-3)^2}$　　　③ $\sqrt{(3+y)^2}$

④ $-\sqrt{(-y)^2}$　　　⑤ $-\sqrt{(y-3)^2}$

11 $0 < a < 1$이고 $x = a + \dfrac{1}{a}$일 때, $x + \sqrt{x^2 - 4}$를 a를 이용하여 나타내시오.

$\left(a + \dfrac{1}{a}\right)^2 = \left(a - \dfrac{1}{a}\right)^2 + 4$

12 서로소인 두 자연수 a, b에 대하여 $\sqrt{1.0\dot{2} \times \dfrac{a}{b}} = 0.\dot{2}$일 때, $a - b$의 값을 구하시오.

$0.\dot{a} = \dfrac{a}{9}$

13 $100 \le x \le 200$일 때, $\sqrt{3} \times \sqrt{x}$가 양의 정수가 되도록 하는 정수 x의 개수를 구하시오.

$x = 3 \times k^2$ (k는 자연수)

14 연립방정식 $\begin{cases} \sqrt{2}x + \sqrt{3}y = 1 \\ \sqrt{3}x - \sqrt{2}y = 1 \end{cases}$ 을 푸시오.

15 $4-\sqrt{3}$의 정수 부분을 a, 소수 부분을 b라 할 때, $\sqrt{3}a-b^2$의 값을 구하시오.

16 $7-\sqrt{3}$의 정수 부분을 a, $\sqrt{27}-3$의 소수 부분을 b라 할 때, a^2+5b의 값을 구하시오.

서술형

풀이

$1<\sqrt{3}<2$, $5<\sqrt{27}<6$임을 이용한다.

17 $\sqrt{3}$의 소수 부분을 a라 할 때, $\sqrt{48}$의 소수 부분을 a에 관한 식으로 나타내시오.

$a=\sqrt{3}-1$이므로 $\sqrt{3}=a+1$

18 $a=\sqrt{5}-1$일 때, $\dfrac{a}{[a]+a}+\dfrac{1}{[a]-a}$의 값을 구하시오.

(단, $[a]$는 a를 넘지 않는 최대의 정수이다.)

$[x]$는 '가우스 x'로 읽으며 $x>0$일 때, $[x]=x-(x$의 소수 부분$)$

19 두 수 5와 7 사이에 있는 무리수 중에서 $\sqrt{n}$ (n은 자연수)의 꼴로 나타낼 수 있는 가장 큰 수의 정수 부분을 p, 소수 부분을 q라 하자. 이때 $\dfrac{p}{q}=a\sqrt{3}+b$를 만족하는 두 정수 a, b에 대하여 $a+b$의 값을 구하시오.

$5<\sqrt{n}<7$이므로 $25<n<49$임을 이용하여 $\sqrt{n}$의 값을 찾는다.

20
서술형 다음 그림의 수직선에서 □ABCD와 □EFGH는 한 변의 길이가 1인 정사각형이다. $\overline{CA}=\overline{CP}$, $\overline{FH}=\overline{FQ}$일 때, 두 점 P, Q 사이의 거리를 구하시오.

기준점으로부터 방향(왼쪽, 오른쪽)과 크기(길이)를 이용하여 구한다.

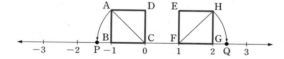

풀이

21 오른쪽 그림과 같은 정사각형 ABED, BCFE에서 $\overline{BD}=\overline{BP}$, $\overline{BF}=\overline{BQ}$인 점 P, Q를 수직선 위에 잡을 때, 점 P(a), Q(b)에 대하여 a^2-b^2의 값을 구하시오.

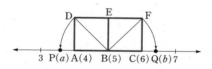

3^{STEP} 최고 실력 완성하기

1 121의 제곱근을 각각 a, b라고 할 때, $\sqrt{a-2b+3}$의 제곱근은? (단, $a>b$)

① 36   ② ± 12 ③ 6

④ $\sqrt{21}$ ⑤ $\pm\sqrt{6}$

제곱하여 a가 되는 수를 a의 제곱근이라고 한다.

2 $a>0$, $b>0$일 때, 다음의 대소 관계를 정하시오.

$$\sqrt{a}+\sqrt{b}, \quad \sqrt{a+b}$$

두 식을 각각 제곱하여 빼본다.

3 $ab<0$, $ac<0$일 때, $\sqrt{b^2c^2}$을 간단히 하시오.

$a>0$일 때와 $a<0$일 때로 나누어 생각한다.

4 두 실수 x, y에 대하여 $x-y<0$, $xy<0$일 때, 다음 식을 간단히 하시오.

$$(\sqrt{-x})^2-\sqrt{(x-1)^2}-\sqrt{(y-x)^2}+\sqrt{(1-x+y)^2}$$

5 $7<\sqrt{20x^2}<10$을 만족하는 자연수 x의 값을 구하시오.

식의 각 변을 제곱한다.

6 $\sqrt{3a}+\sqrt{b}=5$가 성립하도록 하는 자연수 a, b에 대하여 $\sqrt{2a^2+b^2}$의 정수 부분을 x, 소수 부분을 y라 할 때, $x-y$의 값을 구하시오.

a, b에 적당한 자연수를 넣어 등호를 성립시키는 경우를 찾는다.

7 $\sqrt{\dfrac{54}{n^3}}$가 유리수가 되도록 하는 자연수 n의 최솟값을 구하시오.

$\sqrt{\dfrac{54}{n^3}}=\dfrac{3\sqrt{6}}{n\sqrt{n}}$이므로 $\sqrt{\dfrac{6}{n}}$이 유리수가 되는 n의 값을 구한다.

8 $125\sqrt{1\times2\times3\times\cdots\times10}$의 정수 부분의 자릿수를 구하시오.

완전제곱수를 근호 밖으로 빼내어 계산한다.

Challenge

9 자연수 n에 대하여 다음 두 조건을 모두 만족하는 x의 값의 합이 28일 때, n의 값을 구하시오.

> ㈎ nx는 자연수이다.
> ㈏ $\sqrt{nx}$의 정수 부분은 3이다.

㈏에서 $3\le\sqrt{nx}<4$로 놓고 각 변을 제곱한다.

Challenge

10 $\sqrt{n^2+77}=m$이 되도록 하는 자연수 m, n의 값을 모두 구하시오.

양변을 제곱하면 $n^2+77=m^2$이므로 $m^2-n^2=(m+n)(m-n)$ $=77$ 로 놓고 푼다.

[11~12]

수학에서 여러분을 괴롭힐 수학자 중의 한 분이 바로 피타고라스이다. 그런데 수학 역사의 기록을 통해 보면 이 양반(?)의 속은 좀 좁았던 것 같다. 특히, 천재들이 대부분 그렇듯 이 분의 고집도 보통이 아니어서 자신이 옳다고 생각하는 것은 어느 누가 잘못되었다고 말해줘도 인정하지 않았다고 한다. 그중 하나가 피타고라스는 이 세상의 모든 수를 알고 있으며, 이 수들을 이용하면 모든 세상의 이치를 설명할 수 있다고 생각했는데, 이런 확신을 바탕으로 한 그의 강연은 카리스마와 탁월한 말솜씨 덕분에 좌중을 휘어잡았고, 점차 많은 사람들이 피타고라스의 주변으로 모여들어 급기야 피타고라스 학파가 탄생하게 되었다. 그런데 사실 이 피타고라스 학파는 지금의 학술 단체나 학회와 같은 모임이라기보다는 피타고라스를 신의 아들, 특히 아폴론의 아들이라 믿는 등 일종의 사이비 종교 집단에 가까웠다고 한다.

하지만 어느 날 이들이 믿고 있던 이런 확신이 무너지는 사건이 터졌다. 하루는 누군가가 피타고라스에게 "넓이가 2인 정사각형이 있습니까?"라고 물었고, 피타고라스는 "당연히 넓이가 2인 정사각형이 있다."라고 대답하였다. 하지만 이어진 질문은 "㈎ 넓이가 2인 정사각형이 존재한다면 그 정사각형의 한 변의 길이는 몇입니까?"라는 것이었고, 이 질문에 대해 피타고라스는 정사각형의 넓이가 한 변의 길이의 제곱이라는 사실을 이용하여 제곱을 하였을 때 2가 되는 수를 찾으려고 하였지만 자신이 알고 있는 수 ㈏ 자연수나 정수, 분수(유리수)에서는 찾을 수가 없었다. 이로 인해 피타고라스는 본인이 알고 있는 수 이외에 또 다른 수가 있다는 것을 알게 되었지만 당시에는 물론이고 본인이 죽을 때까지도 이 사실을 인정하지 않았다고 한다. 하지만 문제는 위에서 언급한 넓이가 2인 정사각형의 한 변의 길이인 ㈎ 와 같은 무리수 때문에 결국 동료 한 사람을 살인하게 되었다는 것이다. 즉, 세상의 모든 이치와 질서를 수로 나타낼 수 있다는 피타고라스의 수에 대한 믿음은 자연수, 정수, 분수(유리수)에만 국한된 것이었고, 무리수라는 개념 자체가 없던 그 당시엔 이런 현상을 도저히 설명할 길이 없었다. 그래서 피타고라스는 자신의 추종자들에게 이 사실을 누설하는 것을 금했는데, 제자 중 한 사람인 히파수스가 이 사실을 누설하자 급기야 그를 살해하라는 지령을 내렸다고 한다. 이런 슬픈 역사를 가지고 있는 무리수는 결국 1872년 데데킨트라는 학자에 의해 현대적으로 해석이 되었고, 여러 학자를 통해 지금과 같은 모습으로 정착이 된 것이다.

11 ㈎에 알맞은 수를 구하시오.

12 ㈏의 수들이 어떤 수인지 정의된 수학적 개념이 있으면 말하고, 무리수가 이들과 다른 점을 말하시오.

2 근호를 포함한 식의 계산

1 제곱근의 성질

(1) $a>0$, $b>0$일 때, $\sqrt{a}\sqrt{b}=\sqrt{ab}$

(2) $a>0$, $b>0$일 때, $\dfrac{\sqrt{b}}{\sqrt{a}}=\sqrt{\dfrac{b}{a}}$

(3) $a>0$, $b>0$일 때, $a\sqrt{b}=\sqrt{a^2b}$

■ $a<0$, $b>0$일 때,
$a\sqrt{b}=-\sqrt{a^2b}$

2 분모의 유리화

분모가 무리수일 때, 분모를 유리수로 고치는 것을 유리화라 한다.

$a>0$, $b>0$일 때,

(1) $\dfrac{b}{\sqrt{a}}=\dfrac{b}{\sqrt{a}}\times\dfrac{\sqrt{a}}{\sqrt{a}}=\dfrac{b\sqrt{a}}{a}$

(2) $\dfrac{c}{\sqrt{a}-\sqrt{b}}=\dfrac{c}{\sqrt{a}-\sqrt{b}}\times\dfrac{\sqrt{a}+\sqrt{b}}{\sqrt{a}+\sqrt{b}}=\dfrac{c(\sqrt{a}+\sqrt{b})}{a-b}$

■ $\sqrt{a}+\sqrt{b}$와 $\sqrt{a}-\sqrt{b}$ 사이의 관계를 편의상 켤레수라고 한다.

3 제곱근의 덧셈과 뺄셈

제곱근끼리의 덧셈과 뺄셈은 다항식의 계산에서 동류항끼리 모아서 더하거나 빼듯이 근호 안의 수가 같은 것끼리 모아서 계산한다.

$a>0$, m, n이 유리수일 때,

(1) $m\sqrt{a}+n\sqrt{a}=(m+n)\sqrt{a}$

(2) $m\sqrt{a}-n\sqrt{a}=(m-n)\sqrt{a}$

■ 다항식의 동류항 개념을 도입하여 계산한다.
예 $2x$와 $-5x$가 동류항인 것처럼 $2\sqrt{2}$와 $-5\sqrt{2}$도 동류항처럼 생각한다.

4 제곱근의 값

(1) 제곱근표를 이용한 제곱근의 값

　① 제곱근표에는 1.00부터 99.9까지의 수에 대한 양의 제곱근의 값을 반올림하여 소수점 아래 셋째 자리까지 구한 수가 나와 있다.

　② 제곱근표에 있는 수는 1.00에서 9.99까지는 0.01 간격으로, 10.0에서 99.9까지는 0.1 간격으로 되어 있다.

(2) 제곱근표에 없는 수의 값

　제곱근의 성질을 이용한다.

　$\sqrt{100a}=10\sqrt{a}$, $\sqrt{1000a}=10\sqrt{10a}$

　$\sqrt{\dfrac{a}{100}}=\dfrac{\sqrt{a}}{10}$, $\sqrt{0.01a}=0.1\sqrt{a}$, $\sqrt{\dfrac{a}{1000}}=\dfrac{\sqrt{a}}{10\sqrt{10}}$

분모의 유리화

최상위 02
NOTE

풀이 10쪽

$a>0$, $b>0$일 때,

(1) $\dfrac{b}{\sqrt{a}}=\dfrac{b}{\sqrt{a}}\times\dfrac{\sqrt{a}}{\sqrt{a}}=\dfrac{b\sqrt{a}}{a}$

(2) $\dfrac{\sqrt{b}}{\sqrt{a}}=\dfrac{\sqrt{b}}{\sqrt{a}}\times\dfrac{\sqrt{a}}{\sqrt{a}}=\dfrac{\sqrt{ab}}{a}$

(3) $\dfrac{c}{a+\sqrt{b}}=\dfrac{c}{a+\sqrt{b}}\times\dfrac{a-\sqrt{b}}{a-\sqrt{b}}=\dfrac{c(a-\sqrt{b})}{a^2-b}$

(4) $\dfrac{c}{\sqrt{a}+\sqrt{b}}=\dfrac{c}{\sqrt{a}+\sqrt{b}}\times\dfrac{\sqrt{a}-\sqrt{b}}{\sqrt{a}-\sqrt{b}}=\dfrac{c(\sqrt{a}-\sqrt{b})}{a-b}$

제곱근의 성질

$a>0$, $b>0$일 때,

(1) $\sqrt{a}\sqrt{b}=\sqrt{ab}$

(2) $\sqrt{a}\div\sqrt{b}=\dfrac{\sqrt{a}}{\sqrt{b}}=\sqrt{\dfrac{a}{b}}$

1 $\dfrac{3+2\sqrt{2}}{3-2\sqrt{2}}=a+b\sqrt{2}$일 때, 두 유리수 a, b에 대하여 $a-b$의 값을 구하시오.

$(a+b)(a-b)=a^2-b^2$
$(a+b)^2=a^2+2ab+b^2$
$(a-b)^2=a^2-2ab+b^2$

2 $5+2\sqrt{6}-\dfrac{1}{5+2\sqrt{6}}$ 을 계산하시오.

3 $\dfrac{1}{1+\sqrt{2}+\sqrt{3}}$ 을 유리화하시오.

분모의 항이 3개인 경우의 분모의 유리화는 분모의 항 2개를 묶어 다음과 같이 계산한다.

$\dfrac{1}{\sqrt{a}+\sqrt{b}+\sqrt{c}}$

$=\dfrac{1}{(\sqrt{a}+\sqrt{b})+\sqrt{c}}$

$\qquad\times\dfrac{(\sqrt{a}+\sqrt{b})-\sqrt{c}}{(\sqrt{a}+\sqrt{b})-\sqrt{c}}$

$=\dfrac{(\sqrt{a}+\sqrt{b})-\sqrt{c}}{(\sqrt{a}+\sqrt{b})^2-c}$

4 $\dfrac{2}{\sqrt{21}-\sqrt{15}+\sqrt{14}-\sqrt{10}}$ 를 유리화하시오.

분모, 분자에
$(\sqrt{21}-\sqrt{10})+(\sqrt{15}-\sqrt{14})$
를 각각 곱한다.

분모의 유리화를 이용한 식의 계산

분모가 근호를 포함한 식으로 주어진 경우, 분모의 유리화를 이용하여 식을 간단히 한 후에 주어진 수를 대입한다.

$f(x)=\sqrt{x+1}+\sqrt{x}$일 때,

$$\frac{1}{f(x)}=\frac{1}{\sqrt{x+1}+\sqrt{x}}\times\frac{\sqrt{x+1}-\sqrt{x}}{\sqrt{x+1}-\sqrt{x}}=\sqrt{x+1}-\sqrt{x}$$

5 $x=3+\sqrt{2}$, $y=3-\sqrt{2}$일 때, $\dfrac{y}{x-1}+\dfrac{x}{y-1}$의 값을 구하시오.

> $(a+b)(a-b)=a^2-b^2$

6 $x=\dfrac{1}{2-\sqrt{3}}$, $y=\dfrac{11}{2\sqrt{3}-1}$일 때, x^2-y^2의 값을 구하시오.

> x, y의 분모를 유리화한 후 식에 대입한다.

7 $x=\dfrac{1}{\sqrt{3}}$일 때, $\dfrac{\sqrt{1+x}}{\sqrt{1-x}}+\dfrac{\sqrt{1-x}}{\sqrt{1+x}}$의 값을 구하시오.

> 주어진 식을 간단히 한 후에 $x=\dfrac{1}{\sqrt{3}}$을 대입한다.

8 $f(x)=\sqrt{x+1}+\sqrt{x}$일 때, $\dfrac{1}{f(1)}+\dfrac{1}{f(2)}+\dfrac{1}{f(3)}+\cdots+\dfrac{1}{f(63)}$의 값을 구하시오.

> $\dfrac{1}{f(x)}=\dfrac{1}{\sqrt{x+1}+\sqrt{x}}$
> $\quad=\sqrt{x+1}-\sqrt{x}$

제곱근을 포함한 식의 계산

(1) 곱셈과 나눗셈

분모를 유리화하고 근호 안의 완전제곱수를 근호 밖으로 빼낸 뒤 주어진 순서대로 식을 계산한다.

(2) 덧셈과 뺄셈

근호 안의 수가 같은 두 무리수는 다항식의 동류항을 간단히 하는 방법으로 계산한다.

$a>0$, m, n이 유리수일 때,

・ $m\sqrt{a}+n\sqrt{a}=(m+n)\sqrt{a}$ ・ $m\sqrt{a}-n\sqrt{a}=(m-n)\sqrt{a}$

9 다음을 계산하시오.

(1) $\sqrt{12}(\sqrt{75}-2\sqrt{27}+\sqrt{48})-\sqrt{8}(\sqrt{32}-2\sqrt{18}+\sqrt{50})$

(2) $\sqrt{300}-6\left(\dfrac{5}{\sqrt{3}}-\dfrac{4}{\sqrt{2}}\right)+\dfrac{\sqrt{54}}{\sqrt{3}}$

(3) $\dfrac{\sqrt{3}(\sqrt{12}-\sqrt{6})}{\sqrt{2}}+\dfrac{\sqrt{6}+2\sqrt{3}}{\sqrt{6}}-\dfrac{\sqrt{2}}{6}$

10 $A=1-2\sqrt{3}$, $B=\sqrt{3}(\sqrt{12}-1)$, $C=\sqrt{18}+\sqrt{24}$일 때, $A+3B-\sqrt{2}C$의 값을 구하시오.

> A, B, C를 먼저 간단히 한 후 주어진 식에 대입한다.

11 두 수 a, b에 대하여 $a\circ b=ab-a+b$, $a*b=\dfrac{2a+b}{ab}$라 하자. $x=\sqrt{3}$, $y=2-\sqrt{3}$일 때, $(x\circ y)*y$의 값을 구하시오.

> $x\circ y$의 값을 먼저 구한다.

12 $\sqrt{5}+\sqrt{7}=a$에서 $\sqrt{7}$을 근호를 사용하지 않고 a를 이용하여 나타내시오.

> $\sqrt{5}=a-\sqrt{7}$로 놓고 양변을 제곱한다.

곱셈 공식을 이용한 제곱근의 계산

> (1) $(a+b)^2=a^2+2ab+b^2$, $(a-b)^2=a^2-2ab+b^2$
> (2) $(a+b)(a-b)=a^2-b^2$

13 다음을 계산하시오.

(1) $(4+3\sqrt{2})^2$

(2) $(\sqrt{3}-2\sqrt{2})^2$

(3) $(2\sqrt{6}-5)(2\sqrt{6}+5)$

(4) $\left(1+\dfrac{1}{\sqrt{2}}\right)(2-\sqrt{2})$

14 다음을 계산하시오.

> $$(1-\sqrt{2})^8(1+\sqrt{2})^{10}$$

$a^8 b^{10}=(ab)^8 \times b^2$임을 이용한다.

15 $(1-\sqrt{3}+\sqrt{2})^2(1+\sqrt{3}-\sqrt{2})^2$을 계산하면 $a+b\sqrt{6}$일 때, $a+b$의 값을 구하시오.

(단, a, b는 유리수)

$a^2 b^2=(ab)^2$임을 이용한다.

식의 값 구하기

> 주어진 조건을 식에 직접 대입하거나 변형하여 대입한 후 식의 값을 구한다.
>
> ⑩ $x=1+\sqrt{2}$일 때, x^2-2x+1의 값 구하기
>
>   i) x^2-2x+1에 $x=1+\sqrt{2}$를 직접 대입하면
>
> $(1+\sqrt{2})^2-2(1+\sqrt{2})+1=2$
>
>   ii) $x-1=\sqrt{2}$의 양변을 제곱하면
>
> $(x-1)^2=(\sqrt{2})^2$ $\therefore$ $x^2-2x+1=2$

16 $x=\sqrt{3}+1$일 때, x^2-3x-1의 값을 구하시오.

주어진 식에 x의 값을 직접 대입하거나 $(x-1)^2=(\sqrt{3})^2$임을 이용하여 식을 변형한다.

17 $\sqrt{5}$의 소수 부분을 x라 할 때, $(x^2+4x-3)(x^2+4x-5)$의 값을 구하시오.

Deep

무리수가 서로 같을 조건

a, b, c, d가 유리수, $\sqrt{m}$은 무리수일 때,

(1) $a+b\sqrt{m}=0$이면 $a=b=0$

(2) $a+b\sqrt{m}=c+d\sqrt{m}$이면 $a=c$, $b=d$

---

18 x가 유리수일 때, $(2+x\sqrt{2})(3-\sqrt{2})$가 유리수가 되도록 x의 값을 정하시오.

식을 전개한 후 무리수의 계수를 0으로 놓는다.

19 a가 유리수일 때, $\dfrac{a+\sqrt{2}}{3\sqrt{2}+1}$가 유리수가 되도록 a의 값을 정하시오.

먼저 분모를 유리화한다.

20 유리수 a에 대하여 $\dfrac{2\sqrt{2}+a-5}{a\sqrt{2}-3}$가 유리수가 되도록 a의 값을 정할 때, 모든 a의 값의 합을 구하시오.

21 $(3-\sqrt{3})(2a-b\sqrt{3})=4$일 때, 유리수 a, b의 값을 각각 구하시오.

22 $\sqrt{3}$의 소수 부분을 a, a의 역수를 b라고 할 때, $(a-1)x+2(b+3)y+1=0$을 만족하는 유리수 x, y의 값을 각각 구하시오.

$b=\dfrac{1}{a}$

23 두 유리수 x, y에 대하여 $x \circledcirc y=\sqrt{2}x-y$라 할 때, $(x \circledcirc 2y) \circledcirc y+1=x \circledcirc 2y$를 만족하는 x, y의 값을 각각 구하시오.

먼저 주어진 연산 기호에 따라 식을 정리한 후 $a+b\sqrt{m}=0$의 꼴로 만든다.

제곱근의 값

(1) 제곱근표를 이용한 제곱근의 값

1.00부터 99.9까지의 수에 대한 양의 제곱근의 값을 소수점 아래 넷째 자리에서 반올림하여 나타낸 표이다.

Deep (2) 제곱근표에 없는 수의 값

① $\sqrt{100a}=10\sqrt{a}$, $\sqrt{1000a}=10\sqrt{10a}$, …

② $\sqrt{\dfrac{a}{100}}=\dfrac{\sqrt{a}}{10}$, $\sqrt{\dfrac{a}{1000}}=\dfrac{\sqrt{a}}{10\sqrt{10}}$, …

24 다음 중 $\sqrt{2}$의 값은 1.414임을 이용하여 그 값을 구할 수 <u>없는</u> 것은?

① $\sqrt{0.5}$　　　　② $\sqrt{0.02}$　　　　③ $\sqrt{12}$

④ $\sqrt{32}$　　　　⑤ $\sqrt{200}$

25 $\sqrt{7}$의 값은 2.646, $\sqrt{70}$의 값은 8.367일 때, 다음 값을 구하시오.

(1) $\sqrt{7000}$　　　　(2) $\sqrt{0.7}$　　　　(3) $\sqrt{2800}$

26 다음 중 $1.4^2=1.96$를 이용하여 그 값을 구할 수 있는 것을 모두 고르면? (정답 2개)

① $\sqrt{196}$　　　　② $\sqrt{19.6}$　　　　③ $\sqrt{0.0196}$

④ $\sqrt{14}$　　　　⑤ $\sqrt{140}$

27 $\dfrac{\sqrt{9^{13}+81^4}}{\sqrt{27^6+9^{14}}}$의 값을 구하시오.

거듭제곱을 밑이 3인 수로 모두 바꾸어 본다.

28 $\sqrt{13\times14\times15\times16+1}$의 값을 구하시오.

$13=x$로 놓고 푼다. 즉, $14=x+1$, $15=x+2$ $16=x+3$

29 오른쪽의 제곱근표를 이용하여 $\sqrt{2248}$의 값을 구하시오.

수	0	1	2	3	4
5.5	2.345	2.347	2.349	2.352	2.354
5.6	2.366	2.369	2.371	2.373	2.375
5.7	2.387	2.390	2.392	2.394	2.396
⋮					

$\sqrt{2248}=2\sqrt{562}$ $=20\sqrt{5.62}$

2 STEP 실력 높이기

1 $x=\dfrac{1+\sqrt{2}+\sqrt{3}}{2}$, $y=\dfrac{1-\sqrt{2}-\sqrt{3}}{2}$ 일 때, x^2-y^2의 값을 구하시오.

$x^2-y^2=(x+y)(x-y)$

2 다음 식을 계산하시오.

$$\sqrt{2}-\cfrac{1}{\sqrt{2}-\cfrac{1}{\sqrt{2}-\cfrac{1}{\sqrt{2}-1}}}$$

번분수식

$\dfrac{\frac{d}{c}}{\frac{b}{a}}=\dfrac{d}{c}\div\dfrac{b}{a}$

$\quad=\dfrac{d}{c}\times\dfrac{a}{b}$

$\quad=\dfrac{ad}{bc}$

3 서술형 $f(x)=\sqrt{x+2}+\sqrt{x+1}$일 때, $\dfrac{1}{f(0)}+\dfrac{1}{f(1)}+\dfrac{1}{f(2)}+\cdots+\dfrac{1}{f(50)}$의 값을 구하시오.

$\dfrac{1}{f(x)}$의 분모를 유리화한 후 x에 0, 1, $\cdots$, 50의 값을 각각 대입한다.

풀이

4 $\dfrac{1}{1+\sqrt{2}}+\dfrac{1}{\sqrt{2}+\sqrt{3}}+\dfrac{1}{\sqrt{3}+\sqrt{4}}+\cdots+\dfrac{1}{\sqrt{49}+\sqrt{50}}$의 소수 부분을 a라고 할 때, $a^2+14a+1$의 값을 구하시오.

분모를 유리화하여 서로의 항이 제거되는 성질을 이용한다.

5
서술형
$\dfrac{5a-4b}{5b-a}=2$일 때, $\sqrt{\dfrac{6a+3b}{2a-b}}$ 에 가장 가까운 정수 m과 $-\sqrt{\dfrac{6a+3b}{2a-b}}$ 를 넘지 않는 최대의 정수 n의 곱을 구하시오.

$\dfrac{5a-4b}{5b-a}=2$를 a에 관하여 푼후 주어진 두 식에 각각 대입한다.

풀이

6
$\sqrt{6-\sqrt{6-\sqrt{6-\sqrt{6-\cdots}}}}$ 의 값을 구하시오.

$\sqrt{6-\sqrt{6-\sqrt{6-\sqrt{6-\cdots}}}}=t$로 놓고 근호 안의 동일한 식이 무한히 반복됨을 이용한다.

7
무리수 $\sqrt{x^2+y^2}$의 정수 부분이 4일 때, 자연수 x, y의 합의 최댓값을 구하시오.

$4<\sqrt{x^2+y^2}<5$

8 1보다 큰 자연수 n에 대하여 $x_n = \dfrac{1}{y_{n-1}}$이고 x_n의 소수 부분이 y_n이라고 할 때, y_{2020}의 값을 구하시오. (단, $x_1 = 2\sqrt{2}$)

$x_1 = 2\sqrt{2}$, $y_1 = 2\sqrt{2} - 2$

$x_2 = \dfrac{1}{y_1} = \dfrac{1}{2\sqrt{2} - 2}, \cdots$

임을 이용하여 차례로 $y_2, y_3, \cdots$ 의 값을 구해본다.

9 $\sqrt{n}$ 이하의 자연수의 개수를 $f(n)$이라고 할 때, $f(1) + f(2) + \cdots + f(40)$의 값을 구하시오.

주어진 정의를 이용하여 차례로 $f(1), f(2), \cdots$를 구한다.

10 $4^x = 4 + 2\sqrt{2}$, $4^y = 4 - 2\sqrt{2}$일 때, $x + y$의 값을 구하시오.

11 $x = \dfrac{\sqrt{6} + \sqrt{2}}{\sqrt{6} - \sqrt{2}}$, $y = \dfrac{\sqrt{6} - \sqrt{2}}{\sqrt{6} + \sqrt{2}}$일 때, $x^2 - xy + y^2$의 값을 구하시오.

먼저 x, y의 분모를 유리화해 본다.

풀이

12 다음 식의 값이 실수가 되도록 하는 실수 x의 값을 모두 구하시오.

$$\sqrt{-x^2(x+1)^2|2-x^2|}$$

$\sqrt{a}$가 실수가 될 조건은 $a \geq 0$이다.

13 $x=\sqrt{2}+1$일 때, $\dfrac{[x]}{x-[x]}+\dfrac{2x+[x]}{[x]}$의 값을 구하시오.

(단, $[x]$는 x를 넘지 않는 최대의 정수이다.)

$[x]$ ('가우스 x'로 읽는다)
(i) x가 정수일 때 : x
(ii) x가 정수가 아닐 때 : 수직선에서 좌표 x의 왼쪽의 첫 번째에 있는 정수
예) $[-1.7]=-2$,
$[3.1]=3$

14 $\{(\sqrt{5}+\sqrt{7})^3+(\sqrt{5}-\sqrt{7})^3\}^2-\{(\sqrt{5}-\sqrt{7})^3-(\sqrt{5}+\sqrt{7})^3\}^2$의 값을 구하시오.

15 실수 x에 대하여 다음 등식이 성립하기 위한 x의 값의 범위를 구하시오.

$$\sqrt{2-x^2}=x\sqrt{\dfrac{2}{x^2}-1}$$

근호 안의 수는 0보다 크거나 같고, x가 분모에 있으므로 $x \neq 0$이다.

16 $(2+3\sqrt{2})(x-2\sqrt{2})$가 유리수가 되도록 하는 유리수 x의 정수 부분을 a, 소수 부분을 b라 하자. $ma+n\sqrt{b}=3+\sqrt{3}$일 때, 두 유리수 m, n에 대하여 $m+n$의 값을 구하시오.

17 $x=\dfrac{\sqrt{6}+\sqrt{2}}{2}$, $y=\dfrac{\sqrt{6}-\sqrt{2}}{2}$일 때, $\dfrac{\sqrt{x}+\sqrt{y}}{\sqrt{x}-\sqrt{y}}$의 값을 구하시오.

먼저 주어진 식의 분모를 유리화한다.

18 다음 중 $19^2=361$임을 이용하여 그 값을 구할 수 있는 것은?

① $\sqrt{3610}$ 　　　② $\sqrt{36.1}$ 　　　③ $\sqrt{3.61}$
④ $\sqrt{19}$ 　　　⑤ $\sqrt{190}$

19 $\sqrt{8.73}$의 값이 2.955일 때, $(295.5)^2$의 값을 구하시오.

제곱근표에 없는 수의 값은 제곱근의 성질을 이용하여 구한다.

풀이

정답과 풀이 16쪽

1 $x=\sqrt{3+\sqrt{3+\sqrt{3+\cdots}}}$ 일 때, x^2-x의 값을 구하시오.

$x=\sqrt{3+x}$

2 x, y는 실수이고 $x^2+y^2=1$일 때, $\sqrt{(1+xy)^2}+\sqrt{(1-xy)^2}$의 값을 구하시오.

$1+xy=x^2+xy+y^2$
$\qquad =\left(x+\dfrac{y}{2}\right)^2+\dfrac{3}{4}y^2\geq 0$

3 a는 유리수이고 b는 무리수일 때, 다음 **보기** 중 항상 무리수인 것을 모두 고르시오.

보기
ㄱ. $\sqrt{a}+b$ ㄴ. $b-\sqrt{a}$ ㄷ. $a+b^2$ ㄹ. a^2-b ㅁ. $a+b$ ㅂ. $\dfrac{a}{b}$ ㅅ. $a\sqrt{b}$ ㅇ. $b\sqrt{a}$

유리수 a와 무리수 b에 대하여 그 값이 유리수가 되는 한 가지 예를 들어본다.

4 $a<0$, $b<0$, $\sqrt{ab}=5$일 때, $a\sqrt{\dfrac{b}{a}}+b\sqrt{\dfrac{a}{b}}$의 값을 구하시오.

$a\sqrt{b}$의 계산
(i) $a\geq 0$일 때,
$\qquad a\sqrt{b}=\sqrt{a^2 b}$
(ii) $a<0$일 때,
$\qquad a\sqrt{b}=-\sqrt{a^2 b}$

5 기호 $\langle x \rangle$를 x에 가장 가까운 정수라 할 때, $\left\langle \dfrac{\sqrt{2}}{\sqrt{2}+1} \right\rangle + \left\langle \dfrac{\sqrt{2}}{\sqrt{2}-1} \right\rangle$의 값을 구하시오.

(단, $\sqrt{2}$의 값은 1.414로 계산한다.)

6 $x_1 = \sqrt{6} - [\sqrt{6}]$이고, $x_{n+1} = \dfrac{1}{x_n} - \left[\dfrac{1}{x_n} \right]$ $(n=1, 2, 3, \cdots)$을 만족할 때,

$x_1 + x_2 + \cdots + x_{12}$의 값을 구하시오. (단, $[x]$는 x를 넘지 않는 최대의 정수이다.)

> $\sqrt{6} - [\sqrt{6}]$은 $\sqrt{6}$의 소수 부분이 된다.

7 $x = \sqrt{3} - 1$일 때, $x^3 + 2x^2 + 3x + 5$의 값을 구하시오.

> $x+1 = \sqrt{3}$의 양변을 제곱하여 정리하면
> $x^2 + 2x - 2 = 0$

Challenge

8 자연수 n에 대하여 $f(n)$은 $\sqrt{n}$을 소수 첫째 자리에서 반올림한 값을 나타낼 때, $f(1) + f(2) + \cdots + f(20)$의 값을 구하시오.

> $1.5^2 = 2.25$
> $2.5^2 = 6.25$
> $3.5^2 = 12.25$
> $4.5^2 = 20.25$임을 이용한다.
> 예를 들어
> $\sqrt{6.25} < \sqrt{7} < \sqrt{12.25}$
> 이므로 $f(7) = 3$이다.

Challenge

9 양의 실수 x의 소수 부분이 y이고, $x^2 + y^2 = 10$을 만족할 때, 실수 x, y의 값을 구하시오.

> $x = n + y$ (n은 음이 아닌 정수, $0 \leq y < 1$)로 놓고 가능한 n의 값을 찾는다.

I 단원 종합 문제

1

다음 중 옳지 <u>않은</u> 것을 모두 고르면? (정답 2개)

① $\sqrt{4}$의 제곱근은 $\sqrt{2}$이다.

② $\sqrt{2}$는 $\sqrt{4}$의 제곱근이다.

③ $2-\sqrt{3}$의 제곱근은 2개이다.

④ $\sqrt{\sqrt{81}}$의 제곱근은 $\pm\sqrt{3}$이다.

⑤ 모든 정수의 제곱근은 2개이다.

2

x가 8자리의 정수일 때, $\sqrt{x}$의 정수 부분의 자릿수를 구하시오.

3

$\sqrt{19}$의 소수 부분을 a라 할 때, $a+\sqrt{(1-a)^2}$의 값을 구하시오.

4

다음 중 옳지 <u>않은</u> 것은?

① $a>1$이면 $a>\dfrac{1}{a}$이다.

② $0<a<1$이면 $a<\sqrt{a}$이다.

③ $0<a<1$이면 $a>a^{10}$이다.

④ $a<-1$이면 $a<\dfrac{1}{a}$이다.

⑤ $-1<a<0$이면 $a>a^3$이다.

5

$\sqrt{(10-\sqrt{2})^2}-\sqrt{(\sqrt{8}-3)^2}+\dfrac{1+\sqrt{2}}{1-\sqrt{2}}$ 를 계산하시오.

6

$-2<a<2$일 때, $\sqrt{(a-2)^2}+\sqrt{(2+a)^2}+\sqrt{(2-a)^2}$을 간단히 하시오.

7

$0<a<1$일 때, $\sqrt{\left(a-\dfrac{1}{a}\right)^2}+\sqrt{\left(a+\dfrac{1}{a}\right)^2}$을 간단히 하시오.

8

$\sqrt{x}=2-a$일 때, $\sqrt{x-2a+5}+\sqrt{x-4a+12}$를 간단히 하시오.

9

$\sqrt{144-18n}$이 정수가 되도록 하는 자연수 n의 값의 합을 구하시오.

10

$x=a+b\sqrt{3}$이고 a, b는 유리수일 때, 다음 중 x의 값이 될 수 <u>없는</u> 것은?

① -2 ② 0 ③ $4+\sqrt{12}$

④ $\sqrt{\dfrac{1}{3}}$ ⑤ $2-\sqrt{\dfrac{3}{2}}$

11

두 실수 $2\sqrt{3}+\sqrt{2}$와 $3\sqrt{6}-2$의 크기를 비교하시오.

12

다음 세 실수 a, b, c의 대소 관계를 정하시오.

$$a=3\sqrt{2}+1, \quad b=2\sqrt{3}+1, \quad c=5$$

13

a는 유리수이고 b는 무리수일 때, 다음 중 항상 옳은 것은?

① a^2+b는 유리수이다.

② a^2b^2은 유리수이다.

③ b^2은 유리수이다.

④ $2a^2-3b$는 무리수이다.

⑤ $a\div b$는 무리수이다.

14

$\sqrt{20-x}$가 자연수가 되도록 하는 자연수 x를 모두 구하시오.

15

$x=5+\sqrt{3}$, $y=5-\sqrt{3}$일 때, $\dfrac{y}{x-2}+\dfrac{x}{y-2}$의 값을 구하시오.

16

$2<\sqrt{2x+3}<7$을 만족하는 자연수 x의 개수를 구하시오.

17

$\sqrt{48}-(-\sqrt{5})^2-\dfrac{9}{\sqrt{3}}+\sqrt{(\sqrt{3}-2)^2}$을 계산하시오.

18

$\sqrt{20}$의 정수 부분을 a, 소수 부분을 b라 할 때, $\dfrac{b}{a}+\dfrac{a}{b}$의 값을 구하시오.

19

$5-2\sqrt{3}$의 소수 부분을 x라 할 때, x^2-8x+4의 값을 구하시오.

20

$\sqrt{40\times a}=b$를 만족하는 두 자연수 a, b에 대하여 $a+b$의 최솟값을 구하시오.

21

$2<\sqrt{|x-5|}<3$을 만족하는 정수 x의 값의 합은?

① -40 ② -23 ③ 0

④ 23 ⑤ 40

22

$\sqrt{2\sqrt{4\sqrt{8\sqrt{1024}}}}$의 값을 구하시오.

23

$\sqrt{32}$의 값은 5.657, $\sqrt{3.2}$의 값은 1.789일 때, $\sqrt{320}$의 값을 구하시오.

24

$(3+2\sqrt{3})(a-4\sqrt{3})$이 유리수가 되도록 하는 유리수 a의 값을 구하시오.

25

$a+\sqrt{2}$, $3+b\sqrt{2}$의 합과 곱이 모두 유리수가 되도록 하는 유리수 a, b의 값을 구하시오.

26

다음 그림의 수직선에서 사각형은 모두 정사각형이고, $\overline{AD}=\overline{AP}$일 때, 점 P에 대응하는 수는?

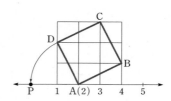

① $\sqrt{5}$ ② $-\sqrt{5}$ ③ $4-\sqrt{5}$

④ $2-\sqrt{5}$ ⑤ $-2+\sqrt{5}$

27

$\sqrt{2a}=a$, $b=\sqrt{3}$, $c=a+\dfrac{b}{a+b}$일 때, $a+2b-c$의 값을 구하시오. (단, $a\neq 0$)

28

$a=33-|x|$이고, a의 양의 제곱근의 정수 부분이 3일 때, 정수 x의 개수를 구하시오.

29

x가 실수일 때, $\sqrt{(x+\sqrt{x^2})^2}-\sqrt{(x-\sqrt{x^2})^2}$을 간단히 하시오.

30

$x+y=\sqrt{7\sqrt{5}-\sqrt{3}}$, $x-y=\sqrt{7\sqrt{3}-\sqrt{5}}$일 때, x^2+xy+y^2의 값을 구하시오.

II 식의 계산

1. 다항식의 곱셈
2. 인수분해

1 다항식의 곱셈

1 곱셈 공식

(1) $(a+b)^2=a^2+2ab+b^2$, $(a-b)^2=a^2-2ab+b^2$

(2) $(a+b)(a-b)=a^2-b^2$

(3) $(a+b+c)^2=a^2+b^2+c^2+2(ab+bc+ca)$

(4) $(a+b)^3=a^3+3a^2b+3ab^2+b^3=a^3+b^3+3ab(a+b)$

(5) $(a-b)^3=a^3-3a^2b+3ab^2-b^3=a^3-b^3-3ab(a-b)$

(6) $(x+a)(x+b)=x^2+(a+b)x+ab$

(7) $(x+a)(x+b)(x+c)=x^3+(a+b+c)x^2+(ab+bc+ca)x+abc$

(8) $(ax+b)(cx+d)=acx^2+(ad+bc)x+bd$

■ 다항식 전개의 기본
$$\overbrace{(a+b)(c+d)}$$
$$=ac+ad+bc+bd$$

2 곱셈 공식의 변형 ❶

(1) $a^2+b^2=(a+b)^2-2ab=(a-b)^2+2ab$

(2) $(a+b)^2=(a-b)^2+4ab$

(3) $(a-b)^2=(a+b)^2-4ab$

(4) $a^3+b^3=(a+b)^3-3ab(a+b)$

(5) $a^3-b^3=(a-b)^3+3ab(a-b)$

(6) $a^2+b^2+c^2=(a+b+c)^2-2(ab+bc+ca)$

(7) $a^4+b^4=(a^2+b^2)^2-2(ab)^2$

(8) $a^2+b^2+c^2-ab-bc-ca=\dfrac{1}{2}\{(a-b)^2+(b-c)^2+(c-a)^2\}$

(9) $a^2+b^2+c^2+ab+bc+ca=\dfrac{1}{2}\{(a+b)^2+(b+c)^2+(c+a)^2\}$

■ $a+b=\pm\sqrt{(a-b)^2+4ab}$
$a-b=\pm\sqrt{(a+b)^2-4ab}$

■ $a^4+b^4=(a^2)^2+(b^2)^2$
$\qquad=(a^2+b^2)^2-2a^2b^2$

3 곱셈 공식의 변형 ❷

(1) $x^2+\dfrac{1}{x^2}=\left(x+\dfrac{1}{x}\right)^2-2=\left(x-\dfrac{1}{x}\right)^2+2$

(2) $\left(x+\dfrac{1}{x}\right)^2=\left(x-\dfrac{1}{x}\right)^2+4$

(3) $\left(x-\dfrac{1}{x}\right)^2=\left(x+\dfrac{1}{x}\right)^2-4$

(4) $x^3+\dfrac{1}{x^3}=\left(x+\dfrac{1}{x}\right)^3-3\left(x+\dfrac{1}{x}\right)$

(5) $x^3-\dfrac{1}{x^3}=\left(x-\dfrac{1}{x}\right)^3+3\left(x-\dfrac{1}{x}\right)$

■ 위의 곱셈 공식의 변형 ❶의
(4), (5)에서 $a=x$, $b=\dfrac{1}{x}$을 대
입하여 얻을 수 있다.

4 완전제곱식

완전제곱식이 되기 위한 조건

(1) $ax^2+bx+c=a\left(x+\dfrac{b}{2a}\right)^2$이 되려면 $c=\dfrac{b^2}{4a}$이면 된다.

(2) $x^2+mx+n=\left(x+\dfrac{m}{2}\right)^2$이 되려면 $n=\left(\dfrac{m}{2}\right)^2$이면 된다.

STEP 1 주제별 실력다지기

다항식의 전개 ❶

(1) $(a+b)^2=a^2+2ab+b^2$, $(a-b)^2=a^2-2ab+b^2$

(2) $(a+b)(a-b)=a^2-b^2$

Deep (3) $(a+b+c)^2=a^2+b^2+c^2+2(ab+bc+ca)$

Deep (4) $(a+b)^3=a^3+3a^2b+3ab^2+b^3=a^3+b^3+3ab(a+b)$

$(a-b)^3=a^3-3a^2b+3ab^2-b^3=a^3-b^3-3ab(a-b)$

1 다음을 전개하시오.

(1) $(2a-3b)(-3a+2b)$

(2) $(x^2-x+2)(x^2-2x+3)$

(3) $\left(1+\dfrac{1}{\sqrt{3}}\right)(3-\sqrt{3})$

(4) $(2+\sqrt{2}-\sqrt{3})^2$

(5) $(2a-b)^3+(2a+b)^3$

(6) $(a-b)^2(a+b)^2(a^2+b^2)^2(a^4+b^4)^2$

다항식의 전개 ❷

(1) 계수가 1인 두 일차식의 곱의 전개

$(x+a)(x+b)=x^2+\underline{(a+b)}x+\underline{ab}$

  └─ 상수항의 곱

  └─ 상수항의 합

(2) 계수가 1인 세 일차식의 곱의 전개

$(x+a)(x+b)(x+c)=x^3+\underline{(a+b+c)}x^2+\underline{(ab+bc+ca)}x+\underline{abc}$

  └─ 상수항의 곱

  └─ 두 상수항의 곱의 합

  └─ 상수항의 합

(3) $(ax+b)(cx+d)=acx^2+(ad+bc)x+bd$

$(x+a)(x+b)(x+c)$
$=\{x^2+(a+b)x+ab\}(x+c)$
$=x^3+(a+b)x^2+abx$
$\qquad+cx^2+(ac+bc)x+abc$
$=x^3+(a+b+c)x^2$
$\qquad+(ab+ac+bc)x+abc$

2 다음을 전개하시오.

(1) $(x-\sqrt{2})(x+\sqrt{2}-1)$

(2) $(2+\sqrt{3})(2-3\sqrt{3})$

(3) $(x-1)(x+2)(x-3)$

(4) $(1-\sqrt{2})(1-2\sqrt{2})(1+3\sqrt{2})$

(2) 2를 x로 생각한다.

(4) 1을 x로 생각한다.

3 오른쪽 그림의 어두운 부분의 넓이를 구할 때, 이용되는 전개식으로 알맞은 것은?

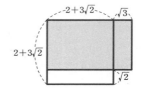

① $(x+y)^2 = x^2 + 2xy + y^2$

② $(x-y)^2 = x^2 - 2xy + y^2$

③ $(x+a)(x-a) = x^2 - a^2$

④ $(x+a)(x+b) = x^2 + (a+b)x + ab$

⑤ $(a+b)(c+d) = ac + ad + bc + bd$

치환하여 전개하기

각각의 항에 공통으로 들어 있는 식은 치환하여 계산한다.

예 $(a+b+1)(a-b-1)$을 전개할 때, $b+1$을 t로 치환하면

$$\{a+(b+1)\}\{a-(b+1)\} = (a+t)(a-t) = a^2 - t^2$$
$$= a^2 - (b+1)^2 = a^2 - b^2 - 2b - 1$$

---

4 다음을 전개하시오.

(1) $(a-b+1)(a+b+1) + (a+b-1)(-a+b+1)$

(2) $(x+1)(x+2)(x+3)(x+4)$

(3) $(x-1)(x+2)(x-3)(x+6)$

(4) $(2a-b-1)^2 + (2a-b+1)^2$

(2), (3) 두 개씩 짝지어 전개한다. 이때 공통 부분이 생길 수 있도록 짝짓는다.

(4) $2a-b=X$로 치환한다.

다항식의 계수 구하기

(1) 특정항의 계수 구하기

필요한 문자가 들어 있는 항끼리 곱하여 계산한다.

예 $(x-2y+z)(2x+y-3z)$에서 xy항의 계수는 $xy - 4xy = -3xy$에서 -3이다.

$$-4xy$$
$$xy$$

(2) 상수항을 포함한 계수의 총합 구하기

모든 미지수에 1을 대입하여 계산한 식의 값이다.

(단, 상수항을 제외한 계수의 총합을 구하는 경우 계산한 식의 값에서 상수항을 빼준다.)

최상위 **03**   풀이 21쪽
NOTE

다항식의 상수항을 포함한 계수의 총합은 모든 미지수에 1을 대입하여 구할 수 있다. 예를 들어 다항식 $ax^2 + bx + c$
(단, a, b, c는 상수)에 $x=1$을 대입하면 상수항을 포함한 계수의 총합 $a+b+c$을 구할 수 있다.

5 $(x+2)^2(2x-1)(x+1)^2$에 대하여 다음 물음에 답하시오.

   (1) x^3항의 계수를 구하시오.

   (2) 전개식에서 상수항을 제외한 계수의 총합을 구하시오.

주어진 식을 모두 전개하는 것은 복잡하므로 필요한 문자가 들어 있는 항끼리 곱하여 계산한다.

6 $(2x-y+z)^3$의 전개식에서 계수의 총합을 a, xyz항의 계수를 b라 할 때, $a+b$의 값을 구하시오.

$(2x-y+z) \times (2x-y+z)$
$\times (2x-y+z)$
로 놓고 xyz항을 계산한다.

Deep

켤레수의 계산

(1) 켤레수의 합과 곱은 간단한 수(식)가 된다.

   예 $(a+b)+(a-b)=2a$, $(a+b)(a-b)=a^2-b^2$

(2) 켤레수의 제곱의 계산

   ① $(a+b)^2+(a-b)^2=2(a^2+b^2)$

   ② $(a+b)^2-(a-b)^2=2(2ab)=4ab$

   ③ $(a-b)^2-(a+b)^2=2(-2ab)=-4ab$

$a+b$에 대하여 $a-b$를 켤레수라 한다.

제곱의 성질
$(a-b)^2=(b-a)^2$
$(-a-b)^2=(a+b)^2$
부호의 성질
$a-b=-(b-a)$
$a+b=-(-a-b)$

7 $x=\dfrac{\sqrt{3}-\sqrt{2}}{2}$, $y=\dfrac{\sqrt{3}+\sqrt{2}}{2}$일 때, 다음 식을 간단히 하시오.

   (1) $x+y$ (2) xy

   (3) x^2+y^2 (4) x^2-y^2

중3 켤레수의 계산

켤레수의 계산(무리수)

'신발 한 켤레'처럼 '켤레'라는 말이 짝을 나타내듯이 유리수 부분은 같고 무리수 부분의 부호만 다른 두 수의 쌍을 켤레수라 한다. 따라서 다음과 같이 켤레수의 합 또는 곱을 이용하면 간단해진다.

$$\left. \begin{array}{l} x=2+\sqrt{3} \\ y=2-\sqrt{3} \end{array} \right\} \text{켤레수}$$

① $x+y=(2+\sqrt{3})+(2-\sqrt{3})=4$
  ⇨ 두 수를 더하면 무리수 부분이 사라져 간단해진다.
② $xy=(2+\sqrt{3})(2-\sqrt{3})=2^2-(\sqrt{3})^2=4-3=1$
  ⇨ $(\sqrt{3})^2=3$이므로 두 수를 곱하면 무리수 부분이 사라져 간단해진다.

고등까지 연결되는 중등개념   **고1 켤레복소수의 계산**

'켤레수는 합 또는 곱을 구하면 간단해진다.'

제곱해서 -1이 되는 수 i에 대하여 $a+bi$(a, b는 실수)의 꼴로 나타내어지는 복소수에 대하여 $a-bi$를 켤레복소수라 한다. 또, 이러한 켤레복소수끼리의 계산은 무리수의 경우와 마찬가지로 합 또는 곱을 이용하면 간단해진다.

$$\left. \begin{array}{l} x=2+i \\ y=2-i \end{array} \right\} \text{켤레복소수}$$

① $x+y=(2+i)+(2-i)=4$
  ⇨ 두 수를 더하면 허수 부분이 사라져 간단해진다.
② $xy=(2+i)(2-i)=2^2-i^2=4-(-1)=5$
  ⇨ $i^2=-1$이므로 두 수를 곱하면 허수 부분이 사라져 간단해진다.

(1) $a^2+b^2=(a+b)^2-2ab=(a-b)^2+2ab$
(2) $(a+b)^2=(a-b)^2+4ab$, $(a-b)^2=(a+b)^2-4ab$
(3) $a^3+b^3=(a+b)^3-3ab(a+b)$, $a^3-b^3=(a-b)^3+3ab(a-b)$
(4) $a^4+b^4=(a^2+b^2)^2-2(ab)^2$

8 $a+b=4$, $ab=2$일 때, 다음 식의 값을 구하시오.

(1) a^2+b^2 (2) a^3+b^3

(3) $(a-b)^2$ (4) a^4+b^4

9 $a-b=3$, $ab=2$일 때, 다음 식의 값을 구하시오.

(1) a^2+b^2 (2) $(a+b)^2$

(3) a^3-b^3 (4) a^4+b^4

10 $x+y=4$, $x^2+y^2=14$일 때, 다음 식의 값을 구하시오.

(1) xy (2) x^3+y^3

(3) x^4+y^4

11 $x^2+y^2=10$, $xy=3$일 때, x^4+y^4의 값을 구하시오.

12 $a+b=2$, $a^2+b^2=5$일 때, $\dfrac{b}{a}+\dfrac{a}{b}$의 값을 구하시오.

곱셈 공식의 변형 ❷

(1) $x^2+\dfrac{1}{x^2}=\left(x+\dfrac{1}{x}\right)^2-2=\left(x-\dfrac{1}{x}\right)^2+2$

(2) $\left(x+\dfrac{1}{x}\right)^2=\left(x-\dfrac{1}{x}\right)^2+4$, $\left(x-\dfrac{1}{x}\right)^2=\left(x+\dfrac{1}{x}\right)^2-4$

13 $x+\dfrac{1}{x}=3$일 때, 다음 식의 값을 구하시오.

(1) $x^2+\dfrac{1}{x^2}$

(2) $x^3+\dfrac{1}{x^3}$

(3) $\left(x-\dfrac{1}{x}\right)^2$

(2) $x^3+\dfrac{1}{x^3}$
$=\left(x+\dfrac{1}{x}\right)^3-3\left(x+\dfrac{1}{x}\right)$

14 $x-\dfrac{1}{x}=2$일 때, 다음 식의 값을 구하시오.

(1) $x^2+\dfrac{1}{x^2}$

(2) $x^3-\dfrac{1}{x^3}$

(3) $\left(x+\dfrac{1}{x}\right)^2$

(2) $x^3-\dfrac{1}{x^3}$
$=\left(x-\dfrac{1}{x}\right)^3+3\left(x-\dfrac{1}{x}\right)$

이차방정식을 변형하여 식의 값 구하기

$x^2-4x+1=0$

양변을 x로 나누기 → $x+\dfrac{1}{x}=4$

'2차 → 1차'로 차수 낮추기 → $x^2=4x-1$

식 전체를 조건으로 하기 → $(x^2-4x+1)Q(x)=0$

15 $x^2-3x+1=0$일 때, 다음 식의 값을 구하시오.

(1) $x+\dfrac{1}{x}$

(2) x^3-4x^2+4x-1

16 $x = -1 + \sqrt{2}$일 때, $x^3 - 2x^2 - x + 3$의 값을 구하시오.

17 $x - \dfrac{1}{x} = 5$일 때, $x^3 + x^2 + x + 1 = ax + b$이다. 상수 a, b의 값을 각각 구하시오.

완전제곱식

완전제곱식이 되기 위한 조건

(1) $ax^2 + bx + c = a\left(x + \dfrac{b}{2a}\right)^2$이 되려면 $c = \dfrac{b^2}{4a}$이면 된다.

(2) $x^2 + mx + n = \left(x + \dfrac{m}{2}\right)^2$이 되려면 $n = \left(\dfrac{m}{2}\right)^2$이면 된다.

$ax^2 + bx + c$가 완전제곱식일 때,

$$a : b : c = 1 : 2 : 1$$
$$= 1 : 4 : 4$$
$$= 1 : 6 : 9$$

임을 기억해 놓으면 편리하다.

18 다음 식이 완전제곱식이 되도록 $\Box$ 안에 알맞은 수 또는 식을 써넣으시오.

(1) $4x^2 - 9xy + \Box$

(2) $\Box x^2 + 4xy + y^2$

(3) $4x^2 + \Box x + 25y^2$

19 $(x+1)(x+2)(x+3)(x+4) + m$이 완전제곱식이 되도록 하는 상수 m의 값을 구하시오.

공통 부분이 생기도록 2개씩 짝지어 전개한 후 공통 부분을 t로 치환한다.

(1) $a^2+b^2+c^2=(a+b+c)^2-2(ab+bc+ca)$

(2) $a^2+b^2+c^2-ab-bc-ca=\dfrac{1}{2}\{(a-b)^2+(b-c)^2+(c-a)^2\}$

(3) $a^2+b^2+c^2+ab+bc+ca=\dfrac{1}{2}\{(a+b)^2+(b+c)^2+(c+a)^2\}$

$a^2+b^2+c^2-ab-bc-ca$
$=\dfrac{1}{2}(2a^2+2b^2+2c^2$
$\qquad -2ab-2bc-2ca)$
$=\dfrac{1}{2}\{(a^2-2ab+b^2)$
$\qquad +(b^2-2bc+c^2)$
$\qquad +(c^2-2ca+a^2)\}$
$=\dfrac{1}{2}\{(a-b)^2+(b-c)^2$
$\qquad +(c-a)^2\}$

$(a+b+c)^2$
$=a^2+b^2+c^2$
$\qquad +2(ab+bc+ca)$

20 $a+b+c=4$, $ab+bc+ca=5$일 때, $a^2+b^2+c^2$의 값을 구하시오.

21 $a^2+b^2+c^2=6$, $ab+bc+ca=5$일 때, $a+b+c$의 값을 모두 구하시오.

22 $a-b=3$, $b-c=4$일 때, $a^2+b^2+c^2-ab-bc-ca$의 값을 구하시오.

$a-b=3$, $b-c=4$를 변끼리 더하면 $a-c=7$이다.

23 $a^2+b^2+c^2+ab+bc+ca=0$을 만족하는 실수 a, b, c의 값을 각각 구하시오.

a, b가 실수일 때, $a^2+b^2=0$이면 $a=b=0$이다.

2 STEP 실력 높이기

1 다음을 전개하시오.

    (1) $(2+1)(2^2+1)(2^4+1)(2^8+1)$

    (2) $(x+y)(x-y)(x^2+xy+y^2)(x^2-xy+y^2)$

> $(a+b)(a-b)=a^2-b^2$ 임을 이용한다.

2 $(2x+A)(Bx+5)=4x^2+6x+C$일 때, $A+B+C$의 값을 구하시오.

                                             (단, A, B, C는 상수)

> $(ax+b)(cx+d)$ $=acx^2+(ad+bc)x+bd$ 임을 이용한다.

3 $(1+2x+3x^2+4x^3)^2$의 전개식에서 상수항을 제외한 각 항의 계수들의 총합을 구하시오.

> (전개식의 계수의 총합) =(모든 미지수에 1을 대입하 여 계산한 식의 값)

4 $A=(x-1)(2x+1)$, $B=(8x^3+2x^2-6x)\div(-2x)$, $C=(2x^4y^2)^3\div(2x^5y^3)^2$일 때, $2A-[C-\{2B-(A-B)\}]$를 간단히 하시오.

5 $\left(2x^2+3x+4+\dfrac{5}{x}\right)^2$의 전개식에서 상수항을 a, x항의 계수를 b라 할 때, $a+b$의 값을 구하시오.

> $\left(2x^2+3x+4+\dfrac{5}{x}\right)$ $\times\left(2x^2+3x+4+\dfrac{5}{x}\right)$로 놓고 생각한다.

6 $(x+1)(x+2)(x+3)\times\cdots\times(x+10)$의 전개식에서 x^9항의 계수를 구하시오.

$(x+a_1)(x+a_2)(x+a_3)\times\cdots$
$\qquad\qquad\times(x+a_n)$
$=x^n+(a_1+a_2+\cdots+a_n)x^{n-1}$
$\quad+(a_1a_2+a_1a_3+$
$\qquad\cdots+a_{n-1}a_n)x^{n-2}+\cdots$
$=x^n+(각\ 상수항의\ 합)x^{n-1}$
$\quad+(두\ 상수항의\ 곱의\ 합)x^{n-2}$
$\quad+(세\ 상수항의\ 곱의\ 합)x^{n-3}$
$\quad+\cdots$

7 $\{(1+x)+(1+x)^2+(1+x)^3\}^4$을 전개하였을 때, x의 계수를 구하시오.

서술형

풀이

{ } 안의 식을 전개하였을 때, x항이 나오지 않는 항은 배제하고 생각한다.

8 $(3+1)(3^2+1)(3^4+1)(3^8+1)-3^{15}=A$라 할 때, A를 간단히 하시오.

양변에 $(3-1)$을 곱한다.

9 $\{(a+b)^3+(a-b)^3\}^2-\{(a-b)^3-(a+b)^3\}^2$을 간단히 하시오.

$(a+b)^3$, $(a-b)^3$을 치환하여 계산한다.

10 4개의 수 a, b, c, d에 대하여 기호 $|\ \ |$를 $\begin{vmatrix} a & b \\ c & d \end{vmatrix}=ad-bc$라 할 때,

$\begin{vmatrix} 3x-y & 2(x+y) \\ x-y & -3x+y \end{vmatrix}$를 간단히 하시오.

약속대로 식을 세운다.

11 $x+y=xy=4$, $a+b=ab=5$일 때, $(ax+by)(bx+ay)$의 값을 구하시오.

구하는 식을 먼저 전개한 후 식을 변형시킨다.

12 $a-b=3$, $ab=3$일 때, $a^3b+a^2b^2+ab^3$의 값을 구하시오.

13 $x=\dfrac{\sqrt{5}-\sqrt{3}+\sqrt{2}}{2}$, $y=\dfrac{\sqrt{5}+\sqrt{3}-\sqrt{2}}{2}$일 때, $(x+y)^2-(x-y)^2$의 값을 구하시오.

14 $x=2+\sqrt{5}$일 때, $x^2+x+\dfrac{1}{x^2}-\dfrac{1}{x}$의 값을 구하시오.

15 $x=\dfrac{\sqrt{3}-1}{\sqrt{3}+1}$, $y=\dfrac{\sqrt{3}+1}{\sqrt{3}-1}$일 때, $\dfrac{x^2+y^2-xy}{x-y}$의 값을 구하시오.

16 $x^2-5x+1=0$일 때, $2x^3-3x^2-\dfrac{3}{x^2}+\dfrac{2}{x^3}$의 값을 구하시오.

$$x^2+\frac{1}{x^2}=\left(x+\frac{1}{x}\right)^2-2$$
$$x^3+\frac{1}{x^3}=\left(x+\frac{1}{x}\right)^3-3\left(x+\frac{1}{x}\right)$$

17 $x=\dfrac{\sqrt{5}+\sqrt{3}}{\sqrt{5}-\sqrt{3}}$일 때, $(x^2-8x+4)(4+8x-x^2)-7$의 값을 구하시오.

18 $x-\dfrac{1}{x}=1$일 때, $x^3-2x^2-\dfrac{2}{x^2}-\dfrac{1}{x^3}$의 값을 구하시오.

$$x^3-\frac{1}{x^3}=\left(x-\frac{1}{x}\right)^3+3\left(x-\frac{1}{x}\right)$$
$$x^2+\frac{1}{x^2}=\left(x-\frac{1}{x}\right)^2+2$$

19
서술형
$(a+b+c)^2+(a+b-c)^2+(a-b+c)^2+(-a+b+c)^2$을 전개하시오.

풀이

$a+b+c=s$라 놓고, 식을 전개한다.

20 가로의 길이, 세로의 길이, 높이가 각각 x cm, y cm, z cm인 직육면체의 모든 모서리의 길이의 합이 16 cm이고, 겉넓이가 10 cm²일 때, $x^2+y^2+z^2$의 값을 구하시오.

위 그림과 같은 직육면체에서
(겉넓이)=(밑넓이)×2
　　　　　+(옆넓이)
　　　　=$2(xy+yz+zx)$

21 $x+y+z=1$, $x^2+y^2+z^2=9$, $\dfrac{1}{x}+\dfrac{1}{y}+\dfrac{1}{z}=1$일 때, $(3-x)(3-y)(3-z)$의 값을 구하시오.

$x^2+y^2+z^2$
$=(x+y+z)^2$
　　　$-2(xy+yz+zx)$

22 $a+b=3$, $ab=1$일 때, $|a|+|b|$의 값을 구하시오.

$(|a|+|b|)^2$
$=a^2+2|ab|+b^2$

23
서술형
a, b, c가 유리수이고 $a^2+b^2+c^2=12$, $a+b+c=6$일 때, abc의 값을 구하시오.

풀이

$a^2+b^2+c^2-ab-bc-ca$
$=\dfrac{1}{2}\{(a-b)^2+(b-c)^2$
　　　　　$+(c-a)^2\}$

1 $A = (8x^3y^4 - 16x^3y^5 - 4x^2y^5) \div (-2xy^2)^2$, $B = (2x-y)(1-2x+y)$일 때, $B - (A+C) = 4xy - y^2$을 만족하는 다항식 C를 구하시오.

2 $a^2 - b^2 = 1$일 때, $\{(a+b)^n + (a-b)^n\}^2 - \{(a+b)^n - (a-b)^n\}^2$의 값을 구하시오. (단, n은 2 이상의 자연수이다.)

> $(a+b)^n = X$, $(a-b)^n = Y$로 치환한다.

Challenge

3 $(1 + x^2 + x^4 + x^6)^3$과 $(x + x^3 + x^5 + x^7)^3$의 전개식에서 x^n항의 계수를 각각 $f(n)$, $g(n)$이라 할 때, 다음 중 옳은 것은?

① $f(4) = g(7) + 5$ ② $f(4) = g(7)$ ③ $5f(4) = g(7)$

④ $f(4) = g(7) - 5$ ⑤ $f(4) = 5g(7)$

> $(x + x^3 + x^5 + x^7)^3$
> $= \{x(1 + x^2 + x^4 + x^6)\}^3$
> $= x^3(1 + x^2 + x^4 + x^6)^3$

Challenge

4 $(x+1)^{10} = a_1 x^{10} + a_2 x^9 + \cdots + a_{11}$이라 할 때, $a_1 + a_3 + a_5 + a_7 + a_9 + a_{11}$의 값을 구하시오. (단, $a_1, a_2, \cdots, a_{11}$은 상수)

> x에 1과 -1을 차례로 대입하여 두 식을 연립한다.

5 $xy = -12$, $|x| - |y| = -4$일 때, $x^2 + y^2$의 값을 구하시오. (단, x, y는 실수)

> $|x| - |y|$를 제곱한 식을 이용한다.

6 x, y가 양수이고 $x^2+y^2=10$, $xy=3$일 때, $x^3+x^2y+xy^2+y^3$의 값을 구하시오.

$x+y$의 값을 먼저 구한다.

7 $x+y+z=1$, $xy+yz+zx=\dfrac{1}{3}$, $xyz=\dfrac{1}{27}$일 때, $(x+y)(y+z)(z+x)$의 값을 구하시오.

$x+y+z=1$에서
$x+y=1-z$, $y+z=1-x$,
$z+x=1-y$이므로
$(x+y)(y+z)(z+x)$
$=(1-z)(1-x)(1-y)$

8 $a^2+b^2=1$, $c^2+d^2=1$, $ac+bd=0$일 때, a^2+c^2의 값을 구하시오.

9 $a^2+b^2=1$, $c^2+d^2=1$, $ac+bd=\dfrac{3}{5}$일 때, $(ad-bc)^2$의 값을 구하시오.

$(a^2+b^2)(c^2+d^2)=1$임을 이용한다.

Challenge

10 $\left(x-\dfrac{x+y+z}{3}\right)^2+\left(y-\dfrac{x+y+z}{3}\right)^2+\left(z-\dfrac{x+y+z}{3}\right)^2+\dfrac{(x+y+z)^2}{3}$ 을 간단히 하시오.

$\dfrac{x+y+z}{3}=t$로 치환하여 전개한다.

[11~12]

곱셈 ×을 하는 방법에는 도형을 이용하는 '선 긋기 곱셈법'이라는 것이 있다. 예를 들어 오른쪽 그림과 같이 2×3을 계산하는 방법은 선을 서로 반대 방향으로 각각 2개, 3개 그었을 때 나타나는 교점을 세면 된다. 이제 이 방법을 이용하여 25×13을 계산해 보자.

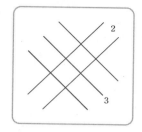

먼저, [그림 1]과 같이 한쪽 방향으로 선 2개를 인접하여 긋고, 이 선들과 좀 떨어진 곳에 5개의 선을 다시 인접하여 긋는다. 또, [그림 2]와 같이 이 선들과 반대 방향으로 1개와 3개의 선을 각각 그으면 [그림 3]에서와 같이 맨 위에 나타나는 교점의 개수는 백의 자리의 수를, 중간의 좌우에 나타나는 교점의 개수의 합은 십의 자리의 수를, 맨 아래에 나타나는 교점의 개수는 일의 자리의 수를 나타낸다. 즉, 25×13의 결과는

$(2\times100)+\{(6+5)\times10\}+(15\times1)=200+110+15=325$이다.

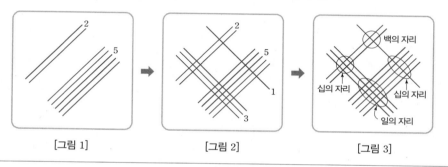

[그림 1]　　　[그림 2]　　　[그림 3]

11 곱셈 31×25를 선 긋기 곱셈법을 이용하여 계산하시오.

12 선 긋기 곱셈법을 이용하여 어떤 곱셈을 했더니 오른쪽 그림과 같았다. 다음 물음에 답하시오.

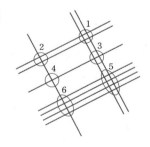

(1) 오른쪽 그림이 나타내는 곱셈식을 구하시오.

(2) 오른쪽 그림에서 1에서 6까지의 점이 각각 나타내는 자리의 수를 구하시오.

(3) 이 곱셈의 계산 과정을 식으로 나타내시오.

2 인수분해

1 인수분해의 정의

하나의 다항식을 둘 이상의 단항식이나 다항식의 곱의 꼴로 나타내는 것을 인수분해라 한다.

$$x^2+5x+6 \xrightleftharpoons[\text{전개}]{\text{인수분해}} (x+2)(x+3)$$

2 인수분해 공식

(1) $a^2+2ab+b^2=(a+b)^2$

(2) $a^2-2ab+b^2=(a-b)^2$

(3) $a^2-b^2=(a+b)(a-b)$

(4) $x^2+(a+b)x+ab=(x+a)(x+b)$

(5) $acx^2+(ad+bc)x+bd=(ax+b)(cx+d)$

(6) $a^3+b^3=(a+b)(a^2-ab+b^2)$

(7) $a^3-b^3=(a-b)(a^2+ab+b^2)$

■ $ma+mb=\underset{\underset{\text{공통인수}}{\uparrow}}{m}(a+b)$

3 인수분해를 하는 방법

(1) **X자형 분리법** : 2차 3항식의 인수분해에서 사용한다.

    ① $x^2+(a+b)x+ab=(x+a)(x+b)$

    ② $acx^2+(ad+bc)x+bd=(ax+b)(cx+d)$

(2) **한 문자 정리법** : 문자가 2개 이상이거나 항이 4개 이상인 식의 인수분해에서 사용한다.

    첫째, 한 문자를 선택하여 그 문자에 대하여 내림차순으로 정리한다.

    둘째, 각 항을 인수분해한다.

    셋째, 공통인수를 묶어내고, X자형 분리법이 가능하면 적용한다.

(3) **복이차식의 인수분해법** : x^4+ax^2+b꼴인 식의 인수분해에서 사용한다.

    ① $x^2=t$로 치환하여 X자형 분리법을 이용한다.

    ② A^2-B^2의 형태로 바꾼다.

■ **문자의 선택**
(1) 동차식 : 아무 문자나 선택
(2) 동차식이 아닌 식 : 가장 낮은 차수의 문자를 선택

■ **참고**
동차식 : 하나의 다항식에 존재하는 모든 문자의 최고차 항의 차수가 같은 식

주제별 실력다지기

공통인수와 4항식의 인수분해

(1) 다항식을 인수분해할 때에는 먼저 공통인수를 묶어 낸 후에 공식을 적용한다.

(2) 4항식의 인수분해

① 적당히 두 항씩 묶어서 공통인수를 찾아낸다.

예 $ab+a+b+1=(ab+a)+(b+1)=a(b+1)+(b+1)=(a+1)(b+1)$
<u>공통인수</u>

② 적당히 세 항씩 묶어서 A^2-B^2의 형태로 바꾼다.

예 $a^2-b^2+2a+1=(a^2+2a+1)-b^2=(a+1)^2-b^2=(a+1+b)(a+1-b)$

공통인수 : 각 항에 공통으로 들어 있는 인수
인수 : 항에 곱해져 있는 각각의 요소를 말하며 약수와 같은 뜻이다.
예 ab^2의 인수
: a, b, ab, b^2, ab^2

1 다음 식을 인수분해하시오.

(1) $a^2b-b^2c-bd^2$

(2) $ab-a-b+1$

(3) x^3-x^2-4x+4

항이 4개인 경우 적당히 두 항씩 묶어서 공통인수를 찾아낸다.

2 다음 식을 인수분해하시오.

(1) a^2-4b^2+4b-1

(2) $x^2-y^2+z^2-2xz$

적당히 세 항을 묶어 A^2-B^2의 형태로 바꾼다.

3 다음 식을 인수분해하시오.

(1) $x^2-y^2+2x-4y-3$

(2) $(1-a^2)(1-b^2)-4ab$

(2) $1-a^2-b^2+a^2b^2-4ab$
  $=(a^2b^2-2ab+1)$
    $-(a^2+2ab+b^2)$

4 다음 중 $x^2(y^2+4y+4)-y^2-4y-4$의 인수가 <u>아닌</u> 것은?

① $x+1$ ② $y+2$ ③ $(x-1)(y+2)$

④ $(y+2)^2$ ⑤ $y+4$

(1) $a^2-b^2=(a+b)(a-b)$

(2) $a^3+b^3=(a+b)(a^2-ab+b^2)$

(3) $a^3-b^3=(a-b)(a^2+ab+b^2)$

최상위 04   풀이 30쪽
NOTE

$a^3+b^3=(a+b)^3-3ab(a+b)$,
$a^3-b^3=(a-b)^3+3ab(a-b)$
위와 같은 곱셈 공식의 변형으로부터 인수분해 공식을 유도할 수 있다.

5 다음 식을 인수분해하시오.

(1) a^8-b^8

(2) x^4-16y^4

(3) $8a^3+27b^3$

(4) a^3-8b^3

(1) $a^8-b^8=(a^4)^2-(b^4)^2$

6 다음은 $x^4+x^2y^2+y^4$을 인수분해하는 과정이다. □ 안에 알맞은 식을 써넣으시오.

$$x^4+x^2y^2+y^4=(x^4+y^4)+x^2y^2$$
$$=\{(x^2+y^2)^2-\boxed{\text{(가)}}\}+(xy)^2$$
$$=(x^2+y^2)^2-\boxed{\text{(나)}}$$
$$=(x^2+xy+y^2)(\boxed{\text{(다)}})$$

(1) $x^2+(a+b)x+ab=(x+a)(x+b)$

(2) $acx^2+(ad+bc)x+bd=(ax+b)(cx+d)$

$$ax \diagdown b \longrightarrow bcx$$
$$cx \diagup d \longrightarrow \underline{adx} \quad (+$$
$$(ad+bc)x$$

7 다음 식을 인수분해하시오.

(1) $27x^2-75xy+8y^2$

(2) $14x^2+19xy-13y^2$

(3) $\dfrac{1}{9}x^2-\dfrac{2}{9}x-\dfrac{5}{4}$

(3) 적당한 수로 묶어 계수를 정수로 만들어 인수분해한다.

8 $\dfrac{1}{x^2}-\dfrac{7}{x}+12$를 인수분해하시오.

복이차식의 인수분해

(1) 복이차식 : ax^4+bx^2+c와 같이 $x^2=t$로 치환하면 이차식이 되는 식

(2) 인수분해를 하는 방법

　① $x^2=t$로 치환하여 항이 3개인 2차식으로 만든 후 X자형 분리법을 이용한다.

　② ①에 해당되지 않으면

　　첫째, x^4항과 상수항으로 완전제곱식을 만든다.

　　둘째, A^2-B^2의 형태이므로 인수분해한다.

　　예 $x^4+x^2+1=(x^4+2x^2+1)-x^2=(x^2+1)^2-x^2=(x^2+x+1)(x^2-x+1)$

$(x+y)^2+3(x+y)+2$에서 $x+y=t$와 같이 공통 부분을 치환하면 t^2+3t+2와 같이 간단해진다. 마찬가지로 ax^4+bx^2+c에서 $x^2=t$로 치환하면 at^2+bt+c와 같이 t에 대한 2차식으로 간단해진다.

9 다음 식을 인수분해하시오.

(1) x^4+3x^2-4　　　　　　(2) x^6-7x^3-8

(3) x^4-7x^2+9　　　　　　(4) x^4+4

(3) $(x^4-6x^2+9)-x^2$
$\quad=(x^2-3)^2-x^2$

(4) $(x^4+4x^2+4)-4x^2$
$\quad=(x^2+2)^2-(2x)^2$

10 다음 식을 인수분해하시오.

(1) $(2a+b)^2+10(2a+b)c+24c^2$

(2) $(x^2+3x+4)(x^2+3x+7)-28$

(3) $x^2-2xy+y^2-x+y-2$

(2) $x^2+3x=t$로 치환한다.

(3) $x^2-2xy+y^2=(x-y)^2$ 이므로
$(x-y)^2-(x-y)-2$로 놓는다.

11 다음 식을 인수분해하시오.

(1) $(x+1)(x+2)(x+3)(x+4)-24$

(2) $(xy+1)(x+1)(y+1)+xy$

(3) $(a-x)^3+(b-x)^3-(a+b-2x)^3$

(2) $(x+1)(y+1)$
$\quad=xy+x+y+1$

(3) $a-x=m,\ b-x=n$으로 치환하면
$a+b-2x=m+n$

한 문자에 관한 정리

(1) 문자가 2개 이상이거나 항이 4개 이상인 식의 인수분해는 한 문자에 대하여 내림차순으로 정리하여 인수분해한다.

(2) 적용하는 방법

첫째, 문자를 선택한다. 이때 선택되지 않은 문자는 모두 상수로 취급한다.

$\begin{cases} \text{동차식 : 아무 문자나 선택한다.} \\ \text{동차식이 아닌 식 : 가장 낮은 차수의 문자를 선택한다.} \end{cases}$

둘째, 선택된 문자에 대하여 주어진 식을 내림차순으로 정리한다.

셋째, 각 항을 인수분해한다.

넷째, 공통인수가 있으면 묶어 내고, 공식을 적용하여 인수분해한다.

> 낮은 차수의 문자를 선택하는 이유는 낮은 차수의 식에 관한 공식이 많기 때문이다.

12 $ab(a-b)+bc(b-c)+ca(c-a)$를 다음 과정에 따라 인수분해할 때, □ 안에 알맞은 식을 써넣으시오.

첫째, 문자를 선택한다.	→ a
둘째, a에 대하여 내림차순으로 정리한다.	→ (가)
셋째, 각 항을 인수분해한다.	→ (나)
넷째, 공통인수를 묶어 낸다.	→ (다)
인수분해 공식을 적용한다.	→ (라)
간단히 정리한다.	→ $-(a-b)(b-c)(c-a)$

> 먼저 전개한다. 즉,
> $a^2b-ab^2+b^2c-bc^2+c^2a$
> $\qquad\qquad\qquad -ca^2$
> 에서 생각한다.

13 다음 식을 인수분해하시오.

(1) $x^2+xy-2y^2+5x+y+6$

(2) $(a+b+c)(ab+bc+ca)-abc$

(3) $x^3+x^2z+xz^2-y^3-y^2z-yz^2$

(4) $(a+b)c^3-(a^2+ab+b^2)c^2+a^2b^2$

(5) $(a+b)^4-2(x^2+y^2)(a+b)^2+(x^2-y^2)^2$

> (1), (2)는 동차식이다.
> (3) z가 가장 낮은 차수의 문자이다.
> (4) a 또는 b가 가장 낮은 차수의 문자이므로 a 또는 b에 대하여 내림차순으로 정리한다.
> (5) $(x^2-y^2)^2$
> $\quad =(x+y)^2\times(x-y)^2$

14 다항식 $x^2-4xy+3y^2-6x+2y-16$을 인수분해하면 $(x-3y+A)(x+By+C)$일 때, 상수 A, B, C에 대하여 $A+B+C$의 값을 구하시오.

1 다음 중 나머지 넷과 같은 인수를 갖지 <u>않는</u> 것은?

① x^2-5x+6 　　　② x^2+3x+2 　　　③ $2x^2+7x+6$

④ $2x^2+3x-2$ 　　　⑤ $3x^2+7x+2$

공통인수 : 다항식의 각 항에 공통으로 곱해져 있는 인수

2 다음 **보기** 중에서 $x-2$를 인수로 갖는 다항식을 모두 고르시오.

보기

ㄱ. x^2+x-6 　　　ㄴ. x^2-4 　　　ㄷ. x^3-8

ㄹ. $2x^2-5x+2$ 　　　ㅁ. x^4-16 　　　ㅂ. x^2-x-6

3 $y^2-2y+x^2-2xy+2x+1$을 인수분해하시오.

서술형

풀이

여러 문자를 포함한 식의 인수분해
① 차수가 낮은 문자에 대하여 내림차순으로 정리한다.
② 차수가 같을 때에는 어느 한 문자에 대하여 내림차순으로 정리한다.

4 $2x^2+cx+3=(2x+a)(bx-1)$일 때, 상수 a, b, c에 대하여 $a+b+c$의 값을 구하시오.

5 $xy^2+1-x-y^2$을 일차항의 계수가 1인 일차식의 곱으로 인수분해하였을 때, 인수들의 총합을 구하시오. (단, 수로만 이루어진 인수는 생각하지 않는다.)

다항식 $f(x)$는 자기자신, 즉 $f(x)$의 인수이다.

6 $x^2+9y^2+2x-6y-6xy+1$을 인수분해하시오.

동차식이므로 x 또는 y에 대하여 내림차순으로 정리해본다.

7 $x^2-xy-2y^2+5x-y+6$을 인수분해하였더니 $(x+ay+b)(x+cy+d)$가 되었다. 이 때 $a+b+c+d$의 값을 구하시오. (단, a, b, c, d는 상수)

8 x, y에 대한 다항식 $x^2+y^2+bxy-1$이 $x+ay-1$을 인수로 갖도록 상수 a, b의 값을 서술형 정하고, 인수분해하시오. (단, $b>0$)

풀이

$a=bc$일 때, b, c를 a의 인수 또는 약수라 한다.

9 $(x+y)(y+z)(z+x)+xyz$를 인수분해하시오.

전개하여 한 문자에 대하여 내림차순으로 정리한 후 인수분해한다.

10 $[a, b, c]=a^2(b-c)$라 할 때, $[a, b, c]+[b, c, a]+[c, a, b]$를 인수분해하시오.
서술형

풀이

a, b, c가 같은 차수이므로 어느 한 문자에 대하여 내림차순으로 정리한다.

11 다음을 계산하시오.

(1) $356\times356+358\times356-358\times358-357\times355$

(2) $1^2-2^2+3^2-4^2+5^2-\cdots+99^2$ $\left(\text{단, }n\text{이 정수일 때, } 1+2+\cdots+n=\dfrac{n(n+1)}{2}\right)$

(1) $356=t$로 치환한다.

(2) 1^2을 제외하고 순서대로 2개씩 묶어본다.

12 3^8-1의 약수 중 10 이상 20 이하의 자연수의 합을 인수분해를 이용하여 구하시오.

$3^8-1=3^8-1^8$

13 다음을 계산하시오.

(1) $\dfrac{2002^3+1}{2001\times2002+1}$

(2) $\sqrt{254+\dfrac{1}{256}}$

(1) 2002=t로 치환한다.
(2) 먼저 근호 안의 수를 통분한다.

14 다음 식을 인수분해하시오.

(1) x^4-4x^2-45

(2) x^4-7x^2+1

15 $(x-1)(x-2)(x+2)(x+4)+2x^2$을 인수분해하시오.

공통 부분이 생기도록 두 일차식끼리 짝지어 전개한 후 공통 부분을 치환한다.

16 $x^2y+y^2z-y^3-x^2z$를 인수분해하시오.

17 $x^5-x^4+x^3-x^2+x-1$을 인수분해하시오.

두 항씩 짝을 지어 각각 인수분해하여 공통 부분을 찾는다.

1 $x^4+x^2-2ax+1-a^2$을 인수분해하시오.

차수가 낮은 a에 대하여 내림차순으로 정리한다.

2 세 양수 a, b, c가 $c^2(a^2+b^2-c^2)=b^2(c^2+a^2-b^2)$을 만족할 때, a, b, c를 세 변의 길이로 하는 삼각형은 어떤 삼각형인지 말하시오.

주어진 식을 전개한 후, 공통 부분이 생기도록 묶어본다.

3 $a^2bc+ac^2+acd-abd-cd-d^2$을 인수분해하시오.

가장 차수가 낮은 b에 대하여 내림차순으로 정리한다.

4 삼각형의 세 변의 길이 a, b, c에 대하여 $(a-b)c^4-2(a^3-b^3)c^2+(a^4-b^4)(a+b)=0$일 때, 이 삼각형은 어떤 삼각형인지 말하시오.

각 항을 인수분해한 후, c에 대한 내림차순으로 보고 인수분해 공식을 적용한다.

5 $2^{40}-1$은 30과 40 사이의 두 자연수에 의해 나누어 떨어진다. 이 두 자연수의 합을 구하시오.

$2^{40}-1=(2^{20})^2-1^2$을 인수분해한다.

6 $\sqrt{21\times23\times25\times27+16}$의 값을 구하시오.

$24=t$로 치환한다.

7 $x^4-5x^3+6x^2-5x+1$을 인수분해하시오.

$ax^4+bx^3+cx^2+bx+a$와 같이 가운데 항을 중심으로 계수가 좌우대칭인 식을 상반식이라 한다.

Challenge
8 n이 자연수일 때, $p=n^4+n^2+1$이 소수가 되도록 하는 n의 값과 소수 p를 차례로 구하시오.

소수는 1과 자기자신만을 약수로 가지는 수이다.

Challenge
9 삼각형의 세 변의 길이 a, b, c에 대하여 $p=a^4+b^4+c^4-2(a^2b^2+b^2c^2+c^2a^2)$일 때, p의 부호를 정하시오.

a에 대하여 내림차순으로 정리한다.

$2^{40}-1=(2^{20})^2-1^2$을 인수분해한다.

[10~12]

수학을 공부하다보면 가끔 이런 궁금증이 생긴다. 과연 모든 수학이론이 전부 실생활에 사용되긴 할까? 대답은 당연히 "아니다!"이다. 수학이론 중에는 자연현상, 실생활, 동물들의 본능 등 생각하기에도 희한한 곳에서 만들어진 것도 있다. 그 대표적인 하나가 바로 ㈎ <u>곱셈구구</u>가 아닐까 싶다. 사람들이 실생활에서 계산을 하다 보니 좀 더 빠르게 계산하길 원했고, 이때 누군가가 기막힌 아이디어로 곱셈구구를 만들어냈을 것으로 추측되기 때문이다. (처음에는 지금과 같은 형태가 아니었을 수도 있다.) 하지만 대부분의 수학이론은 실생활에 직접적으로는 쓰이지 않고 그저 다른 수학이론이 풀리도록 도와주는 역할을 하는 것이 더 많다. 바로 인수분해가 그 대표적인 예이다.

인수분해가 실생활에 직접적으로 사용되는 경우는 단 한 가지도 없지만 인수분해없는 수학이란 아예 생각할 수조차 없다. 예를 하나 들면, ㈏ <u>직육면체 모양의 건물을 짓는데 밑면의 가로의 길이가 세로의 길이보다 10 m 더 길고, 그 넓이가 200 m²일 때, 밑면의 세로의 길이는 몇 m일까?</u> 이 문제는 이차방정식의 실생활 관련 문제이다. 그런데 이 문제를 인수분해라는 수학이론 없이 풀어보자. 아마 대단히 어렵고 시간도 많이 걸릴 것이다. 즉, 인수분해와 같은 이론들의 역할은 ㈐ <u>실생활과 관련된 다른 수학이론이 사용된 문제를 해결할 때</u>, 훨씬 쉽고 빠르고 정확하게 풀리도록 도와주는 그런 역할인 것이다.

10 ㈎의 곱셈구구가 실생활에 쓰이는 예를 드시오.

11 ㈏에서 세로의 길이를 구하시오.

12 ㈐와 같은 역할을 하는 수학이론 중에는 곱셈 공식도 있다. 다음 문제를 인수분해와 곱셈 공식의 두 가지 방법으로 푸시오.

> 가로와 세로의 길이의 합이 5 m인 내 방의 넓이는 6 m²이다. 내 방의 가로와 세로의 길이의 차는?

(1) 인수분해를 이용하는 방법

(2) 곱셈 공식을 이용하는 방법

1

$A=(2x+1)(3x-4)$, $B=(x+1)(x-1)$,
$C=(3x-1)^2-(3x+1)^2$일 때,
$3A-2B-\{2C-(B+C-A)\}$를 x에 관하여 나타내시오.

2

$(ax-5)(2x+b)$를 전개하면 $cx^2+2x-20$이 된다. 이때 상수 a, b, c의 값을 각각 구하시오.

3

곱셈 공식을 이용하여 1002×998을 계산하려고 한다. 다음 중 어떤 공식을 이용하는 것이 가장 좋은가?

① $(a+b)^2=a^2+2ab+b^2$
② $(a-b)^2=a^2-2ab+b^2$
③ $(a+b)(a-b)=a^2-b^2$
④ $(x+a)(x+b)=x^2+(a+b)x+ab$
⑤ $(ax+b)(cx+d)=acx^2+(ad+bc)x+bd$

4

$(2x+ay+5)(x+2y+3)$을 전개하면 상수항을 제외한 모든 항의 계수의 총합이 5이다. 이때 상수 a의 값을 구하시오.

5

$3a+2b=1$일 때, $9a^2-4b^2+3a+6b-2$의 값을 구하시오.

6

$364\times366-728-363\times365$를 계산하면?

① 1   ② 2   ③ 364
④ 728   ⑤ 1092

7

$x=2-\sqrt{3}$일 때, x^2-4x-5의 값을 구하시오.

8

$(1+x+x^2+x^3)^3$, $(1+x+x^2+x^3+x^4)^3$의 전개식에서 x^3항의 계수를 각각 a, b라 할 때, $a-b$의 값을 구하시오.

9

$a+b=3$, $a^2+b^2=5$일 때, $2ab-1-a^2b^2$의 값을 구하시오.

10

$x^2-4x+1=0$일 때, $x^2+x+\dfrac{1}{x}+\dfrac{1}{x^2}$의 값을 구하시오.

11

$x<2y$이고 $x+2y=7$, $xy=5$일 때, $x-2y$의 값을 구하시오.

12

$x+y+z=3$, $xy+yz+zx=3$, $xyz=1$일 때, $(xy+yz)(yz+zx)(zx+xy)$의 값을 구하시오.

13

$\dfrac{1}{64}-4pq-\square$가 완전제곱식이 될 때, $\square$ 안에 알맞은 식을 구하시오.

14

$\dfrac{1}{4}x^2-\dfrac{1}{3}xy+\dfrac{1}{9}y^2=0$일 때, $\dfrac{3x+y}{2x-3y}$의 값을 구하시오.

15

다음 중 a^4-b^4의 인수가 <u>아닌</u> 것은?

① $a-b$ ② $a+b$ ③ a^2+b^2
④ a^2-b^2 ⑤ $(a+b)^2$

16

다음 **보기** 중 인수분해가 바르게 된 것을 모두 고르시오.

┌─ **보기** ─┐

ㄱ. $\dfrac{4}{9}x^2-\dfrac{2}{3}xy+\dfrac{1}{4}y^2=\left(\dfrac{2}{3}x-\dfrac{1}{2}y\right)^2$

ㄴ. $x^2+9y^2-1-6xy=(x-3y+1)^2$

ㄷ. $(a+2b)^2-(3a-b)^2$
$\quad=-(2a-3b)(4a+b)$

ㄹ. $2(x-3)^2+5(x-3)-3$
$\quad=(2x-7)(x-3)$

17

일차항의 계수가 1인 두 일차식의 곱이
$x^2+2xy+y^2-x-y-2$일 때, 두 일차식의 합을 구하시오.

18

두 이차식 x^2-mx+n, $2x^2+3x-m$의 공통인수가
$x-2$일 때, 상수 m, n에 대하여 $m-n$의 값을 구하시오.

19

x에 관한 이차식 x^2+6x+k가 $(x+a)(x+b)$로 인수분해된다. a, b가 자연수일 때, 상수 k의 최솟값을 구하시오.

20

$[x,\ y,\ z]=x^2+yz$라 할 때,
$[x,\ 2y,\ z]+[y,\ 2z,\ x]+[z,\ 2x,\ y]$를 인수분해하시오.

21

$a=\sqrt{5}$일 때, 다음 식의 값을 구하시오.

$$\frac{2-a-a^2}{-a^2+10a-9}\div\frac{a^2+12a+27}{81-a^2}\times\frac{6-a-a^2}{(a+2)^2}$$

22

$a^4-2a^2+5-\dfrac{4}{a^2}+\dfrac{4}{a^4}$를 인수분해하시오.

23

$x^3-(2m-1)x^2-(1+2m-m^2)x-1+m^2$을 인수분해하시오.

24

이차항의 계수가 3인 이차식을 A는 x의 계수를 잘못 보고 $(x+2)(3x-4)$로 인수분해하였고 B는 상수항을 잘못 보고 $(x-1)(3x+1)$로 인수분해하였다. 처음 이차식을 바르게 인수분해하시오.

III 이차방정식

1. 이차방정식

2. 이차방정식의 활용

이차방정식

1 이차방정식의 뜻

방정식의 모든 항을 좌변으로 이항하여 정리한 식이 (x에 대한 이차식)$=0$의 꼴로 나타내어지는 방정식, 즉

$$ax^2+bx+c=0 \ (a, \ b, \ c는 \ 실수, \ a\neq0)$$

■ $a=0$이면 이차방정식이 아니다.

2 이차방정식 $ax^2+bx+c=0(a, \ b, \ c는 \ 실수, \ a\neq0)$의 풀이

(1) 인수분해(X자형 분리법)를 이용한 풀이

좌변을 인수분해하여 $AB=0$의 형태로 만든다.

⇨ $AB=0$이면 $A=0$ 또는 $B=0$임을 이용한다.

(2) 제곱근을 이용한 풀이

① 이차방정식 $ax^2=b$ ⇨ $x=\pm\sqrt{\dfrac{b}{a}} \ (a\neq0, \ ab\geq0)$

② 이차방정식 $(x+m)^2=n$ ⇨ $x=-m\pm\sqrt{n} \ (n\geq0)$

③ 이차방정식 $a(x+m)^2=n$ ⇨ $x=-m\pm\sqrt{\dfrac{n}{a}} \ (a\neq0, \ an\geq0)$

(3) 완전제곱식을 이용한 풀이

(i) 이차항의 계수를 1로 만든다.

(ii) 상수항을 우변으로 이항한다.

(iii) 양변에 $\left(\dfrac{\text{일차항의 계수}}{2}\right)^2$을 더한다.

(iv) $(x+m)^2=n$의 꼴로 만든다.

(v) $x+m=\pm\sqrt{n}$에서 x의 값을 구한다.

$$ax^2+bx+c=0$$
$$x^2+\frac{b}{a}x+\frac{c}{a}=0$$
$$x^2+\frac{b}{a}x=-\frac{c}{a}$$
$$x^2+\frac{b}{a}x+\frac{b^2}{4a^2}=-\frac{c}{a}+\frac{b^2}{4a^2}$$
$$\left(x+\frac{b}{2a}\right)^2=\frac{b^2-4ac}{4a^2}$$
$$x+\frac{b}{2a}=\pm\frac{\sqrt{b^2-4ac}}{2a}$$
$$\therefore x=\frac{-b\pm\sqrt{b^2-4ac}}{2a}$$

■ 양변을 a로 나눈다.

(4) 근의 공식

① $ax^2+bx+c=0(a\neq0)$의 해는 $x=\dfrac{-b\pm\sqrt{b^2-4ac}}{2a}$ (단, $b^2-4ac\geq0$)

② $ax^2+2b'x+c=0(a\neq0)$의 해는 $x=\dfrac{-b'\pm\sqrt{b'^2-ac}}{a}$ (단, $b'^2-ac\geq0$)
└── 일차항의 계수가 짝수

■ ②를 짝수 공식이라 한다.

3 이차방정식의 근의 개수

$ax^2+bx+c=0(a\neq0)$에서 $D=b^2-4ac$라 할 때, 근의 개수는 다음과 같다.

(1) 서로 다른 두 개의 실근 : $D>0$

(2) 서로 같은 두 개의 실근(중근) : $D=0$

(3) 근이 없다. : $D<0$

■ 중근은 보통 근의 개수를 1개로 본다.

■ 고등 과정에서는 (3)은 서로 다른 두 개의 허근으로 표현된다.

1 STEP 주제별 실력다지기

정답과 풀이 42쪽

이차방정식의 뜻

방정식의 모든 항을 좌변으로 이항하여 정리한 식이 (x에 대한 이차식)$=0$의 꼴로 나타내어지는 방정식을 x에 대한 이차방정식이라 한다. 즉,

$$ax^2+bx+c=0 \ (a, b, c는 실수, a \neq 0)$$

1 다음 **보기** 중 이차방정식인 것은 몇 개인가?

> 보기
> ㄱ. $2x^2=2x(x-1)$　　ㄴ. $x^2-1=2x$　　ㄷ. $x^2+1=x^3$
> ㄹ. $x^2+1=2x(x-2)$　　ㅁ. $3x^2(x-1)+x(1-3x)=0$

① 1개　　　　② 2개　　　　③ 3개
④ 4개　　　　⑤ 5개

$ax^2+bx+c=0 \ (a \neq 0)$의 꼴로 나타내어지는 방정식을 이차방정식이라 한다.

이차방정식의 해

(1) 이차방정식의 해(근)

　　이차방정식 $ax^2+bx+c=0 \ (a \neq 0)$을 참이 되도록 하는 미지수 x의 값

(2) 이차방정식을 푼다.

　　이차방정식의 해를 모두 구하는 것

2 x의 값이 -1, 0, 1, 2일 때, $x^2-2x-3=-3x+3$의 해를 구하시오.

주어진 x의 값을 하나씩 대입하여 등식을 성립시키는 것이 해(근)이다.

3 이차방정식 $2x^2+ax+b=0$의 두 근이 -1, $-\dfrac{1}{2}$일 때, 상수 a, b의 값을 각각 구하시오.

근을 이차방정식에 대입하면 등식이 성립한다.

4 두 이차방정식 $2x^2+mx-6=0$, $x^2-3x-n=0$의 공통인 근이 $x=2$일 때, 상수 m, n에 대하여 $m-n$의 값을 구하시오.

두 방정식을 동시에 만족하는 x의 값이 2이다.

(1) 인수분해를 이용한 이차방정식의 풀이

    (i) 주어진 이차방정식을 $ax^2+bx+c=0$의 꼴로 고친다.

    (ii) 좌변을 인수분해한다.

    (iii) $AB=0 \Longleftrightarrow A=0$ 또는 $B=0$임을 이용하여 해를 구한다.

(2) 제곱근을 이용한 풀이

$$ax^2=b \Rightarrow x=\pm\sqrt{\dfrac{b}{a}}\ (a\neq 0,\ ab\geq 0)$$

5 다음 이차방정식을 푸시오.

  (1) $2x^2-x+1=-x+5$

  (2) $x^2+4=0$

  (3) $2x^2-4\sqrt{2}x=0$

  (4) $2x^2-4x-7=-x^2+3x-1$

  (5) $\dfrac{1}{2}x^2-\dfrac{1}{3}x-\dfrac{1}{6}=0$

  (6) $(\sqrt{2}-1)x^2-(\sqrt{2}-1)x-\sqrt{2}=0$

> $AB=0$
> $\Longleftrightarrow A=0$ 또는 $B=0$

> (5), (6) 먼저 x^2과 x의 계수를 정수로 만든다.

6 $ab-a-b+1=0$일 때, a, b의 값의 조건을 구하시오.

> $ab-a-b+1$
> $=a(b-1)-(b-1)$

7 x에 대한 이차방정식 $x^2+ax-3=0$의 한 근이 -1일 때, 상수 a의 값과 다른 한 근을 차례로 구하시오.

8 x에 대한 이차방정식 $x^2+ax-6=0$의 두 근이 정수일 때, 상수 a의 값을 모두 구하시오.

> $6=1\times 6$ 또는 $6=2\times 3$임을 이용한다.

이차방정식의 풀이 ❷

(1) 완전제곱식을 이용한 풀이

  (i) 이차항의 계수를 1로 만든 후 상수항을 우변으로 이항한다.

  (ii) 양변에 $\left(\dfrac{\text{일차항의 계수}}{2}\right)^2$을 더하여 $(x+m)^2=n$의 꼴로 만든다.

  (iii) $x+m=\pm\sqrt{n}$에서 x의 값을 구한다. 즉, $x=-m\pm\sqrt{n}$

(2) 근의 공식

  ① $ax^2+bx+c=0(a\neq0)$의 해는 $x=\dfrac{-b\pm\sqrt{b^2-4ac}}{2a}$ (단, $b^2-4ac\geq0$)

  ② $ax^2+2b'x+c=0(a\neq0)$의 해는 $x=\dfrac{-b'\pm\sqrt{b'^2-ac}}{a}$ (단, $b'^2-ac\geq0$) ⇨ 짝수 공식

최상위 **05**
NOTE
풀이 41쪽

이차방정식 $ax^2+bx+c=0$의 풀이

(1) 좌변이 인수분해가 되면
  $AB=0$
  $\Longleftrightarrow A=0$ 또는 $B=0$
  을 이용한다.

(2) 좌변이 인수분해되지 않으면 근의 공식을 이용한다.

---

9   이차방정식 $3x^2+6x+2=0$을 완전제곱식으로 변형하였더니 $(x+A)^2=B$가 되었다. $A+B$의 값과 근을 차례로 구하시오.

---

10   이차방정식 $x^2-\sqrt{3}x-1=0$을 푸시오.

근의 공식을 이용한다.

---

11   이차방정식 $2x^2-2x-1=0$의 근이 $x=\dfrac{A\pm\sqrt{B}}{2}$일 때, $A+B$의 값은?

  ① -5 ② -3 ③ 3

  ④ 4 ⑤ 5

일차항의 계수가 짝수이므로 짝수 공식을 이용한다.

---

12 $x>y$이고 $(x-y)(x-y-5)-3=0$일 때, $x-y$의 값은?

  ① $2\sqrt{29}$ ② $\dfrac{5+\sqrt{37}}{2}$ ③ $\dfrac{5\pm\sqrt{37}}{2}$

  ④ -3 ⑤ $\dfrac{-3-\sqrt{29}}{2}$

$x>y$이므로 $x-y>0$

---

13 x에 대한 이차방정식 $ax^2-2x-3=0$의 근이 $\dfrac{1\pm\sqrt{b}}{3}$일 때, $a+b$의 값을 구하시오.

                           (단, a, b는 유리수, $\sqrt{b}$는 무리수)

14 x에 대한 이차방정식 $x^2-2x-a=0$의 한 근이 $1+\sqrt{6}$일 때, 상수 a의 값과 다른 한 근을 차례로 구하시오.

15 이차방정식 $2x^2-2x-1=0$의 두 근을 p, q라고 할 때, $(p^2-p-1)(q^2-q+1)$의 값을 구하시오.

$2p^2-2p-1=0$, $2q^2-2q-1=0$임을 이용한다.

16 두 실수 a, b에 대하여 $a \circ b=a-b$, $a \triangle b=ab-a-b+2$라 할 때, 다음 방정식을 푸시오.

$$\{(x+1) \circ (2x-1)\} \triangle \{(3x+1) \circ (x-1)\}=0$$

주어진 약속에 따라 식을 변형시킨다.

이차방정식의 근의 개수

$ax^2+bx+c=0\,(a \neq 0)$에서 $D=b^2-4ac$라 하면 근의 개수는 다음과 같다.

(1) 서로 다른 두 개의 실근 : $D>0$

(2) 서로 같은 두 개의 실근 (중근) : $D=0$

(3) 근이 없다. : $D<0$

근의 공식에서 근호 안에 있는 식이 판별식 D이다.

17 다음 방정식의 실근의 개수를 구하시오.

(1) $\sqrt{2}x^2-3x-4=0$

(2) $x^2-3x+4=0$

(3) $9x^2-36x+36=0$

판별식 $D=b^2-4ac$의 부호로 판단한다.

18 x에 대한 이차방정식 $x^2+4x+k=2x+9$가 중근을 가질 때, 상수 k의 값을 구하시오.

중근 : $D=0$

19 x에 대한 이차방정식 $3x^2+ax+b=0$이 중근 3을 가질 때, $a+b$의 값을 구하시오.

(단, a, b는 상수)

20 x에 대한 이차방정식 $x^2-(k+2)x+4=0$이 중근을 가질 때의 상수 k의 값이 이차방정식 $x^2+ax+b=0$의 두 근일 때, $a+b$의 값을 구하시오. (단, a, b는 상수)

21 x에 대한 이차방정식 $x^2-2x+m=0$의 해가 다음과 같을 때, 상수 m의 값 또는 범위를 구하시오.

(1) 서로 다른 두 실근

(2) 근이 없다.

서로 다른 두 개의 실근 : $D>0$
근이 없다. : $D<0$

중3 이차방정식의 근

이차방정식의 근의 개수

이차방정식 $ax^2+bx+c=0(a\neq0)$에 대하여 판별식 $D=b^2-4ac$의 부호를 알면 근의 개수도 알 수 있다.
(1) $D>0$인 경우: 서로 다른 두 실근을 갖는다.
(2) $D=0$인 경우: 서로 같은 두 실근(중근)을 갖는다.
(3) $D<0$인 경우: 근이 없다.

고등까지 연결되는 중등개념

고1 이차방정식의 근의 판별

'판별식(D)의 부호'에 따라 방정식의 근의 개수를 알 수 있다.

근호 안의 값이 음수일 때 실수 범위에서는 제곱근이 존재하지 않으므로 이차방정식의 근은 존재하지 않는다. 그러나 고등 과정에서는 수의 범위가 허수까지 확장되므로 근호 안의 값이 0보다 작은 경우에도 근을 찾을 수 있게 된다.

다음에서 이차방정식 $x^2-x+3=0$의 근의 개수를 알아보자.

중등 과정인 실수의 범위에서의 근의 개수는 $(-1)^2-4\times1\times3=-11<0$이므로 근이 없다.

고등 과정에서 해를 구하면

$$x=\frac{1\pm\sqrt{1-12}}{2}=\frac{1\pm\sqrt{-11}}{2}=\frac{1\pm\sqrt{11}\times\sqrt{-1}}{2}=\frac{1\pm\sqrt{11}i}{2}$$

이므로 2개의 허근이 존재한다.

따라서 $D<0$일 때, $\sqrt{b^2-4ac}$는 허수이고 서로 다른 두 허근을 갖는다.

※ 제곱하여 -1이 되는 수 i에 대하여 $a+bi(a, b$는 실수)의 꼴로 나타내어지는 수를 복소수라 하는데, 이때 실수가 아닌 복소수로 나타내어지는 근을 허근이라 한다.

실력 높이기

---

1 x에 대한 이차방정식 $3x^2+2x-a=0$의 한 근이 $1+\sqrt{2}$일 때, 상수 a의 값을 구하시오.

> 이차방정식에 $x=1+\sqrt{2}$를 대입하면 등식이 성립한다.

2 다음 이차방정식 중에서 유리수인 해를 갖지 <u>않는</u> 것은?

① $x^2-4x+4=0$ ② $x^2+4x-12=0$ ③ $x^2+x-30=0$

④ $2x^2-x-1=0$ ⑤ $x^2-4x+1=0$

3 이차방정식 $2x^2-5x-1=0$을 완전제곱식을 이용하여 푸시오.

서술형

풀이

> 이차항의 계수가 1이 아닐 때에는 그 계수로 양변을 나누어 먼저 이차항의 계수를 1로 만든다.

4 이차방정식 $x^2-2\sqrt{2}x+2=0$의 중근을 α라 할 때, α의 정수 부분을 n, 소수 부분을 m이라 하자. 이때 $\alpha+\dfrac{1}{n-m}$의 값을 구하시오.

> (무리수)=(정수 부분)+(소수 부분)

5 이차방정식 $(\sqrt{2}+1)x^2-(3+\sqrt{2})x+\sqrt{2}=0$을 푸시오.

주어진 식의 양변에 $\sqrt{2}-1$을 곱하여 x^2의 계수를 1로 만든 후 인수분해한다.

6 이차방정식 $x^2-3x+1=0$의 한 근이 α일 때, $\alpha^2+\alpha+\dfrac{1}{\alpha}+\dfrac{1}{\alpha^2}$의 값을 구하시오.

$\alpha\neq0$이므로 $\alpha^2-3\alpha+1=0$의 양변을 α로 나눈다.

7
서술형
이차방정식 $3x^2-6x-2=0$의 두 근을 α, β라 할 때, $(\alpha^2-2\alpha-1)(\beta^2-2\beta+2)$의 값을 구하시오.

풀이

$3\alpha^2-6\alpha-2=0$, $3\beta^2-6\beta-2=0$ 임을 이용한다.

8 방정식 $|x^2-4x|=3$을 푸시오.

$|x^2-4x|=3$ $\Longleftrightarrow x^2-4x=3$ 또는 $x^2-4x=-3$

9 이차방정식 $2x^2 - 3|x| - 2 = 0$을 푸시오.

서술형

풀이

$x^2 = |x|^2$으로 놓고 푼다.

10 x에 대한 이차식 $f(x)$가 다음 두 조건을 항상 만족할 때, 이차방정식 $f(x) = x + 13$을 푸시오.

$f(x) = ax^2 + bx + c$로 놓고 조건에 맞게 식을 세워본다.

> (개) $f(0) = 1$
> (내) $f(x+2) - f(x) = 4x - 2$

11 두 이차방정식 $x^2 - ax - 6 = 0$, $x^2 - 3x - b = 0$의 공통인 근이 $x = 2$일 때, 두 이차방정식의 나머지 근을 차례로 구하시오. (단, a, b는 상수)

서술형

풀이

$x = 2$를 주어진 이차방정식에 각각 대입하여 a, b의 값을 구한다.

12 이차방정식 $x^2+2ax-16=0$이 서로 다른 두 정수해를 갖도록 하는 정수 a의 값을 모두 구하시오.
서술형

> 풀이

> 주어진 이차방정식이 정수해를 가지려면 상수항에서 16이 1×16, 2×8, 4×4로 인수분해되어야 한다.

13 x에 대한 이차방정식 $x^2-kx-1=0$의 두 근을 α, β라 할 때,

$$\left(\alpha^2+\alpha+\frac{1}{\alpha}+\frac{1}{\alpha^2}\right)+\left(\beta^2+\beta+\frac{1}{\beta}+\frac{1}{\beta^2}\right)$$을 k에 관한 식으로 나타내시오.

(단, $\alpha<0$, $\beta>0$)

> $x=\alpha$, β을 주어진 방정식에 대입하면 등식이 성립한다.

14 $\alpha>0$, $\beta>0$일 때, 이차방정식 $4(x-3)^2=\beta^2$의 해가 $x=-\dfrac{3}{2}$ 또는 $x=\alpha$이다. 이때 $\alpha+\beta$의 값을 구하시오.

> 주어진 이차방정식에 $x=-\dfrac{3}{2}$을 대입하면 등식이 성립한다.

15 이차방정식 $2x^2+ax+b=0$의 한 근이 $1-\sqrt{2}$일 때, 유리수 a, b의 값을 각각 구하시오.
서술형

> 풀이

> $x=1-\sqrt{2}$를 주어진 이차방정식에 대입한 후 a, b가 유리수임을 이용한다.

16 x에 대한 이차방정식 $x^2-2ax+b^2+1=0$이 실근을 가질 때, 이차방정식 $x^2+4ax+2b=0$의 실근의 개수를 말하시오. (단, a, b는 상수)

$ax^2+bx+c=0$이 실근을 가질 조건은 $D=b^2-4ac\geq0$

17 이차방정식 $x^2+ax+b-1=0$이 중근 $x=2$를 가질 때, 상수 a, b의 값을 각각 구하시오.

18 이차방정식 $x^2-2(a+b)x+b^2+2ab+c^2=0$이 중근을 가질 때, 세 변의 길이가 각각 a, b, c인 삼각형은 어떤 삼각형인지 말하시오.

서술형

이차방정식이 중근을 가질 때, 판별식 D의 조건을 생각해 본다.

> 풀이

19 x에 대한 이차방정식 $kx^2+(2k-1)x+k=0$이 실근을 가질 때, 정수 k의 최댓값을 구하시오.

$ax^2+bx+c=0$이 실근을 가질 조건은 $D=b^2-4ac\geq0$

정답과 풀이 47쪽

1 $[x]$는 x를 넘지 않는 최대의 정수를 나타낼 때, 방정식 $[x]^2-[x]-2=0$을 푸시오.

$[x]$는 가우스 x라 읽으며
$n \le x < n+1$일 때,
$[x]=n$ (단, n은 정수)

2 이차방정식 $x^2+\sqrt{x^2}=|x-1|+3$을 푸시오.

(i) $x<0$
(ii) $0 \le x < 1$
(iii) $1 \le x$
일 때로 나누어 푼다.

3 이차방정식 $x^2-5x+1=0$의 한 근을 α라고 할 때, $\alpha^3+2\alpha^2+\alpha+\dfrac{1}{\alpha}+\dfrac{2}{\alpha^2}+\dfrac{1}{\alpha^3}$의 값을 구하시오.

4 다음 연립방정식을 푸시오. (단, $x>0$, $y>0$)

$$\begin{cases} (x+y)^2-2(x+y)-8=0 \\ (x-y)^2+4(x-y)+4=0 \end{cases}$$

$x+y=m$, $x-y=n$으로 치환한다. 이때 $m>0$임에 주의한다.

5 x에 대한 이차방정식 $(x-a)(x-b)+(x-b)(x-c)+(x-c)(x-a)=0$이 중근을 가질 때, a, b, c를 세 변의 길이로 하는 삼각형은 어떤 삼각형인지 말하시오.

먼저 이차방정식을 전개한 후, 중근을 가질 조건을 이용한다.

6 a, b는 모두 10보다 작은 자연수이고 이차방정식 $x^2-ax+b=0$의 한 근이 $x=a-\sqrt{b}$ 일 때, 조건을 만족하는 순서쌍 (a, b)를 모두 구하시오.

$x^2-ax+b=0$에 $x=a-\sqrt{b}$를 대입하면 등식이 성립한다.

7 사차방정식 $2(x^2+5x)^2-3x^2-15x-54=0$을 푸시오.

$x^2+5x=t$로 놓고 t에 대한 이차방정식을 푼다.

8 이차방정식 $a^2-6ab+8b^2=0$을 만족하는 a, b에 대하여 $\dfrac{4a^2-8b^2}{3ab}$의 값을 구하시오.

(단, $a \neq 0$, $b \neq 0$)

Challenge

9 이차방정식 $5x^2+4xy+2y^2-2x+4y+5=0$을 만족하는 실수 x, y의 값을 각각 구하시오.

x에 대하여 내림차순으로 정리한 후 x가 실수임을 이용한다.

Challenge

10 a, b, c가 정수일 때, 방정식 $ax^2+bx+c=0$이 유리수의 근을 가질 조건을 구하시오.

$a=0$일 때와 $a\neq0$일 때로 구분한다.

11 ㈎에서 제시한 방법을 이용하여 이차식 $6x^2-17x+12$를 인수분해하시오.

아마 중고등 수학에서 가장 많이 사용되는 이론 중의 하나가 이차방정식일 것이다. 사실 이 이차방정식은 실생활에도 직접적으로 많이 사용되지만, 그보다는 수학의 모든 이론들의 해법을 제공하는 2차적인 역할을 한다는 것에 절대적인 가치가 있다. 그렇다면 과연 이차방정식은 중고등 수학의 어느 곳에, 또 어디까지 사용되고 있을까? 그냥 이차식이 나오는 곳이면 무조건 이차방정식이 사용된다고 보면 된다. 즉, 단원으로 열거하자면 중등과정에서는 ㈎근의 공식을 이용한 이차식의 인수분해, 이차함수의 그래프와 직선의 교점 구하기와 판별식을 이용하여 이차함수의 최댓값 또는 최솟값 구하기 등이 있고, 더 나아가 고등과정에서는 이차부등식의 해법, 도형의 방정식(원, 포물선, 쌍곡선), 미분, 적분, 확률, 통계 등에 직접적으로 사용되고 있다.
이렇듯 이차방정식은 중고등 수학 전반에 걸쳐 주요하게 사용되므로 이 부분을 모르고 넘어가거나, 적당히 알고 넘어가면 결국 수학 전체를 포기하는 일이 될 수도 있으니 이차방정식을 열심히 공부하도록 하자.

이차방정식의 활용

1 이차방정식의 근과 계수의 관계

이차방정식 $ax^2+bx+c=0(a\neq0)$의 두 근을 α, β라 하면

(1) $\alpha+\beta=-\dfrac{b}{a}$ (2) $\alpha\beta=\dfrac{c}{a}$ (3) $|\alpha-\beta|=\dfrac{\sqrt{b^2-4ac}}{|a|}$

> $(\alpha-\beta)^2=(\alpha+\beta)^2-4\alpha\beta$
> $\therefore |\alpha-\beta|=\sqrt{(\alpha+\beta)^2-4\alpha\beta}$

2 이차방정식의 근과 계수의 관계의 활용

(1) **이차방정식 구하기**

　　두 근이 α, β이고 x^2의 계수가 1인 이차방정식은

　　$(x-\alpha)(x-\beta)=0 \iff x^2-(\alpha+\beta)x+\alpha\beta=0$

(2) 계수가 유리수인 이차방정식의 한 근이 $a+b\sqrt{m}$이면

　　다른 한 근은 반드시 $a-b\sqrt{m}$이다. (단, a, b는 유리수, $\sqrt{m}$은 무리수)

3 이차방정식의 근의 부호

이차방정식 $ax^2+bx+c=0(a\neq0)$의 두 근을 α, β라 하고 $D=b^2-4ac$일 때,

(1) 두 근이 모두 양수 : $D\geq0$, $\alpha+\beta>0$, $\alpha\beta>0$

(2) 두 근이 모두 음수 : $D\geq0$, $\alpha+\beta<0$, $\alpha\beta>0$

(3) 두 근의 부호가 서로 반대 : $\alpha\beta<0$

> $\alpha\beta<0$이면 $\dfrac{c}{a}<0$
> $\therefore ac<0$
> 따라서 $D=b^2-4ac>0$이 항상 성립한다.

4 여러 가지 문제의 풀이

(1) 두 근의 차가 m인 경우 : 두 근을 α, $\alpha+m$으로 놓는다.

(2) 두 근의 비가 $m:n$인 경우 : 두 근을 $m\alpha$, $n\alpha$로 놓는다.

(3) $xy+ax+by=m$의 근이 정수인 경우 : $(x+b)(y+a)=k$(단, a, b, m, k는 정수)의 형
　　태로 변형한다.

> 예 $xy+x+y=0$
> $x(y+1)+(y+1)=1$
> $\therefore (x+1)(y+1)=1$

5 이차방정식의 활용

(1) 문제의 뜻에 알맞은 수량 관계를 파악하고, 적당한 것을 미지수 x로 놓는다.

(2) 이차방정식을 세워 푼다.

(3) 구한 해 중에서 문제의 조건에 알맞는 것만 택한다.

주제별 실력다지기

정답과 풀이 50쪽

근과 계수의 관계

이차방정식 $ax^2+bx+c=0$의 두 근을 α, β라 할 때,

근의 공식을 이용하면 $x=\dfrac{-b\pm\sqrt{b^2-4ac}}{2a}$

이때 $\alpha=\dfrac{-b+\sqrt{b^2-4ac}}{2a}$, $\beta=\dfrac{-b-\sqrt{b^2-4ac}}{2a}$라 하면

다음과 같은 근과 계수의 관계를 얻을 수 있다.

(1) $\alpha+\beta=-\dfrac{b}{a}$　　　(2) $\alpha\beta=\dfrac{c}{a}$　　　(3) $|\alpha-\beta|=\dfrac{\sqrt{b^2-4ac}}{|a|}$

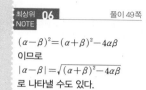

최상위 **06** 풀이 49쪽
NOTE

$(\alpha-\beta)^2=(\alpha+\beta)^2-4\alpha\beta$
이므로
$|\alpha-\beta|=\sqrt{(\alpha+\beta)^2-4\alpha\beta}$
로 나타낼 수도 있다.

1 이차방정식 $x^2-3x-6=0$의 두 근의 합과 곱이 x에 대한 이차방정식 $3x^2+ax+b=0$의 두 근일 때, 상수 a, b에 대하여 $a+b$의 값을 구하시오.

2 이차방정식 $x^2-4x-3=0$의 두 근을 α, β라 할 때, 다음 식의 값을 구하시오.

(1) $\dfrac{1}{\alpha}+\dfrac{1}{\beta}$　　　　　　　　　(2) $\alpha^2+\beta^2$

(3) $\dfrac{\beta}{\alpha^2}+\dfrac{\alpha}{\beta^2}$　　　　　　　　(4) $(\alpha-3\beta+1)(\beta-3\alpha+1)$

3 이차방정식 $x^2-6x-8=0$의 두 근을 α, β라 할 때, $(\alpha-\beta)^2$의 값을 구하시오.

$(\alpha-\beta)^2=(\alpha+\beta)^2-4\alpha\beta$

4 x에 대한 이차방정식 $2x^2-2x+k=0$의 두 근의 차가 5일 때, 상수 k의 값을 구하시오.

$|\alpha-\beta|$
$=\sqrt{(\alpha+\beta)^2-4\alpha\beta}$
$=\dfrac{\sqrt{b^2-4ac}}{|a|}$

5 x에 대한 이차방정식 $x^2+mx+n=0$의 두 근이 $\dfrac{1}{2}$, $\dfrac{1}{3}$일 때, $\dfrac{m}{5}x^2+3nx+2=0$의 두 근의 차를 구하시오. (단, m, n은 상수)

(1) 이차방정식 구하기

두 근이 α, β이고 x^2의 계수가 1인 이차방정식은

$x^2-(\alpha+\beta)x+\alpha\beta=0$

(2) 계수가 유리수인 이차방정식의 한 근이 $a+b\sqrt{m}$이면

다른 한 근은 반드시 $a-b\sqrt{m}$이다. (단, a, b는 유리수, $\sqrt{m}$은 무리수)

$(x-\alpha)(x-\beta)=0$
$\therefore x^2-(\alpha+\beta)x+\alpha\beta=0$

6 이차방정식 $x^2-2x-1=0$의 두 근을 α, β라 할 때, 다음을 두 근으로 하고 x^2의 계수가 1인 이차방정식을 구하시오.

(1) α^2, β^2

(2) $\alpha+\beta$, $\alpha\beta$

(3) $\dfrac{\beta}{\alpha}$, $\dfrac{\alpha}{\beta}$

7 x에 대한 이차방정식 $x^2+ax+b=0$의 두 근은 이차방정식 $2x^2+3x-3=0$의 두 근에 각각 1을 더한 것과 같을 때, 상수 a, b에 대하여 $a+b$의 값을 구하시오.

$2x^2+3x-3=0$의 두 근이 α, β이면 $x^2+ax+b=0$의 두 근은 $\alpha+1$, $\beta+1$이다.

8 이차방정식 $x^2+ax+b=0$의 한 근이 $1+\sqrt{2}$일 때, $a+b$의 값을 구하시오.

(단, a, b는 유리수)

a, b가 유리수이므로 $1+\sqrt{2}$가 한 근이면 다른 한 근은 $1-\sqrt{2}$이다.

9 x에 대한 이차방정식 $x^2+ax+b=0$의 두 근을 α, β라 할 때, α^2, β^2을 두 근으로 하는 이차방정식은 $x^2-x+1=0$이다. 이때 실수 a, b의 값을 각각 구하시오.

10 소수 p, q는 계수가 정수인 이차방정식 $x^2-9x+m=0$의 두 근이다. 이때 $p+q$, pq를 두 근으로 하고 x^2의 계수가 1인 이차방정식을 구하시오.

$p+q=9$, $pq=m$이고 p, q는 소수이므로 $p=2$, $q=7$ 또는 $p=7$, $q=2$

근의 부호

$ax^2+bx+c=0(a\neq0)$의 두 근을 α, β, $D=b^2-4ac$라 하면

(1) 두 근이 모두 양수 : $D\geq0$, $\alpha+\beta>0$, $\alpha\beta>0$

(2) 두 근이 모두 음수 : $D\geq0$, $\alpha+\beta<0$, $\alpha\beta>0$

(3) 두 근의 부호가 서로 반대 : $\alpha\beta<0$

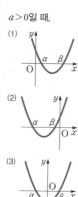
$a>0$일 때,
(1)
(2)
(3)

11 이차방정식 $x^2-2x-a=0$의 두 근이 모두 양수일 때, 실수 a의 값의 범위를 구하시오.

12 이차방정식 $2x^2+x-a=0$의 두 근이 모두 음수일 때, 실수 a의 값의 범위를 구하시오.

13 이차방정식 $2x^2-(a+3)x-a=0$의 두 근의 부호가 서로 다를 때, 실수 a의 값의 범위를 구하시오.

$ax^2+bx+c=0$에서 $\dfrac{c}{a}<0$

즉, $ac<0$이므로 항상 $D=b^2-4ac>0$이다.

14 x에 대한 이차방정식 $x^2-3x+a+4=0$이 부호가 서로 같은 두 정수근을 가질 때, 상수 a의 값을 구하시오.

$\alpha+\beta=3$에서 α, β는 양의 정수이다.

15 x에 대한 이차방정식 $x^2-(a-1)(a-3)x-3=0$이 두 실근을 갖고 두 근의 절댓값이 같을 때, 상수 a의 값을 구하시오.

$\alpha\beta=-3<0$이므로 두 근은 절댓값이 같고 부호가 다르다.

여러 가지 이차방정식의 풀이

(1) 절댓값이 있는 방정식

① $|x|^2 = x^2$

② $|x| = a \ (a > 0) \Longleftrightarrow x = \pm a$

(2) 근의 설정

① 두 근의 차가 m인 경우 : 두 근을 $\alpha, \alpha + m$으로 놓는다.

② 두 근의 비가 $m : n$인 경우 : 두 근을 $m\alpha, n\alpha$로 놓는다.

$|x| = \begin{cases} x & (x \geq 0 \text{일 때}) \\ -x & (x < 0 \text{일 때}) \end{cases}$

16 다음 방정식을 푸시오.

(1) $2x^2 - |x| - 15 = 0$

(2) $|x^2 - 2x - 3| = 2$

(1) $x^2 = |x|^2$

17 이차방정식 $x^2 - 7x + k - 1 = 0$의 두 근의 차가 5일 때, 상수 k의 값을 구하시오.

두 근을 $\alpha, \alpha + 5$로 놓는다.

18 이차방정식 $x^2 - 5x + m = 0$의 두 근의 비가 2 : 3일 때, 상수 m의 값을 구하시오.

두 근을 $2\alpha, 3\alpha$로 놓는다.

부정방정식의 풀이

> (1) $xy+ax+by=m$의 꼴
> $(x+b)(y+a)=k$의 꼴로 변형한다. (단, a, b, m, k는 정수)
> (2) $m^2-n^2=k$의 꼴
> $(m+n)(m-n)=k$ (단, k는 정수)

근의 개수가 무수히 많은 방정식을 부정방정식이라 한다.
보통 미지수의 개수가 식의 개수보다 더 많다.

19 $xy-3x-3y=4$를 만족하는 자연수 x, y의 값을 각각 구하시오.

$x(y-3)-3(y-3)=13$
$\therefore (x-3)(y-3)=13$

20 두 자연수 m, n이 $\sqrt{m^2-99}=n$을 만족할 때, 순서쌍 (m, n)을 모두 구하시오.

중등 일차방정식

미지수가 2개인 일차방정식

방정식 $x+y=2$는 미지수가 x, y의 2개인 일차방정식이다.
이때 이 방정식 $x+y=2$의 해는
$\begin{cases} x=2 \\ y=0 \end{cases}$, $\begin{cases} x=1 \\ y=1 \end{cases}$, $\begin{cases} x=0 \\ y=2 \end{cases}$, $\begin{cases} x=-1 \\ y=3 \end{cases}$, $\cdots$
과 같이 무수히 많다. 즉, 방정식의 개수가 미지수의 개수보다 적으면 해가 무수히 많다.
그러나 'x, y가 자연수'라는 조건이 있으면 $\begin{cases} x=1 \\ y=1 \end{cases}$ 하나로 정해진다.

고등까지 연결되는 중등개념   **고1 부정방정식의 풀이**

'(방정식의 개수) < (미지수의 개수)'인 경우 해가 무수히 많다.

방정식 $x-2y+\sqrt{2}x=2\sqrt{2}$의 해는
$\begin{cases} x=1 \\ y=\dfrac{1-\sqrt{2}}{2} \end{cases}$, $\begin{cases} x=2 \\ y=1 \end{cases}$, $\begin{cases} x=3 \\ y=\dfrac{3+\sqrt{2}}{2} \end{cases}$, $\begin{cases} x=4 \\ y=2+\sqrt{2} \end{cases}$, $\cdots$
와 같이 해가 무수히 많다. 이렇게 해가 무수히 많아 하나로 특정할 수 없는 방정식을 부정방정식이라 한다.
그러나 'x, y가 유리수'라는 조건이 있으면 무리수 서로 같은 조건에 의하여
$x-2y+\sqrt{2}x=2\sqrt{2} \iff \begin{cases} x-2y=0 \\ x=2 \end{cases} \iff \begin{cases} x=2 \\ y=1 \end{cases}$
과 같이 해가 하나로 정해진다.

이차방정식의 활용

(1) 문제의 뜻에 알맞은 수량 관계를 파악하고, 적당한 것을 미지수 x로 놓는다.

(2) 이차방정식을 세워 푼다.

(3) 구한 해 중에서 문제의 조건에 알맞은 것만 택한다.

21 어떤 정사각형에서 각 변의 길이를 2 cm씩 늘린 정사각형의 넓이는 각 변의 길이를 2 cm씩 줄인 정사각형의 넓이의 5배가 된다. 처음 정사각형의 한 변의 길이를 구하시오.

처음 정사각형의 한 변의 길이를 x cm로 놓는다.

22 오른쪽 그림과 같이 정사각형 세 개가 대각선의 중점이 일치하게 포개져 있다. 가장 큰 정사각형의 넓이가 나머지 두 정사각형의 넓이의 합과 같을 때, 어두운 부분의 넓이를 구하시오.

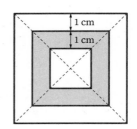

1 cm
1 cm

가장 작은 정사각형의 한 변의 길이를 x cm로 놓는다.

23 어떤 점이 원의 둘레를 따라 움직이는데 출발 후 t분 동안에 (t^2+t) m만큼 움직이며, 처음 한 바퀴를 도는 데 14분이 걸렸다. 두 바퀴째까지 도는 데 걸리는 시간을 구하시오.

원의 둘레의 길이를 구한다.

24 길이가 12 cm인 끈을 두 도막으로 잘라서 크기가 다른 두 개의 정삼각형을 만들려고 한다. 두 정삼각형의 넓이의 비가 1 : 2일 때, 큰 정삼각형의 한 변의 길이를 구하시오.

닮은 도형에서 길이의 비의 제곱은 넓이의 비와 같다.

1 이차방정식 $x^2-4x+1=0$의 두 근을 α, β라고 할 때, $\dfrac{\beta^2-3\beta+1}{\alpha}+\dfrac{\alpha^2-3\alpha+1}{\beta}$의 값을 구하시오.

$\alpha^2-4\alpha+1=0$
$\beta^2-4\beta+1=0$
임을 이용한다.

2 이차방정식 $f(x)=0$의 두 근의 합이 4, 곱이 3일 때, 이차방정식 $f(2x+1)=0$의 두 근의 합과 곱을 차례로 구하시오.

$f(x)=0$의 두 근을 α, β로 놓으면 $f(\alpha)=0$, $f(\beta)=0$

3 이차방정식 $x^2+px+q=0$의 두 근이 연속하는 양의 정수이고 두 근의 제곱의 차가 25일 때, 상수 p, q의 값을 각각 구하시오.

4 x에 대한 이차방정식 $ax^2+bx+c=0$의 두 근이 모두 양수일 때, $bx^2+cx+a=0$의 근에 대한 설명으로 옳은 것은?

① 두 근이 모두 양수이다.　　　　② 양의 근이 음의 근보다 절댓값이 크다.

③ 두 근이 모두 음수이다.　　　　④ 음의 근이 양의 근보다 절댓값이 크다.

⑤ 실수인 근이 없다.

5 연속된 두 홀수의 곱이 143일 때, 두 홀수의 합을 구하시오.

(단, 자연수 내에서 구한다.)

연속된 두 홀수를 $2a-1$, $2a+1$로 놓는다.

6 이차방정식 $x^2+ax+b=0$의 근을 구하는데 은정이는 일차항의 계수를 잘못 보고 풀어서 두 근이 $2\pm\sqrt{2}$로 나왔고, 현정이는 상수항을 잘못 보고 풀어서 6, -1을 두 근으로 얻었다. 원래의 이차방정식을 바르게 푸시오.

은정이는 상수항을, 현정이는 일차항의 계수를 옳게 보았다.

7 두 근이 α, β이고 x^2의 계수가 1인 이차방정식에서 $\alpha+\beta=2$, $\alpha\beta=-1$일 때, $\alpha^2+\dfrac{1}{\alpha^2}$의 값을 구하시오.

$x^2-2x-1=0$의 한 근이 α이므로 $\alpha^2-2\alpha-1=0$

8
서술형
이차방정식 $x^2+ax+b=0$의 한 근과 다른 한 근의 역수의 합을 두 근으로 하는 이차방정식을 구하면 처음 이차방정식과 같게 된다고 한다. 이때 상수 a, b의 값을 각각 구하시오.

풀이

두 근이 a, b이고 x^2의 계수가 1인 이차방정식은 $x^2-(a+b)x+ab=0$

9 x에 대한 이차방정식 $ax^2+bx+c=0$의 두 근을 α, β라고 할 때, $\dfrac{1}{\alpha}$, $\dfrac{1}{\beta}$을 두 근으로 하는 이차방정식이 $ax^2+bx+c=0$이 되기 위한 조건을 구하시오.

(단, a, b, c는 상수이고, $abc\neq0$)

10 이차방정식 $x^2-4x-8=0$의 두 근을 α, β라고 할 때, $|\alpha|$, $|\beta|$를 두 근으로 하고 x^2의 계수가 1인 이차방정식을 구하시오.

$(|\alpha|+|\beta|)^2$
$=\alpha^2+\beta^2+2|\alpha\beta|$

11 이차방정식 $mx^2+(3m-5)x-24=0$에서 두 근의 절댓값의 비가 $3:2$일 때, 상수 m의 값을 구하시오. (단, $m>0$)

서술형

두 근의 절댓값의 비가 $3:2$이면 두 근을 $|3\alpha|$, $|2\alpha|$로 놓을 수 있다.

풀이

12 이차방정식 $x^2+ax+b=0$의 한 근이 $3+\sqrt{2}$일 때, 이차방정식 $x^2+bx+a=0$의 근을 구하시오. (단, a, b는 유리수)

13
서술형 이차방정식 $x^2+ax+b=0$의 두 실근을 소수 첫째 자리에서 반올림하였더니 각각 5와 3이었다. 이때 $a+b$의 값을 모두 구하시오. (단, a, b는 정수)

14 이차방정식 $x^2-2kx+k^2-2k=0$의 두 근 중 한 근만 0일 때, 실수 k의 값을 구하시오.

15 이차방정식 $x^2+ax+2a-3=0$의 두 근이 서로 다른 부호를 갖고 양근의 절댓값이 음근의 절댓값보다 작을 때, 실수 a의 값의 범위를 구하시오.

16 x에 대한 이차방정식 $2x^2+px+q=0$의 두 근이 $\dfrac{3}{2}$, 2일 때, $p+q$, pq를 두 근으로 하고 x^2의 계수가 1인 이차방정식을 구하시오.

이차방정식 $ax^2+bx+c=0$이 서로 다른 두 실근을 가지면 판별식 $D>0$이다.

두 근을 α, β라 하면 $\alpha+\beta\neq0$, $\alpha\beta=0$

두 근을 α, β라고 하면 $\alpha+\beta<0$, $\alpha\beta<0$

17 이차방정식 $x^2-3x-5=0$의 두 근을 α, β라 할 때, $\dfrac{\beta+1}{\alpha}$, $\dfrac{\alpha+1}{\beta}$ 을 두 근으로 하고 x^2의 계수가 1인 이차방정식을 구하시오.

18 이차방정식 $ax^2+bx+c=0$의 두 근의 합과 곱을 두 근으로 하는 이차방정식의 이차항의 계수를 a로 놓았더니 $ax^2-bx+c=0$이 되었다. 처음 이차방정식의 근을 구하시오.

(단, $ac\neq0$)

19 방정식 $x^2-|x-2|=1$을 푸시오.

(i) $x-2\geq0$
(ii) $x-2<0$
의 경우로 나누어 푼다.

20 오른쪽 그림과 같이 한 변의 길이가 $9\,\text{cm}$인 정사각형에서 어두운 4개의 합동인 직각이등변삼각형을 잘라내었더니 남은 부분의 넓이가 처음 정사각형의 넓이의 $\dfrac{3}{4}$이 되었다. 이때 x의 값을 구하시오.

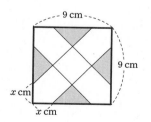

두 변의 길이가 x인 직각이등변 삼각형의 빗변의 길이는 $\sqrt{2}x$이 다.

21 한 변의 길이가 15 m인 정사각형 모양의 꽃밭에 오른쪽 그림과 같이 폭이 일정한 T자 모양의 길을 만들려고 한다. 길을 제외한 꽃밭의 넓이가 121 m²일 때, 길의 폭 x의 값을 구하시오.

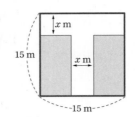

22 오른쪽 그림과 같이 가로의 길이가 4 cm인 직사각형 ABCD에서 한 변의 길이가 x cm인 정사각형 ABFE를 잘라내고 남은 직사각형 EFCD의 세로와 가로의 길이의 비는 처음의 직사각형 ABCD의 가로와 세로의 길이의 비와 같았다. 이때 x의 값을 구하시오.

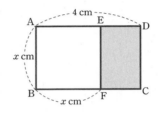

$\overline{DE} = (4-x)$ cm

23
서술형

오른쪽 그림과 같이 갑, 을 두 사람이 원형 트랙의 정반대편 두 지점 A, B에서 동시에 각각 일정한 속력으로 서로 마주 보고 출발하였다. 을이 200 m를 달린 후 두 사람은 처음으로 만났고, 갑이 A 지점을 120 m 남겨 놓고 두 번째로 만났다고 할 때, 트랙의 둘레의 길이를 구하시오.

(단, 두 번째 만날 때까지 두 사람은 트랙을 한 바퀴도 돌지 못했다.)

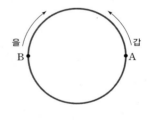

> 풀이

정답과 풀이 56쪽

1 $x+1=a+b$이고 $x^2-2ax+2x+a^2-2a+3=3b$일 때, b의 값들의 합을 구하시오.

(단, a, b는 상수)

2 이차방정식 $x^2+x+1=0$의 두 근을 α, β라고 할 때, $\alpha^{10}+\beta^{10}+\alpha^5+\beta^5+5$의 값을 구하시오.

> $x^2+x+1=0$
> $\Rightarrow x^3=1$

3 x에 대한 이차방정식 $x^2+x-a=0$의 두 근이 모두 정수일 때, 100 이하의 자연수 a의 개수를 구하시오.

> 두 근을 m, n이라 하면
> $m+n=-1$이므로
> $a=n(n+1)$ (단, n은 정수)

4 이차방정식 $x^2+px+q=0$의 두 근이 연속하는 정수일 때, 소수 p, q의 값을 구하시오.

> 두 근을 α, $\alpha+1$로 놓는다.

5 x, y는 자연수이고, 방정식 $x^2-y^2=385$를 만족하는 x의 값들의 총합을 a, y의 값들의 총합을 b라 할 때, $\dfrac{b}{a}$의 값을 기약분수로 나타내시오.

> $(x+y)(x-y)=5\times7\times11$
> 에서 $x+y>0$, $x+y>x-y$임
> 을 이용한다.

6 $x+y=1$, $xy=1$일 때, $x^{104}+y^{98}$의 값을 구하시오.

근과 계수의 관계로부터 x, y는 이차방정식 $t^2-t+1=0$의 두 근이라 할 수 있다.

7   세 자리의 양의 정수에서 백의 자리의 숫자와 아래 두 자리의 수의 곱은 아래 두 자리의 수보다 48만큼 크고, 아래 두 자리의 수는 백의 자리의 숫자의 8배이다. 이 정수를 구하시오.

세 자리의 양의 정수를 $100a+10b+c$로 놓고 식을 세운다.

8   양수 x의 소수 부분을 y라 할 때, $x^2+y^2=10$이다. 이때 x의 값을 구하시오.

$0 \le y < 1$인 것을 이용하여 x의 정수 부분을 구한다.

Challenge

9   같은 방향으로 나란히 달리는 버스와 열차가 있다. 이때 버스가 달린 거리는 달린 시간에 비례하고, 열차가 달린 거리는 달린 시간의 제곱에 비례한다. 열차보다 6 km 뒤에서 동시에 출발한 버스가 20분 후에 열차를 추월하고, 그로부터 10분 후에 다시 열차가 버스를 추월할 때, 출발한 지 몇 분 후에 열차가 버스보다 30 km 앞서 달리게 되는지 구하시오. (단, 버스와 열차의 길이는 무시한다.)

달린 시간을 t라 할 때, 버스가 달린 거리 s는 $s=at$가 되고, 열차가 달린 거리 s'은 $s'=bt^2$

Challenge

10 x에 대한 사차방정식 $x^4+2ax^2+a+2=0$이 서로 다른 네 실근을 가질 때, 실수 a의 값의 범위를 구하시오.

네 근을 $x^2=\alpha$ 또는 $x^2=\beta$로 놓으면 $\alpha \ne \beta$, $\alpha>0$, $\beta>0$

III 단원 종합 문제

1

다음 이차방정식 중 유리수의 범위에서 해를 갖는 것은?

① $x^2-4x+2=0$

② $2x^2+x-1=0$

③ $3x^2-4x-1=0$

④ $x^2+4x+5=0$

⑤ $5x^2-2x-2=0$

2

이차방정식 $2x^2-5x-1=0$을 완전제곱식으로 변형하였더니 $(x+A)^2=B$가 되었다. 상수 A, B에 대하여 $A+B$의 값과 근을 차례로 구하시오.

3

이차방정식 $ax^2+2x+3=0$을 풀면 $x=\dfrac{1\pm\sqrt{b}}{2}$일 때, $a+b$의 값을 구하시오.

(단, a, b는 유리수, $\sqrt{b}$는 무리수)

4

이차방정식 $x^2-|x|-6=0$의 두 근이 이차방정식 $ax^2+bx-27=0$의 근일 때, 실수 a, b의 값을 각각 구하시오.

5

사차방정식 $(x^2-3x)^2-4x^2+12x=0$을 푸시오.

6

x에 대한 이차방정식 $x^2-4mx+m=0$이 중근을 갖기 위한 m의 값이 $x^2+ax+b=0$의 두 근일 때, $a+b$의 값을 구하시오. (단, m, a, b는 실수)

7

두 이차방정식 $(2x+1)^2-7(2x+1)+10=0$, $3(x+3)^2-14(x+3)-5=0$을 동시에 만족하는 해를 구하시오.

8

x에 대한 이차방정식 $x^2-ax+b=0$이 근을 가질 때, 이차방정식 $x^2+(a-2)x+b-a=0$의 근의 개수를 구하시오. (단, a, b는 상수)

9

이차방정식 $(x+1)(x-2)=-2x+4$의 두 근을 α, β라 할 때, 이차방정식 $x^2-(\alpha^2+\beta^2)x+\alpha\beta=0$을 푸시오.

10

이차방정식 $x^2-2x-2=0$의 한 근이 α일 때, $\alpha^2+\dfrac{4}{\alpha^2}$의 값을 구하시오.

11

이차방정식 $ax^2+bx+c=0$의 두 근의 합은 2이고, 두 근의 곱은 -1이다. 이때 이차방정식 $cx^2+bx+a=0$의 근을 구하시오. (단, a, b, c는 상수)

12

이차방정식 $x^2-3x-6=0$의 두 근을 α, β라 할 때, $\dfrac{1}{\alpha}$, $\dfrac{1}{\beta}$을 두 근으로 하고 x^2의 계수가 6인 이차방정식을 구하시오.

13

이차방정식 $x^2+mx+n=0$의 한 근이 $2+\sqrt{2}$일 때, 유리수 m, n의 값을 각각 구하시오.

14

이차방정식 $2x^2+(a-1)x-a=0$의 두 근의 차가 $\sqrt{2}$일 때, 상수 a의 값들의 합을 구하시오.

15

이차방정식 $3x^2+mx+n=0$의 두 근이 2, $\frac{1}{3}$일 때, 이차방정식 $mx^2-nx+3=0$의 두 근의 합은?

(단, m, n은 상수)

① -3　　　② $-\frac{2}{7}$　　　③ $\frac{2}{7}$

④ $\frac{8}{5}$　　　⑤ 3

16

이차방정식 $x^2-7x+1=0$의 두 근을 α, β라 할 때, $\sqrt{\alpha^2+\alpha}+\sqrt{\beta^2+\beta}$의 값을 구하시오.

17

이차방정식 $x^2+(m-1)x+m+1=0$의 두 근이 정수일 때, 정수 m의 값을 구하시오.

18

이차방정식 $5x^2-x-10=0$의 두 근의 합과 곱이 이차방정식 $10x^2+ax+b=0$의 두 근일 때, 상수 a, b에 대하여 $a+b$의 값을 구하시오.

19

x에 대한 이차방정식 $x^2+ax+b=0$의 두 근은 이차방정식 $2x^2-5x+1=0$의 두 근에 각각 1을 더한 것과 같다. 이때 두 상수 a, b의 합 $a+b$의 값을 구하시오.

20

$[2.1]=2$, $[-2.9]=-3$과 같이 $[x]$는 x보다 크지 않은 가장 큰 정수를 나타낸다고 할 때, $[x]^2-[x]-6=0$을 만족하는 x의 값의 범위를 바르게 구한 것은?

① $-2 \leq x < -1$ 또는 $3 \leq x < 4$

② $-2 \leq x < -1$ 또는 $4 \leq x < 5$

③ $-2 \leq x \leq -1$ 또는 $4 \leq x \leq 5$

④ $-4 \leq x < -5$ 또는 $3 \leq x < 4$

⑤ $-4 \leq x \leq -5$ 또는 $3 \leq x \leq 4$

21

실수 x와 정수 n에 대하여 $n \leq x < n+1$인 x를 $[x]=n$으로 나타낼 때, $2[x]^2+[x]-15=0$을 만족하는 x의 값의 범위를 구하시오.

22

$\sqrt{2+\sqrt{2+\sqrt{2+\cdots}}}$ 의 값을 구하시오.

23

두 이차방정식 $x^2+ax-6=0$, $x^2-2ax+b=0$의 공통인 근이 $x=-3$이고, 두 이차방정식의 모든 해를 구하면 $x=-3$ 또는 $x=2$ 또는 $x=c$라 한다. 이때 $a-b+c$의 값을 구하시오. (단, a, b, c는 상수)

24

오른쪽 그림과 같이 가로, 세로의 길이가 각각 30 m, 24 m인 직사각형 모양의 땅에 폭이 일정한 십자형의 도로를 만들려고 한다. 도로를 제외한 땅의 넓이가 567 m²일 때, x의 값을 구하시오.

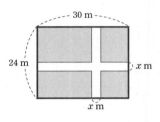

25

오른쪽 그림과 같이 $\angle B=90°$이고, $\overline{AB}=\overline{BC}=15$ cm인 직각이등변삼각형이 있다. $\overline{AC}$ 위의 한 점 D에서 $\overline{AB}$, $\overline{BC}$에 각각 수선의 발 E, F를 내렸더니 $\triangle ADE$와 $\square DFBE$의 넓이의 비가 1 : 4가 되었다. 이때 $\square DFBE$의 넓이를 구하시오.

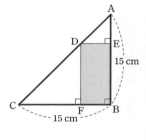

IV 이차함수

1. 이차함수의 그래프

2. 이차함수의 활용

1 이차함수의 그래프

1 이차함수의 뜻

함수 $y=f(x)$에서 y가 x에 대한 이차식 $y=ax^2+bx+c(a, b, c$는 상수, $a\neq0)$로 나타내어질 때, y를 x의 이차함수라 한다.

2 $y=ax^2(a\neq0)$의 그래프

(1) 원점을 꼭짓점, y축을 축으로 하는 포물선이다.

(2) $a>0$이면 아래로 볼록, $a<0$이면 위로 볼록하다.

(3) a의 절댓값이 클수록 그래프의 폭이 좁아진다.

(4) $y=-ax^2$의 그래프와 x축에 대하여 대칭이다.

■ ① $a>0$일 때 ② $a<0$일 때
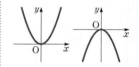

3 $y=ax^2+q(a\neq0)$의 그래프

(1) $y=ax^2$의 그래프를 y축의 방향으로 q만큼 평행이동한 포물선이다.

(2) 점 $(0, q)$가 꼭짓점이고, y축이 축이다.

■ ① $a>0$일 때 ② $a<0$일 때
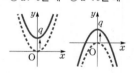

4 $y=a(x-p)^2(a\neq0)$의 그래프

(1) $y=ax^2$의 그래프를 x축의 방향으로 p만큼 평행이동한 포물선이다.

(2) 점 $(p, 0)$이 꼭짓점이고, 직선 $x=p$가 축이다.

■ ① $a>0$일 때 ② $a<0$일 때
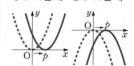

5 $y=a(x-p)^2+q(a\neq0)$의 그래프

(1) $y=ax^2$의 그래프를 x축의 방향으로 p만큼, y축의 방향으로 q만큼 평행이동한 포물선이다.

(2) 점 (p, q)가 꼭짓점이고, 직선 $x=p$가 축이다.

■ ① $a>0$일 때 ② $a<0$일 때
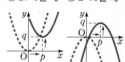

6 $y=ax^2+bx+c(a\neq0)$의 그래프

$y=ax^2+bx+c=a\left(x+\dfrac{b}{2a}\right)^2-\dfrac{b^2-4ac}{4a}$, 즉 $y=a(x-p)^2+q$의 꼴로 변형하여 그래프를 그린다.

(1) **꼭짓점의 좌표** : $\left(-\dfrac{b}{2a}, -\dfrac{b^2-4ac}{4a}\right)$

(2) **축의 방정식** : $x=-\dfrac{b}{2a}$

1 STEP 주제별 실력다지기

$y=ax^2\,(a\neq 0)$의 그래프

(1) 꼭짓점 : 원점 $(0, 0)$
(2) 축 : y축 $(x=0)$
(3) $a>0$이면 아래로 볼록, $a<0$이면 위로 볼록
(4) $|a|$가 클수록 그래프의 폭이 좁아진다.
(5) $y=-ax^2$의 그래프와 x축에 대하여 대칭이다.

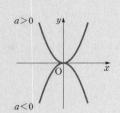

1 오른쪽 그림은 모두 꼭짓점이 원점인 포물선이고 ㉮, ㉯는 각각 $y=x^2$, $y=-x^2$의 그래프이다. ㉠~㉣의 그래프 중 $-1<a<0$일 때, $y=ax^2$의 그래프를 고르시오.

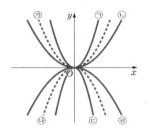

> 그래프의 폭이 ㉮, ㉯보다 좁은지, 넓은지 구별한다.

$y=ax^2+q\,(a\neq 0)$의 그래프

(1) $y=ax^2$의 그래프를 y축의 방향으로 q만큼 평행이동한 포물선이다.
(2) 꼭짓점의 좌표 : $(0, q)$
(3) 축 : y축 $(x=0)$

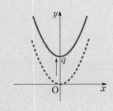

2 일차함수 $y=ax+b$의 그래프가 오른쪽 그림과 같을 때, 이차함수 $y=ax^2+b$의 그래프는?

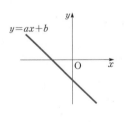

> 주어진 직선은 (기울기)<0, (y절편)<0이다.

① 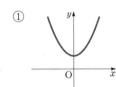 ②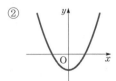

③ 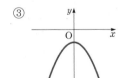 ④ 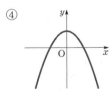 ⑤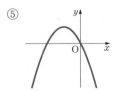

3 이차함수 $y=ax^2+b$의 그래프가 모든 사분면을 지나기 위한 조건은?

① $a+b>0$ ② $a+b<0$ ③ $a-b>0$
④ $a-b<0$ ⑤ $ab<0$

> a, b의 부호를 각각 따져본다.

(1) $y=ax^2$의 그래프를 x축의 방향으로 p만큼 평행이동한 포물 선이다.
(2) 꼭짓점의 좌표 : $(p, 0)$
(3) 축의 방정식 : $x=p$

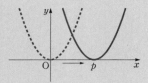

4 다음 **보기**의 이차함수 중 그 그래프의 꼭짓점이 x축 위에 있는 것을 모두 고르시오.

꼭짓점이 x축 위에 있으려면 꼭 짓점의 y좌표가 0이어야 한다. 즉, $y=a(x-p)^2$의 꼴로 변형 할 수 있어야 한다.

┌─────── 보기 ┌─────
ㄱ. $y=x^2-4x+4$ ㄴ. $y=-x^2-6x+9$
ㄷ. $y=4x^2+2x+1$ ㄹ. $y=-4x^2+4x-1$

5 이차함수 $y=x^2+3x+m$의 그래프가 x축과 접하기 위한 상수 m의 값을 구하시오.

6 축의 방정식이 $x=4$인 포물선이 점 $(2, -4)$를 지나며 x축에 접할 때, 이 포물선을 그 래프로 하는 이차함수의 식을 구하시오.

(1) $y=ax^2$의 그래프를 x축의 방향으로 p만큼, y축의 방향으로 q만큼 평행이동한 포물선이다.
(2) 꼭짓점의 좌표 : (p, q)
(3) 축의 방정식 : $x=p$

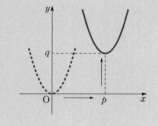

7 이차함수 $y=ax^2+bx+c$의 그래프는 꼭짓점의 좌표가 $(1, 3)$이고 $y=-x^2+4$의 그 래프와 그 폭이 같다. 이때 상수 a, b, c에 대하여 $a+b+c$의 값을 구하시오.

그래프의 폭이 같다.
⇨ 이차함수의 이차항의 계수의 절댓값이 같다.

8 이차함수 $y=a(x-p)^2+q$의 그래프가 오른쪽 그림과 같을 때, 다 음 **보기** 중 옳은 것을 모두 고르시오.

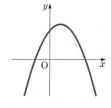

┌─────── 보기 ┌─────
ㄱ. $p+q<0$ ㄴ. $a-p-q<0$
ㄷ. $a-pq>0$ ㄹ. $apq<0$

$y=ax^2+bx+c\,(a\neq0)$의 그래프

이차함수의 일반형으로 이 식은 표준형 $y=a(x-p)^2+q$의 꼴로 변형할 수 있다.

$$y=ax^2+bx+c$$
$$=a\left(x^2+\frac{b}{a}x+\frac{b^2}{4a^2}\right)+c-\frac{b^2}{4a}$$
$$=a\left(x+\frac{b}{2a}\right)^2-\frac{b^2-4ac}{4a}$$

(1) 꼭짓점의 좌표 : $\left(-\dfrac{b}{2a},\ -\dfrac{b^2-4ac}{4a}\right)$

(2) 축의 방정식 : $x=-\dfrac{b}{2a}$

(3) y절편 : c

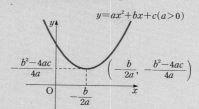

9 이차함수 $y=-2x^2+4x-5$의 그래프에 대한 설명 중 옳지 <u>않은</u> 것은?

① 꼭짓점의 좌표는 $(1,\ -3)$이다.

② 축의 방정식은 $x=1$이다.

③ $y=-2x^2$의 그래프를 x축의 방향으로 1만큼, y축의 방향으로 -3만큼 평행 이동한 것이다.

④ y의 값의 범위는 $y\leq-3$이다.

⑤ $x<1$일 때, x의 값이 증가하면 y의 값은 감소한다.

10 이차함수 $y=ax^2-6ax+a^2+5a+3$의 그래프의 꼭짓점의 좌표가 $(3,\ -1)$일 때, 상수 a의 값을 구하시오.

x^2의 계수가 a이고 그래프의 꼭짓점의 좌표가 (p,q)인 이차함수의 식은 $y=a(x-p)^2+q$

중3 이차함수의 그래프

이차함수의 그래프

이차함수의 식을 표준형으로 변형하면 꼭짓점의 좌표를 파악하여 그래프를 그릴 수 있다.

일반형: $y=ax^2+bx+c\,(a\neq0)$
⇨ 표준형: $y=a(x-p)^2+q$
⇨ 꼭짓점의 좌표: (p,q)

고 등 까 지 연 결 되 는 중등개념

고1 원의 방정식

식을 표준형으로 고치면 이차식으로 표현되는 모든 도형의 그래프가 보인다.

원의 방정식

원의 방정식을 표준형으로 변형하면 원의 중심의 좌표와 반지름의 길이를 파악하여 원의 방정식이 나타내는 그래프를 그릴 수 있다.

일반형: $x^2+y^2+Ax+By+C+0$
⇨ 표준형: $(x-a)^2+(y-b)^2=r^2\,(r>0)$
⇨ 중심의 좌표: (a,b), 반지름의 길이: r

11 이차함수 $y=3x^2+ax+b$와 $y=-2x^2+8x-7$의 그래프의 꼭짓점이 일치할 때, 상수 a, b의 값을 각각 구하시오.

12 이차함수 $y=x^2+6x+a$의 그래프의 꼭짓점이 직선 $y=-2x$ 위에 있기 위한 상수 a의 값을 구하시오.

$y=ax^2+bx+c\,(a\neq0)$의 그래프에서 a, b, c의 부호

(1) a의 부호 : 그래프의 모양으로 결정한다.
아래로 볼록($\smile$)하면 $a>0$, 위로 볼록($\frown$)하면 $a<0$
(2) b의 부호 : 축의 위치로 결정한다.
① 축이 y축의 왼쪽에 위치하면 a, b는 같은 부호 ($ab>0$)
② 축이 y축의 오른쪽에 위치하면 a, b는 다른 부호 ($ab<0$)
(3) c의 부호 : y절편의 위치로 결정한다.

 풀이 61쪽
NOTE

축 : $x=-\dfrac{b}{2a}$

y축의 왼쪽 : $-\dfrac{b}{2a}<0$
$\Rightarrow ab>0$
y축의 오른쪽 : $-\dfrac{b}{2a}>0$
$\Rightarrow ab<0$

13 오른쪽 그림은 이차함수 $y=ax^2+bx+c$의 그래프이다. 다음 중 옳은 것은?

$x=-1$이면 $y=a-b+c$
$x=1$이면 $y=a+b+c$

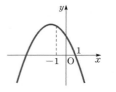

① $ac>0$　　　　　② $bc>0$
③ $abc<0$　　　　④ $a-b+c>0$
⑤ $a+b+c<0$

14 다음 이차함수 중 그 그래프가 제2사분면을 제외한 모든 사분면을 지나는 것은?

그래프가 다음 그림과 같은 이차함수를 찾는다.

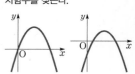

① $y=x^2-4x+3$　　　　　② $y=x^2+4x-3$
③ $y=-x^2+4x-3$　　　　④ $y=-x^2-4x-3$
⑤ $y=-x^2+4x+3$

15 이차함수 $y=ax^2+bx+c$의 그래프가 오른쪽 그림과 같을 때, 다음 중 이차함수 $y=cx^2+bx+a$의 그래프가 될 수 있는 것은?

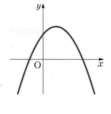

①   ②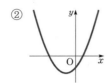

③ 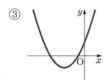 ④ 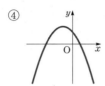 ⑤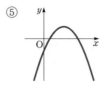

16 이차함수 $y=ax^2+bx+c$의 그래프에서 $a>0$, $b>0$, $c<0$일 때, 꼭짓점은 제몇 사분면 위에 있는지 구하시오.

17 이차함수 $y=ax^2+bx+c$의 그래프가 오른쪽 그림과 같을 때, 다음 중 옳지 <u>않은</u> 것은?

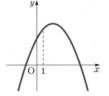

① $a<0$ ② $c>0$
③ $ab<0$ ④ $a+b+c>0$
⑤ $b^2-4ac<0$

18 다음 중 이차함수 $y=ax^2+bx+c$의 그래프가 모든 사분면을 지날 조건은?

① $ab>0$ ② $bc>0$ ③ $ac<0$
④ $a+b+c<0$ ⑤ $c<0$

그래프가 모든 사분면을 지나는 경우는 다음 그림과 같다.

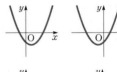

축 : $x=-\dfrac{b}{2a}<1$

19 이차함수 $y=ax^2+bx+c$의 그래프가 오른쪽 그림과 같을 때, 다음 식의 부호 중 나머지 넷과 <u>다른</u> 것은?

① $a+b+c$ ② $a-b+c$
③ $2a+b$ ④ abc
⑤ $4a-2b+c$

20 다음 그림과 같이 나타내어지는 포물선의 방정식을 구하시오.

(1)
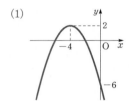

(2)
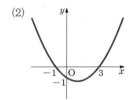

21 다음 포물선을 그래프로 하는 이차함수의 식을 구하시오.

(1) 축의 방정식이 $x=-3$이고, 두 점 $(-2, 7)$, $(-5, -5)$를 지나는 포물선

(2) 세 점 $(1, -3)$, $(2, -4)$, $(0, -6)$을 지나는 포물선

(3) 세 점 $(-3, 0)$, $(2, 0)$, $(0, 6)$을 지나는 포물선

22 이차함수 $y=x^2+ax-3$의 그래프가 오른쪽 그림과 같을 때, 꼭짓점의 좌표를 구하시오. (단, a는 상수)

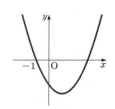

그래프가 지나는 점의 좌표를 대입하여 a의 값을 구한다.

23 오른쪽 그림은 직선 $x=1$을 축으로 하는 이차함수 $y=ax^2+bx+c$의 그래프일 때, $a+b+c$의 값을 구하시오.

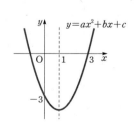

그래프는 축 $x=1$에 대하여 대칭이다.

이차함수의 그래프의 평행이동과 대칭이동

(1) 평행이동

   ① 점의 평행이동 : 점 (x, y)를 x축의 방향으로 m만큼, y축의 방향으로 n만큼 평행이동하면
$$(x, y) \to (x+m, y+n)$$

   ② 그래프의 평행이동 : $y=f(x)$의 그래프를 x축의 방향으로 m만큼, y축의 방향으로 n만큼 평행이동하면
$$y-n=f(x-m)$$

(2) 대칭이동

   ① 점대칭 $\Longrightarrow$ 원점에 대하여 대칭이동하면 $(x, y) \to (-x, -y)$

   ② 선대칭 $\Longrightarrow$ x축에 대하여 대칭이동하면 $(x, y) \to (x, -y)$

               y축에 대하여 대칭이동하면 $(x, y) \to (-x, y)$

               직선 $y=x$에 대하여 대칭이동하면 $(x, y) \to (y, x)$

24 이차함수 $y=px^2$의 그래프를 x축의 방향으로 2만큼 평행이동하였더니 $y=-\dfrac{1}{2}x^2+2x-2$의 그래프와 일치하였을 때, 상수 p의 값을 구하시오.

이차함수의 그래프를 평행이동 하여도 그래프의 폭과 모양은 변하지 않는다.

25 이차함수 $y=x^2-2x+3$의 그래프를 x축의 방향으로 a만큼, y축의 방향으로 b만큼 평행이동한 그래프의 식은 $y=x^2+4x-1$이다. 이때 ab의 값을 구하시오.

꼭짓점이 어떻게 이동되는지 알아본다.

26 이차함수 $y=x^2-4x+3$의 그래프를 x축의 방향으로 2만큼, y축의 방향으로 -1만큼 평행이동한 다음 y축에 대하여 대칭이동한 그래프의 이차함수의 식을 구하시오.

y축에 대하여 대칭이동하면 $(x, y) \Rightarrow (-x, y)$

27 이차함수 $y=a(x-1)^2$의 그래프를 x축에 대하여 대칭이동한 다음 x축의 방향으로 1만큼, y축의 방향으로 $-q$만큼 평행이동하였더니 $y=2x^2+px+5$의 그래프와 일치하였다. 이때 $a+p+q$의 값을 구하시오. (단, a, p는 상수)

2^{STEP} 실력 높이기

---

1 오른쪽 그림은 이차함수 $y=2x^2-4x-6$의 그래프이다. 다음 중 옳지 <u>않은</u> 것은? (단, 점선은 포물선의 축이다.)

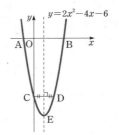

① A$(-1,\,0)$ ② B$(3,\,0)$

③ C$(0,\,-6)$ ④ D$(1,\,-6)$

⑤ E$(1,\,-8)$

이차함수의 그래프는 축에 대하여 대칭이다.

---

2 서술형   이차함수 $y=2(x^2-3)+4$의 그래프를 x축의 방향으로 -2만큼, y축의 방향으로 3만큼 평행이동한 그래프의 이차함수의 식을 $y=ax^2+bx+c$의 꼴로 나타내시오.

풀이

x 대신 $x+2$, y 대신 $y-3$을 각각 대입한다.

---

3 이차함수 $y=ax^2-bx+3$의 그래프에서 축의 방정식이 $x=3$일 때, $a:b$를 가장 간단한 자연수의 비로 나타내시오. (단, a, b는 상수)

---

4 서술형   이차함수 $y=x^2+2ax-4$의 그래프의 꼭짓점의 좌표가 $(1,\,b)$일 때, a, b의 값을 각각 구하시오. (단, a는 상수)

풀이

주어진 이차함수의 식을 완전제곱의 꼴로 변형한다.

5 점 $(0, 3)$을 지나고, 꼭짓점의 좌표가 $(1, -2)$인 포물선의 이차함수의 식을 구하시오.

주어진 조건을 이용하여
$y = a(x-p)^2 + q$
$(a \neq 0)$의 꼴로 만든다.

6 오른쪽 그림과 같은 포물선을 그래프로 하는 이차함수의 식을 구하시오.

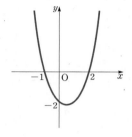

x축과의 교점의 좌표가 $(a, 0)$, $(b, 0)$인 그래프의 이차함수의 식은
$y = a(x-a)(x-b)(a \neq 0)$로 나타낼 수 있다.

7 이차함수 $y = ax^2 + bx + c$의 그래프가 세 점 $(-2, 3)$, $(0, 3)$, $(1, 0)$을 지날 때, abc의 값을 구하시오.

서술형

주어진 이차함수의 식에 세 점의 좌표를 각각 대입하여 a, b, c의 값을 구한다.

풀이

8 직선 $y = ax + b$와 y축에 대하여 대칭인 그래프가 오른쪽 그림과 같을 때, $y = ax^2 + bx$의 그래프의 꼭짓점의 좌표를 (m, n)이라 하자. 이때 $m^2 + n^2$의 값을 구하시오.

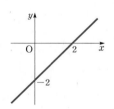

9

서술형 이차함수 $y=-2x^2$의 그래프를 x축의 방향으로 m만큼, y축의 방향으로 n만큼 평행이 동한 후 원점에 대하여 대칭이동하였더니 $y=2x^2+4x-1$의 그래프가 되었다. 이때 $m+n$의 값을 구하시오.

원점에 대하여 대칭이동하면 x 대신 $-x$, y대신 $-y$를 각각 대입한다.

> 풀이

10 오른쪽 그림은 이차함수 $y=-x^2-2x+3$의 그래프이다. $\triangle ABC$ 와 $\triangle ABD$의 넓이의 차를 구하시오.

(단, 점 C는 포물선의 꼭짓점이다.)

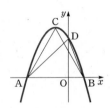

주어진 그래프의 꼭짓점의 좌표, x절편, y절편을 각각 구한다.

11 오른쪽 그림에서 점 P는 이차함수 $y=\dfrac{1}{2}x^2$의 그래프 위의 점 이다. 점 $A(8, 0)$이고 $\triangle POA$의 넓이가 32일 때, 점 P의 좌 표를 구하시오. (단, 점 P는 제1사분면 위에 있다.)

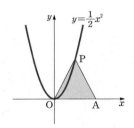

12 오른쪽 그림과 같이 이차함수 $y=x^2$의 그래프 위의 한 점 A의 x좌표가 2이고, 점 A에서 x축에 평행한 직선을 그어 $y=kx^2$의 그래프와 y축과 만나는 점을 각각 B, C라 하자. $\overline{AB}=2\overline{AC}$일 때, 상수 k의 값을 구하시오. (단, 점 B는 제1사분면 위에 있다.)

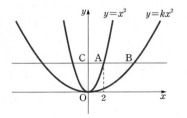

세 점 A, B, C의 y좌표는 같다.

13 좌표평면 위의 두 점 A(2, 2), B(4, 2)에 대하여 $\overline{\text{AB}}$가 포물선 $y=ax^2+2ax+a-2$ 와 만날 때, 상수 a의 값의 범위를 구하시오.

$y=ax^2+2ax+a-2$
$=a(x+1)^2-2$
의 그래프가 두 점 A, B를 지
날 때 a의 값을 구한다.

14 이차함수 $y=a(x^2-3x+2)$의 그래프가 x축과 만나는 두 점을 각각 A, B라 하고 꼭짓점을 C라 하자. △ABC의 넓이가 2일 때, 상수 a의 값을 구하시오. (단, $a>0$)

15 이차함수 $y=ax^2+bx+c$의 그래프를 그리면 x축을 자르는 선분의 길이가 2이고 축이 $x=2$이다. 그 선분과 꼭짓점을 연결한 삼각형의 넓이가 $2\sqrt{3}$일 때, 상수 a의 값을 구하시오. (단, $a>0$)

이차함수의 그래프는 직선
$x=2$에 대하여 대칭이다.

16 이차함수 $y=x^2-4x+8$과 $y=-x^2+12x-20$의 그래프가 한 점 P에 대하여 대칭일 때, 점 P의 좌표를 구하시오.

두 이차함수의 그래프가 점 P
에 대하여 대칭이면 꼭짓점도
점 P에 대하여 대칭이다.

17 오른쪽 그림과 같이 포물선 $y=-x^2-2x+8$의 꼭짓점을 A, x축과의 교점을 각각 B, C라 하자. 점 B를 지나고 삼각형 ABC의 넓이를 이등분하는 직선 l의 방정식이 $y=ax+b$일 때, $a+b$의 값을 구하시오.

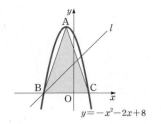

직선 l은 $\overline{AC}$의 중점을 지난다.

18 부등식 $a(x-2)-b<0$의 해가 $x>-1$일 때, 이차함수 $y=ax^2-bx+a$의 그래프가 지나지 않는 사분면을 구하시오.

19 이차함수 $y=ax^2+2abx$의 그래프의 꼭짓점이 제4사분면 위에 있을 때, a, b의 부호를 판정하시오.

20
서술형
이차함수 $y=x^2-2ax+b$의 그래프는 점 $(1, 4)$를 지나고, 꼭짓점은 직선 $y=-2x+7$ 위에 있다. 이때 이차함수 $y=ax^2+4x-b$의 그래프를 그리시오.

주어진 이차함수의 식을 완전제곱의 꼴로 변형한 후 꼭짓점의 좌표를 구한다.

> 풀이

21 이차함수 $y=ax^2+bx+c$의 그래프가 오른쪽 그림과 같을 때, 다음 **보기** 중 옳은 것을 모두 고르시오.

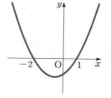

$y=ax^2+bx+c$
$=a(x+2)(x-1)$
(단, $a>0$)

┌─────────── 보기 ───────────┐
ㄱ. $b>0$
ㄴ. $a-b+c>0$
ㄷ. $a+2b+3c<0$

22 이차함수 $y=ax^2+bx+c$가 다음 조건을 모두 만족할 때, 다음 중 옳은 것은?

(가) $\dfrac{b}{2a}=-1$

(나) y의 값의 범위는 $y\leq q$이다. (단, q는 상수)

(다) 점 $\left(\dfrac{5}{3}, 0\right)$을 지난다.

① $a>0$

② $c>0$

③ 다른 한 x절편이 $-\dfrac{1}{3}$이다.

④ 꼭짓점이 제3사분면 위에 있다.

⑤ 그래프는 제2사분면을 지나지 않는다.

23 오른쪽 그림은 이차함수 $y=x^2+ax+b$의 그래프이다.
점 A$(0, 2)$에 대하여 $\overline{AB}=4$일 때, 꼭짓점의 좌표를 구하시오.
(단, $\overline{AB}$는 x축과 평행하다.)

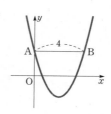

그래프의 축은 $\overline{AB}$의 중점을 지난다.

1 오른쪽 그림과 같이 x축에 평행한 직선이 $y=\frac{1}{2}x^2$, $y=ax^2$
의 그래프와 만나는 네 점을 각각 P, Q, R, S라 할 때,
$\overline{PQ}=\overline{QR}=\overline{RS}$이기 위한 a의 값을 구하시오.

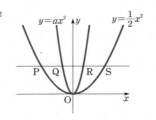

점 R의 x좌표가 t이면
점 S의 x좌표는 $3t$이다.

2 오른쪽 그림과 같이 $y=-\frac{1}{2}x^2+ax+4$의 그래프에서 꼭짓점을
A, y축과의 교점을 B라 할 때, $\triangle$ABO의 넓이를 구하시오.

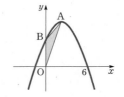

3 오른쪽 그림에서 점 B, C는 $y=ax^2$의 그래프 위의 점이고
$\square$ABCD가 평행사변형일 때, a의 값을 구하시오.

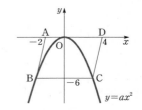

$\square$ABCD가 평행사변형이므로
$\overline{AD}=\overline{BC}$이고 $\overline{AD}/\!/\overline{BC}$이다.

4 오른쪽 그림에서 점 A, B는 각각 $y=-x^2+2x+3$,
$y=-x^2+8x-12$의 그래프의 꼭짓점일 때, 어두운 부분의 넓
이를 구하시오.

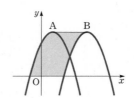

두 그래프의 폭이 같음을 이용
하여 넓이가 같은 부분을 찾는
다.

5 오른쪽 그림과 같이 직선 $y=-2x+k$의 x절편을 A, y절편을 B
라 하고 포물선 $y=x^2$과 제1사분면에서의 교점을 P라고 하자.
$\overline{AP}:\overline{PB}=2:1$일 때, k의 값을 구하시오.

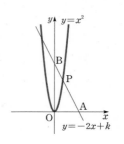

6 이차함수 $y=x^2-ax+1$의 그래프가 x축과 만나는 두 점을 각각 A, B라 하고 y축과 만나는 점을 C라 하자. $\triangle ABC$의 넓이가 1일 때, a의 값을 구하시오. (단, $a>0$)

7 이차함수 $y=ax^2+bx+ab+1$은 $1<x<3$일 때 $y<0$이고, $x\le1$ 또는 $x\ge3$일 때 $y\ge0$ 이다. 이때 $a+b$의 값을 구하시오.

8 두 포물선 $y=2x^2+ax-6$과 $y=-x^2-4x+3$의 두 교점이 원점에 대하여 대칭일 때, a의 값을 구하시오.

교점이 원점에 대하여 대칭이면 교점의 x좌표, y좌표의 합이 각각 0이다.

Challenge

9 오른쪽 그림과 같이 이차함수 $y=(x-2)^2$의 그래프에서 점 A는 y축과의 교점이고 $\overline{AB}$는 x축에 평행하다. 주사위를 한 번 던져 나오는 눈의 수를 a라 할 때, 직선 $y=x+a$가 선분 AB와 만날 확률을 구하시오.

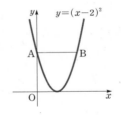

두 점 A, B는 직선 $x=2$에 대하여 대칭이다.

Challenge

10 오른쪽 그림에서 점 C, D는 포물선 $y=-x^2+2x$ 위의 점이고, $\square ABCD$는 정사각형일 때, $\square ABCD$의 넓이를 구하시오.

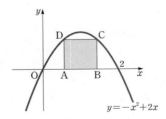

두 점 A, B가 축에 대하여 대칭임을 이용하여 점의 좌표를 정한다.

[11~12]

가끔 아파트를 보다 보면 몇몇 집의 발코니에 위성방송의 수신을 위해 설치해 놓은 접시형 안테나를 발견했을 것이다. 이 ㉮위성안테나의 모양은 따뜻한 스프를 담는 접시 모양인데, 이것을 수학적 용어로 '포물면'이라고 하며, 이차함수의 그래프인 포물선을 그 대칭축을 중심으로 1회전하였을 때 생기는 한 면이다. 하지만 정말 궁금한 것은 왜 하필 이 위성안테나가 그 많은 모양 중에서 꼭 포물면 모양이어야 하는지에 대한 것인데, 그것은 바로 ㉯포물선의 축과 평행하게 들어오는 전파가 포물선과 만나는 점에서 입사각과 반사각의 크기가 서로 같도록 꺾이면, 모든 전파가 '포물선의 초점(고등과정)'이란 곳에 모이는 포물선의 기하학적 성질 때문이다. 쉽게 말하면 전파도 어느 한 곳(포물선의 초점)에 집중하여 모으면 화질이 좋아지므로 포물면을 사용하게 된 것이다.

또, ㉰포물면 모양으로 생긴 거울은 위와 같은 원리로 태양열을 효과적으로 한 군데로 모아 열에너지로 바꿔 사용할 수 있게 하는데, 수학자인 아르키메데스는 로마와의 전쟁에서 포물면 거울로 태양 광선을 집중시켜 해안 가까이에 접근한 적의 배에 불을 질렀다고 한다. 이런 도구는 현대에는 부채처럼 펼치면 포물선 모양의 접시가 되어 태양을 향해 놓으면 태양빛을 가운데로 집중하여 음식을 끓일 수 있는 캠핑용품으로 발전됐다. 또 이와는 반대로 ㉱포물면 거울의 초점에 광원을 놓으면 여기서 시작된 불빛은 포물면에 반사돼 축과 평행한 방향으로 직진하는 성질이 생기는데, 이 원리로 만들어진 것이 바로 먼 곳에 있는 것을 비추는데 사용하는 조명기구이다.

11 아래의 그림 중 ㉮~㉱와 관련이 있는 것을 찾아 각각 짝지으시오.

(1)
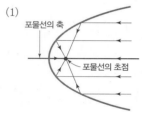
포물선의 축
포물선의 초점

(2)
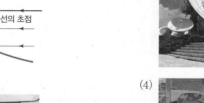

(3)

(4)

12 ㉱의 성질을 이용한 조명기구의 예를 드시오.

2 이차함수의 활용

1 x의 값의 범위가 실수 전체인 이차함수의 y의 값의 범위

$$y=ax^2+bx+c=a\left(x+\frac{b}{2a}\right)^2-\frac{b^2-4ac}{4a}$$

(1) $a>0$일 때 y의 값의 범위 : $y\geq-\dfrac{b^2-4ac}{4a}$

(2) $a<0$일 때 y의 값의 범위 : $y\leq-\dfrac{b^2-4ac}{4a}$

2 이차함수와 이차방정식

(1) **그래프를 이용한 이차방정식의 풀이**

① 이차함수 $y=ax^2+bx+c$의 그래프가 x축과 만나는 점의 x좌표는 이차방정식 $ax^2+bx+c=0$의 근이 된다.

② 이차방정식 $ax^2+bx+c=0$의 두 근은 다음과 같은 두 함수의 그래프의 교점의 x좌표이다.

(ⅰ) $ax^2=-bx-c\Longrightarrow y=ax^2,\ y=-bx-c$

(ⅱ) $x^2=-\dfrac{b}{a}x-\dfrac{c}{a}\Longrightarrow y=x^2,\ y=-\dfrac{b}{a}x-\dfrac{c}{a}$

▪x축의 방정식인 $y=0$과 $y=ax^2+bx+c$를 연립한 것이다.

(2) **이차함수 $y=ax^2+bx+c$의 그래프와 직선 $y=mx+n$의 교점의 개수**

두 식을 연립한 식 $ax^2+bx+c=mx+n$, 즉 $ax^2+(b-m)x+c-n=0$의 판별식을 D라 하면

① $D>0\Longleftrightarrow$ 교점이 2개

② $D=0\Longleftrightarrow$ 교점이 1개 (접한다.)

③ $D<0\Longleftrightarrow$ 교점이 없다. (만나지 않는다.)

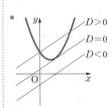

주제별 실력다지기

x의 값의 범위가 실수 전체인 이차함수의 y의 값의 범위

$$y=ax^2+bx+c=a\left(x+\frac{b}{2a}\right)^2-\frac{b^2-4ac}{4a}$$

(1) $a>0$일 때 y의 값의 범위 : $y\geq-\dfrac{b^2-4ac}{4a}$

(2) $a<0$일 때 y의 값의 범위 : $y\leq-\dfrac{b^2-4ac}{4a}$

1 이차함수 $y=4x^2-8x+a$에 대하여 대응되는 y의 값의 범위가 $y\geq3$일 때, a의 값을 구하시오.

꼭짓점의 y좌표가 3임을 이용한다.

2 이차함수 $y=-x^2+ax+b$의 축의 방정식이 $x=2$이고 대응되는 y의 값의 범위가 $y\leq2$일 때, 다음 **보기** 중 옳은 것을 모두 고르시오.

꼭짓점의 좌표가 (2, 2)임을 이용하여 이차함수의 식을 세운다.

보기
ㄱ. 그래프가 제2사분면을 지난다.   ㄴ. y절편은 -2이다.
ㄷ. $a+b=2$

3 이차함수 $y=ax^2+bx+c$에 대하여 대응되는 y의 값의 범위가 $y\leq8$이고 x축과의 교점의 좌표가 $(-5, 0)$, $(-1, 0)$일 때, abc의 값을 구하시오.

$y=a(x+5)(x+1)$로 놓고 우변을 전개하면 b, c를 a로 나타낼 수 있다.

4 x의 값의 범위가 $-1\leq x\leq3$일 때, 이차함수 $y=-x^2-4x+5$에 대하여 대응되는 y의 값의 범위를 구하시오.

중3 이차함수에서 y의 범위

이차함수에서 y의 범위

이차함수 $y=a(a-p)^2+q(a\neq0)$의 그래프는 꼭짓점이 (p, q)인 포물선이므로 그래프를 이용하여 y의 범위를 알 수 있다.

① $a>0$일 때

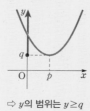

⇨ y의 범위는 $y\geq q$

② $a<0$일 때

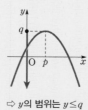

⇨ y의 범위는 $y\leq q$

고등까지 연결되는 중등개념

고1 이차함수의 최대, 최소

'그래프를 그리면 최대, 최소가 보인다.'

중등에서는 이차함수에 대하여 x의 범위가 실수 전체이지만 고등에서는 x의 범위가 주어질 수도 있다.
$\alpha\leq x\leq\beta$일 때, 이차함수 $y=a(x-p)^2+q(a\neq0)$의 최대, 최소는 다음과 같다.

① $a>0$일 때

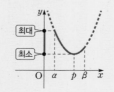

② $a<0$일 때

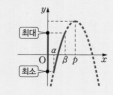

이차함수와 이차방정식

(1) 이차함수 $y=ax^2+bx+c$의 그래프와 직선 $y=mx+n$의 교점의 x좌표는 두 식을 연립한 식 $ax^2+bx+c=mx+n$, 즉 $ax^2+(b-m)x+c-n=0$의 두 근이다.

(2) 이차방정식 $ax^2+bx+c=0$의 두 근은 다음과 같은 두 함수의 그래프의 교점의 x좌표이다.

    ① $ax^2=-bx-c \Longrightarrow y=ax^2, y=-bx-c$

    ② $x^2=-\dfrac{b}{a}x-\dfrac{c}{a} \Longrightarrow y=x^2, y=-\dfrac{b}{a}x-\dfrac{c}{a}$

(3) 이차함수 $y=ax^2+bx+c$의 그래프와 직선 $y=mx+n$의 교점의 개수

    두 식을 연립한 식 $ax^2+bx+c=mx+n$, 즉 $ax^2+(b-m)x+c-n=0$의 판별식을 D라 하면

    ① $D>0 \Longleftrightarrow$ 교점 2개   ② $D=0 \Longleftrightarrow$ 교점 1개   ③ $D<0 \Longleftrightarrow$ 교점이 없다.

이차함수 $y=ax^2+bx+c$의 그래프가 x축과 만난다.
⇓
이차방정식 $ax^2+bx+c=0$의 판별식을 D라 하면 $D \geq 0$이다.

5 다음 조건을 만족하는 이차함수를 **보기** 중에서 모두 고르시오.

보기

ㄱ. $y=-(x+1)^2$ ㄴ. $y=(x-1)^2+1$ ㄷ. $y=-x^2+4x$

ㄹ. $y=x^2-4x+4$ ㅁ. $y=-\dfrac{1}{2}x^2-1$ ㅂ. $y=x^2+2x-1$

(1) 그래프가 x축과 두 점에서 만나는 이차함수

(2) 그래프가 x축과 한 점에서 만나는 이차함수

(3) 그래프가 x축과 만나지 않는 이차함수

그래프를 그려 보거나 판별식 D의 부호로 판단한다.

6 이차함수 $y=x^2-2x-1$의 그래프와 직선 $y=2x+m$에 대하여 다음을 구하시오.

    (단, m은 상수)

(1) 교점이 2개가 되도록 하는 m의 값의 범위

(2) 접하도록 하는 m의 값

(3) 만나지 않도록 하는 m의 값의 범위

$x^2-2x-1=2x+m$ 즉 $x^2-4x-m-1=0$의 판별식 D를 이용하여 푼다.

7 이차함수 $y=2x^2-8x+1-k$의 그래프를 그렸더니 x축보다 위쪽에만 그려졌다. 이때 상수 k의 값의 범위를 구하시오.

x축과의 교점이 없다.
$\Rightarrow D<0$

8 이차함수 $y=x^2$의 그래프를 이용하여 이차방정식 $2x^2-3x-5=0$을 풀 때, 필요한 다른 일차함수의 식을 구하시오.

9 오른쪽 그림은 이차함수 $y=ax^2+bx+c$의 그래프일 때, 이차방정식 $ax^2+bx+c=0$의 두 근의 합을 구하시오.

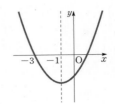

축의 대칭

$\therefore \overline{PA}=\overline{PB}$

10 오른쪽 그림은 이차함수 $y=-x^2-4x+c$의 그래프이다. $\overline{AB}=6$일 때, 이 함수에 대하여 대응되는 y의 값의 범위를 구하시오.

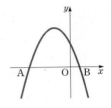

축의 대칭성을 이용하여 두 점 A, B의 좌표를 구한다.

11 오른쪽 그림의 두 함수 $y=x^2$과 $y=ax+b$의 그래프를 이용하여 $x^2-ax-b=0$의 두 근의 곱을 구하시오.

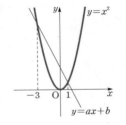

12 이차방정식 $ax^2+bx+c=0$의 두 근이 -1, 2일 때, 다음 중 이차함수 $y=cx^2+bx+a$의 그래프는? (단, $a>0$)

$a(x+1)(x-2)=0$에서 b, c를 a로 나타낼 수 있다.

①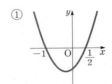

②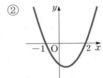

③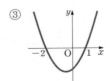

④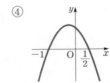

⑤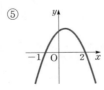

13 이차함수 $y=x^2+ax+b$의 그래프가 x축의 양의 부분과 서로 다른 두 점에서 만나기 위한 a, b의 조건을 구하시오.

이차함수의 응용

주어진 조건을 이용하여 미지수로 나타낸 후 문자의 개수를 하나로 유도하여 이차함수를 만들어 푼다.

넓이, 이윤, 속력 등의 문제가 있다.

14 오른쪽 그림과 같이 직선 $\dfrac{x}{2}+\dfrac{y}{3}=1$ 위의 한 점 P가 점 A에서 점 B까지 움직인다. 점 P에서 x축에 내린 수선의 발을 H라고 할 때, $\triangle$OPH의 최대의 넓이를 구하시오.

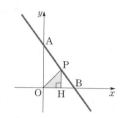

15 오른쪽 그림과 같이 직사각형 ABCD에서 점 P는 점 A에서 점 B까지 매초 1 cm의 속력으로 움직이고, 점 Q는 점 B에서 점 C까지 매초 2 cm의 속력으로 움직일 때, 두 점 P, Q 사이의 최소 거리를 구하시오.

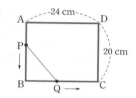

16 오른쪽 그림과 같이 직교하는 도로에 접하면서 한 쪽 경계(곡선 BC)가 $\overline{AC}$를 축으로 하는 포물선 모양인 땅이다. 이 땅에 밑면이 직사각형 모양인 상가를 지으려고 한다. 상가의 밑면의 둘레의 최대 길이를 구하시오.

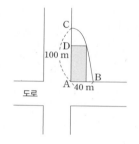

꼭짓점의 좌표가 $(0, 100)$이고, 점 $(40, 0)$을 지나는 포물선을 생각한다.

17 한 상점에서 어떤 물건의 가격이 50원일 때 300개가 팔린다. 이 물건의 가격을 10원씩 올릴 때마다 20개씩 덜 팔린다고 할 때, 상점의 최대 매출액을 구하시오.

18 원가가 15000원이고 정가를 20000원으로 정하면 100개가 팔리는 물건이 있다. 이 물건의 정가를 50원씩 내리면 2개씩 더 팔린다고 할 때, 최대 이익을 구하시오.
(단, 원가 이외의 다른 비용은 없다.)

(이익)=(정가)-(원가)

2^{STEP} 실력 높이기

1 이차함수 $y=x^2+2ax+b$의 축의 방정식이 $x=1$이고 대응하는 y의 값의 범위가 $y\geq3$ 일 때, $a+b$의 값을 구하시오.

2 x의 값의 범위가 $1\leq x\leq a$인 이차함수 $y=x^2-4x-1$에 대응하는 y의 값의 범위가 $b\leq y\leq4$일 때, 상수 a, b의 값을 각각 구하시오.

3 이차함수 $y=ax^2+bx+c$의 그래프가 x축과 두 점 $(-3,\ 0)$, $(1,\ 0)$에서 만나고 대응 하는 y의 값의 범위가 $y\leq8$일 때, 상수 a, b, c의 값을 각각 구하시오.

$y=a(x+3)(x-1)$이고, 꼭 짓점의 좌표가 $(-1,8)$이다.

4 오른쪽 그림과 같이 이차함수 $y=x^2-4x+1$의 그래프 위의 한 점 을 $P(a,\ b)$라 할 때, $a+b$의 값의 범위를 구하시오.

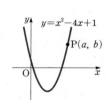

점 P의 좌표를 $P(a,\ a^2-4a+1)$로 놓는다.

5 x, y가 실수이고 $x^2+y^2=4$일 때, $2x+y^2$의 값의 범위를 구하시오.

$y^2=4-x^2$을 $2x+y^2$에 대입하고 $4-x^2\geq 0$임에 주의한다.

6 이차함수 $y=3x^2-5x+a-1$의 그래프가 x축과 만나지 않을 때, 실수 a의 값의 범위를 구하시오.

7 이차함수 $y=x^2$의 그래프와 직선 $y=x+k$가 두 점 A, B에서 만난다. 점 A의 좌표가 $(-1, a)$일 때, 점 B의 좌표를 구하시오.

서술형

풀이

$y=ax^2+bx+c$와 $y=mx+n$의 그래프의 교점의 x좌표는 두 식을 연립하여 구할 수 있다.

8 이차함수 $y=x^2-2ax+a$의 그래프와 x축이 만나는 두 점 사이의 거리가 $\sqrt{5}$일 때, 상수 a의 값들의 합을 구하시오.

$x^2-2ax+a=0$의 두 근을 α, β라 하면 $|\alpha-\beta|=\sqrt{5}$이다.

9 이차함수 $y=x^2+ax+b$의 그래프는 축의 방정식이 $x=-1$이고 x축과 만나는 두 점
서술형   사이의 거리가 8이다. 이때 상수 a, b에 대하여 $a+b$의 값을 구하시오.

> 이차함수의 그래프는 축에 대하여 대칭이다.

풀이

10 이차방정식 $ax^2+bx+c=0$의 한 근은 $x=2$이고 두 함수 $y=ax^2$, $y=-bx-c$의 그래프의 한 교점의 좌표는 $(-1,\ 2)$라 한다. 이때 $a+b+c$의 값을 구하시오.

11 이차함수 $y=2x^2-6x+3$의 그래프와 직선 $y=x-k$의 교점이 2개일 때, k의 값의 범위를 구하시오.

> 교점이 2개이므로 이차방정식의 (판별식)>0

12 이차방정식 $ax^2-2ax+b=0$의 두 근 α, β를 구하기 위하여 이차함수 $y=ax^2-2ax+b$의 그래프를 그렸더니 오른쪽 그림과 같았다. 이때 β의 값의 범위를 구하시오.

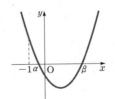

> $y=ax^2-2ax+b$
> $=a(x-1)^2-a+b$
> 이므로 축의 방정식이 $x=1$이다.

13 20보다 작은 자연수 k에 대하여 이차함수 $y=\dfrac{1}{2}x^2-k$의 그래프가 x축과 서로 다른 두 점 A, B에서 만난다. 이때 $\overline{\text{AB}}$의 길이가 정수가 되는 k의 값을 모두 구하시오.

14 포물선 $y=ax^2+bx+c$는 직선 $x=1$에 대하여 대칭이고, 직선 $y=2x+1$과의 교점의 x좌표는 4, -1일 때, a, b, c의 값을 구하시오.

15 이차항의 계수가 1인 두 이차함수 $y=f(x)$와 $y=g(x)$의 그래프가 오른쪽 그림과 같이 x축과 점 $(a,\ 0)$에서 만날 때, 방정식 $f(x)+g(x)=0$의 a 이외의 근을 구하시오.

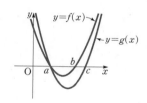

$f(x)=(x-a)(x-b)$, $g(x)=(x-a)(x-c)$로 놓고 푼다.

16 a, b가 유리수일 때, 두 이차함수 $y=x^2+ax$와 $y=-x^2+b$의 그래프의 교점을 각각 P, Q라 하자. 점 P의 x좌표가 $-1+\sqrt{3}$일 때, 직선 PQ의 기울기를 구하시오.

17 오른쪽 그림과 같이 포물선 $y=x^2$과 직선 $y=ax+8$의 교점을 A, B라 하고 포물선 위에 x좌표가 2인 점 D를 잡았더니 $\triangle CAD : \triangle CDB=1 : 2$일 때, 상수 a의 값을 구하시오.

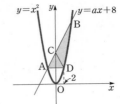

$\overline{AC} : \overline{CB}=1 : 2$이므로 점 A, B의 x좌표는 $-k$, $2k(k>0)$이다.

18
서술형

오른쪽 그림과 같이 이차함수 $y=-x^2-2x+8$의 그래프의 꼭짓점을 A, x축과의 교점을 각각 B, C라 할 때, 점 B를 지나고 $\triangle ABC$의 넓이를 이등분하는 직선 l의 일차함수의 식을 구하시오.

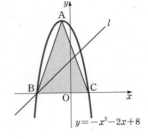

풀이

19 이차함수 $y=-x^2+bx+c$의 그래프가 직선 $y=x-1$ 보다 위에 있는 x의 값의 범위가 $-1<x<3$일 때, 상수 b, c의 값을 각각 구하시오.

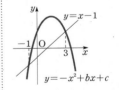

20 사과의 수확철을 맞아 수확량은 매일 현재의 양의 $\dfrac{1}{10}$씩 늘어나고, 판매 가격은 매일 현재 가격의 $\dfrac{1}{20}$씩 줄어들고 있다. 최대의 수입을 얻기 위해서는 며칠 후에 팔아야 하는지 구하시오.

현재의 사과의 양과 가격을 각각 미지수로 놓고 x일 후의 양과 가격을 구해본다.

3 STEP 최고 실력 완성하기

정답과 풀이 76쪽

1 a에 관한 이차방정식 $4a^2-4(x-1)a+2x-y=0$이 중근을 가질 때, y의 값의 범위를 구하시오.

2 계수가 실수인 x에 관한 이차방정식 $x^2-2ax+a-2=0$의 두 근을 α, β라 할 때, $(\alpha-\beta)^2$의 값이 범위를 구하시오.

$(\alpha-\beta)^2=(\alpha+\beta)^2-4\alpha\beta$

3 이차함수 $y=x^2-2mx-8m-19$의 y의 값의 범위를 $y\geq f(m)$이라 할 때, $f(m)$의 범위를 구하시오.

y의 최솟값 $f(m)$은 m에 관한 이차식이다.

4 한 개당 100원에 팔면 400개가 팔리는 어떤 상품의 한 개당 가격을 x원 올리면 $2x$개가 적게 팔린다고 한다. 이 상품의 총 판매 금액을 최대로 하는 상품 한 개당 판매 가격과 총 판매 금액을 차례로 구하시오.

총 판매 금액을 $f(x)$로 놓고 식을 세운다.

5 오른쪽 그림에서 □ABCD는 정사각형이고, 각 변은 각각 x축, y축에 평행하다. 두 점 A, C는 포물선 $y=x^2$ 위의 점이고, 점 D는 포물선 $y=4x^2$ 위의 점이다. 이때 점 B의 좌표를 구하시오. (단, 점 A의 x좌표는 양수이다.)

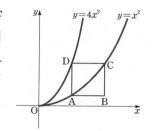

점 A의 좌표를 (a, a^2)으로 놓고 푼다.

6 오른쪽 그림과 같이 점 $(1, 2)$를 지나는 직선이 포물선 $y=x^2$과 원점이 아닌 두 점 P, Q에서 만난다. $\angle POQ=90°$일 때, 직선 PQ의 방정식을 구하시오.

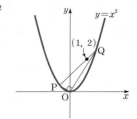

두 직선이 수직이면 기울기의 곱은 -1이다.

7 오른쪽 그림과 같이 포물선 $y=-3x^2+9x$와 직선 $y=-3x+9$가 두 점 A, B에서 만나고, 점 P는 $\overline{AB}$보다 위에 있는 포물선 위를 움직인다. 이때 $\triangle ABP$의 넓이가 최대가 되는 점 P의 좌표를 구하시오.

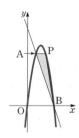

$\overline{AB}$에 평행한 직선이 이차함수의 그래프와 접할 때 $\triangle ABP$의 넓이는 최대가 된다.

Challenge

8 이차함수 $y=x^2+(a-4)x-1$의 그래프와 x축과의 두 교점 사이의 최소 거리를 구하시오.

$x^2+(a-4)x-1=0$의 두 근을 α, β라 할 때, 두 교점 사이의 거리는 $|\alpha-\beta|$이다.

Challenge

9 오른쪽 그림과 같이 길이가 10인 선분 OQ 위를 움직이는 점 P에 대하여 $\overline{OP}$, $\overline{PQ}$를 각각 한 변으로 하는 두 정사각형 AOPB와 CPQD를 선분 OQ의 같은 쪽에 그릴 때, 선분 BD의 최소 길이를 구하시오.

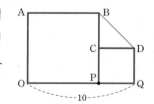

$\overline{OP}=x$라 하면
$\overline{PQ}=10-x$, $\overline{BC}=2x-10$

IV 단원 종합 문제

1

다음 이차함수의 그래프를 같은 좌표평면 위에 그릴 때,
포물선의 폭이 가장 넓은 것은?

① $y=-\dfrac{1}{2}x^2$

② $y=-x^2+\dfrac{1}{4}$

③ $y=2x^2-x$

④ $y=-\dfrac{1}{4}x^2-2x-1$

⑤ $y=\dfrac{1}{3}x^2+x-3$

2

이차함수 $y=-x^2+2x$의 그래프를 x축의 방향으로 m만큼, y축의 방향으로 n만큼 평행이동하였더니
$y=-x^2-4x+5$의 그래프와 일치하였다. 이때 $m+n$의
값을 구하시오.

3

이차함수 $y=-\dfrac{1}{2}x^2+2x-3$의 그래프와 x축에 대하여
대칭인 그래프의 이차함수의 식을 구하시오.

4

이차함수 $y=-\dfrac{2}{3}x^2-4x-7$의 그래프에서 x의 값이 증가
함에 따라 y의 값이 감소하는 x의 값의 범위를 구하시오.

5

이차함수 $y=-x^2+2kx+k$에 대하여 대응하는 y의 값
의 범위가 $y\le12$일 때, 상수 k의 값을 구하시오.

6

이차함수 $y=ax^2+bx+c$의 그래프
가 오른쪽 그림과 같을 때, 다음 중
옳은 것은?

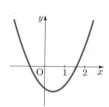

① $ab>0$

② $bc<0$

③ $ac<0$

④ $a+b+c>0$

⑤ $4a+2b+c=0$

7

$a>0$, $b<0$일 때, 이차함수 $y=ax^2+bx$의 그래프의 꼭
짓점이 위치한 사분면을 구하시오.

8

이차함수 $y=ax^2+bx+c$의 그래프가 오른쪽 그림과 같을 때, 직선 $y=\dfrac{b}{a}x+\dfrac{c}{b}$가 지나지 않는 사분면을 구하시오.

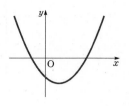

9

오른쪽 그림은 $y=ax+b$의 그래프이다. 이때 이차함수 $y=ax^2+2abx+ab^2$의 그래프의 개형을 그리시오.

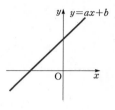

10

이차함수 $y=x^2-4x+5$의 그래프의 꼭짓점과 점 $(3, 1)$을 지나는 직선의 방정식을 구하시오.

11

이차함수 $y=-x^2+2x+a$의 그래프는 x축과 서로 다른 두 점에서 만나고, 그 한 점의 좌표는 $(3, 0)$일 때, 다른 한 점의 좌표를 구하시오.

12

오른쪽 그림과 같이 이차함수 $y=x^2+2x-3$의 그래프가 x축의 음의 부분과 만나는 점을 A, y축과 만나는 점을 B, 꼭짓점을 C라고 할 때, $\triangle$ABC의 넓이를 구하시오.

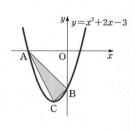

13

이차함수 $y=kx^2-2(k-1)x+k+1$의 그래프가 x축과 서로 다른 두 점에서 만나기 위한 상수 k의 값의 범위를 구하시오.

14

오른쪽 그림과 같이 이차함수 $y=\dfrac{1}{3}x^2-2x+3$의 그래프가 y축과 만나는 점을 A라 하고, 꼭짓점을 P라 하자. $\overline{AP}=\overline{PQ}$일 때, 점 Q의 좌표를 구하시오.

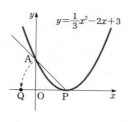

15

이차함수 $y=x^2$의 그래프와 직선 $y=ax+8$이 두 점 A, B에서 만나고, 점 A의 x좌표가 -2일 때, 점 B의 좌표를 구하시오.

16

두 함수 $y=x^2$, $y=ax$의 그래프의 교점을 A, B라 하자. $\overline{AB}$의 길이가 $2\sqrt{5}$일 때, 상수 a의 값을 모두 구하시오.

17

직선 $y=ax+2$가 포물선 $y=x^2+4x+3$과 직선 $y=-x-3$의 두 교점 사이를 지날 때, 상수 a의 값의 범위를 구하시오.

18

이차함수 $y=x^2$의 그래프를 이용하여 이차방정식 $-2x^2-3x+4=0$의 해를 구할 때, 필요한 직선의 방정식을 구하시오.

19

두 이차함수 $y=-x^2+9$, $y=ax^2+bx+3$의 그래프의 두 교점이 직선 $y=-2x+6$ 위에 있을 때, 상수 a, b에 대하여 $a+b$의 값을 구하시오.

20

x축과 두 점 A$(-1,\ 0)$, B$(5,\ 0)$에서 만나고, 대응하는 y의 값의 범위가 $y\leq9$인 이차함수의 식을 구하시오.

21

이차함수 $y=2x^2+3x+4$의 그래프 위를 점 $P(a, b)$가 움직일 때, $a+b$의 값의 범위를 구하시오.

22

이차함수 $y=x^2-2x-2$의 그래프 위의 점 P에서 직선 $y=2x-8$에 이르는 거리가 최소일 때, 점 P의 좌표를 구하시오.

23

어떤 물건 1개의 가격은 하루가 지날 때마다 처음 가격의 5 %씩 오르고 판매량은 하루가 지날 때마다 처음 판매량의 2 %씩 감소한다고 한다. x일 후에 그 날의 판매 수입이 최대가 될 때, x의 값을 구하시오.

(단, 가격과 판매량은 유리수로 가정한다.)

24

1 kg에 원가가 2000원인 딸기를 3000원씩 판매하면 하루에 100 kg을 팔 수 있다. 1 kg에 10원씩 내릴 때마다 판매량은 2 kg씩 증가하고, 1 kg에 10원씩 올릴 때마다 판매량은 2 kg씩 감소한다고 한다. 1 kg에 a원씩 판매할 때, 하루의 이익을 최대로 하려면 a의 값은 얼마로 하여야 되는지 구하시오.

(단, 원가 이외의 다른 비용은 없다.)

25

오른쪽 그림과 같이 수직으로 만나는 도로가 있다. 교차점에서 A는 서쪽으로 5 km, B는 남쪽으로 4 km의 지점에 있다. A는 시속 4 km로 동쪽으로, B는 시속 2 km로 북쪽으로 향해서 동

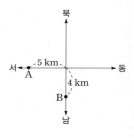

시에 출발할 때, A와 B의 거리가 가장 짧을 때에는 출발한 지 몇 시간 몇 분 후인지 구하시오.

제곱근표(1) 1.00부터 5.49까지의 수

수	0	1	2	3	4	5	6	7	8	9
1.0	1.000	1.005	1.010	1.015	1.020	1.025	1.030	1.034	1.039	1.044
1.1	1.049	1.054	1.058	1.063	1.068	1.072	1.077	1.082	1.086	1.091
1.2	1.095	1.100	1.105	1.109	1.114	1.118	1.122	1.127	1.131	1.136
1.3	1.140	1.145	1.149	1.153	1.158	1.162	1.166	1.170	1.175	1.179
1.4	1.183	1.187	1.192	1.196	1.200	1.204	1.208	1.212	1.217	1.221
1.5	1.225	1.229	1.233	1.237	1.241	1.245	1.249	1.253	1.257	1.261
1.6	1.265	1.269	1.273	1.277	1.281	1.285	1.288	1.292	1.296	1.300
1.7	1.304	1.308	1.311	1.315	1.319	1.323	1.327	1.330	1.334	1.338
1.8	1.342	1.345	1.349	1.353	1.356	1.360	1.364	1.367	1.371	1.375
1.9	1.378	1.382	1.386	1.389	1.393	1.396	1.400	1.404	1.407	1.411
2.0	1.414	1.418	1.421	1.425	1.428	1.432	1.435	1.439	1.442	1.446
2.1	1.449	1.453	1.456	1.459	1.463	1.466	1.470	1.473	1.476	1.480
2.2	1.483	1.487	1.490	1.493	1.497	1.500	1.503	1.507	1.510	1.513
2.3	1.517	1.520	1.523	1.526	1.530	1.533	1.536	1.539	1.543	1.546
2.4	1.549	1.552	1.556	1.559	1.562	1.565	1.568	1.572	1.575	1.578
2.5	1.581	1.584	1.587	1.591	1.594	1.597	1.600	1.603	1.606	1.609
2.6	1.612	1.616	1.619	1.622	1.625	1.628	1.631	1.634	1.637	1.640
2.7	1.643	1.646	1.649	1.652	1.655	1.658	1.661	1.664	1.667	1.670
2.8	1.673	1.676	1.679	1.682	1.685	1.688	1.691	1.694	1.697	1.700
2.9	1.703	1.706	1.709	1.712	1.715	1.718	1.720	1.723	1.726	1.729
3.0	1.732	1.735	1.738	1.741	1.744	1.746	1.749	1.752	1.755	1.758
3.1	1.761	1.764	1.766	1.769	1.772	1.775	1.778	1.780	1.783	1.786
3.2	1.789	1.792	1.794	1.797	1.800	1.803	1.806	1.808	1.811	1.814
3.3	1.817	1.819	1.822	1.825	1.828	1.830	1.833	1.836	1.838	1.841
3.4	1.844	1.847	1.849	1.852	1.855	1.857	1.860	1.863	1.865	1.868
3.5	1.871	1.873	1.876	1.879	1.881	1.884	1.887	1.889	1.892	1.895
3.6	1.897	1.900	1.903	1.905	1.908	1.910	1.913	1.916	1.918	1.921
3.7	1.924	1.926	1.929	1.931	1.934	1.936	1.939	1.942	1.944	1.947
3.8	1.949	1.952	1.954	1.957	1.960	1.962	1.965	1.967	1.970	1.972
3.9	1.975	1.977	1.980	1.982	1.985	1.987	1.990	1.992	1.995	1.997
4.0	2.000	2.002	2.005	2.007	2.010	2.012	2.015	2.017	2.020	2.022
4.1	2.025	2.027	2.030	2.032	2.035	2.037	2.040	2.042	2.045	2.047
4.2	2.049	2.052	2.054	2.057	2.059	2.062	2.064	2.066	2.069	2.071
4.3	2.074	2.076	2.078	2.081	2.083	2.086	2.088	2.090	2.093	2.095
4.4	2.098	2.100	2.102	2.105	2.107	2.110	2.112	2.114	2.117	2.119
4.5	2.121	2.124	2.126	2.128	2.131	2.133	2.135	2.138	2.140	2.142
4.6	2.145	2.147	2.149	2.152	2.154	2.156	2.159	2.161	2.163	2.166
4.7	2.168	2.170	2.173	2.175	2.177	2.179	2.182	2.184	2.186	2.189
4.8	2.191	2.193	2.195	2.198	2.200	2.202	2.205	2.207	2.209	2.211
4.9	2.214	2.216	2.218	2.220	2.223	2.225	2.227	2.229	2.232	2.234
5.0	2.236	2.238	2.241	2.243	2.245	2.247	2.249	2.252	2.254	2.256
5.1	2.258	2.261	2.263	2.265	2.267	2.269	2.272	2.274	2.276	2.278
5.2	2.280	2.283	2.285	2.287	2.289	2.291	2.293	2.296	2.298	2.300
5.3	2.302	2.304	2.307	2.309	2.311	2.313	2.315	2.317	2.319	2.322
5.4	2.324	2.326	2.328	2.330	2.332	2.335	2.337	2.339	2.341	2.343

제곱근표(2) 5.50부터 9.99까지의 수

수	0	1	2	3	4	5	6	7	8	9
5.5	2.345	2.347	2.349	2.352	2.354	2.356	2.358	2.360	2.362	2.364
5.6	2.366	2.369	2.371	2.373	2.375	2.377	2.379	2.381	2.383	2.385
5.7	2.387	2.390	2.392	2.394	2.396	2.398	2.400	2.402	2.404	2.406
5.8	2.408	2.410	2.412	2.415	2.417	2.419	2.421	2.423	2.425	2.427
5.9	2.429	2.431	2.433	2.435	2.437	2.439	2.441	2.443	2.445	2.447
6.0	2.449	2.452	2.454	2.456	2.458	2.460	2.462	2.464	2.466	2.468
6.1	2.470	2.472	2.474	2.476	2.478	2.480	2.482	2.484	2.486	2.488
6.2	2.490	2.492	2.494	2.496	2.498	2.500	2.502	2.504	2.506	2.508
6.3	2.510	2.512	2.514	2.516	2.518	2.520	2.522	2.524	2.526	2.528
6.4	2.530	2.532	2.534	2.536	2.538	2.540	2.542	2.544	2.546	2.548
6.5	2.550	2.551	2.553	2.555	2.557	2.559	2.561	2.563	2.565	2.567
6.6	2.569	2.571	2.573	2.575	2.577	2.579	2.581	2.583	2.585	2.587
6.7	2.588	2.590	2.592	2.594	2.596	2.598	2.600	2.602	2.604	2.606
6.8	2.608	2.610	2.612	2.613	2.615	2.617	2.619	2.621	2.623	2.625
6.9	2.627	2.629	2.631	2.632	2.634	2.636	2.638	2.640	2.642	2.644
7.0	2.646	2.648	2.650	2.651	2.653	2.655	2.657	2.659	2.661	2.663
7.1	2.665	2.666	2.668	2.670	2.672	2.674	2.676	2.678	2.680	2.681
7.2	2.683	2.685	2.687	2.689	2.691	2.693	2.694	2.696	2.698	2.700
7.3	2.702	2.704	2.706	2.707	2.709	2.711	2.713	2.715	2.717	2.718
7.4	2.720	2.722	2.724	2.726	2.728	2.729	2.731	2.733	2.735	2.737
7.5	2.739	2.740	2.742	2.744	2.746	2.748	2.750	2.751	2.753	2.755
7.6	2.757	2.759	2.760	2.762	2.764	2.766	2.768	2.769	2.771	2.773
7.7	2.775	2.777	2.778	2.780	2.782	2.784	2.786	2.787	2.789	2.791
7.8	2.793	2.795	2.796	2.798	2.800	2.802	2.804	2.805	2.807	2.809
7.9	2.811	2.812	2.814	2.816	2.818	2.820	2.821	2.823	2.825	2.827
8.0	2.828	2.830	2.832	2.834	2.835	2.837	2.839	2.841	2.843	2.844
8.1	2.846	2.848	2.850	2.851	2.853	2.855	2.857	2.858	2.860	2.862
8.2	2.864	2.865	2.867	2.869	2.871	2.872	2.874	2.876	2.877	2.879
8.3	2.881	2.883	2.884	2.886	2.888	2.890	2.891	2.893	2.895	2.897
8.4	2.898	2.900	2.902	2.903	2.905	2.907	2.909	2.910	2.912	2.914
8.5	2.915	2.917	2.919	2.921	2.922	2.924	2.926	2.927	2.929	2.931
8.6	2.933	2.934	2.936	2.938	2.939	2.941	2.943	2.944	2.946	2.948
8.7	2.950	2.951	2.953	2.955	2.956	2.958	2.960	2.961	2.963	2.965
8.8	2.966	2.968	2.970	2.972	2.973	2.975	2.977	2.978	2.980	2.982
8.9	2.983	2.985	2.987	2.988	2.990	2.992	2.993	2.995	2.997	2.998
9.0	3.000	3.002	3.003	3.005	3.007	3.008	3.010	3.012	3.013	3.015
9.1	3.017	3.018	3.020	3.022	3.023	3.025	3.027	3.028	3.030	3.032
9.2	3.033	3.035	3.036	3.038	3.040	3.041	3.043	3.045	3.046	3.048
9.3	3.050	3.051	3.053	3.055	3.056	3.058	3.059	3.061	3.063	3.064
9.4	3.066	3.068	3.069	3.071	3.072	3.074	3.076	3.077	3.079	3.081
9.5	3.082	3.084	3.085	3.087	3.089	3.090	3.092	3.094	3.095	3.097
9.6	3.098	3.100	3.102	3.103	3.105	3.106	3.108	3.110	3.111	3.113
9.7	3.114	3.116	3.118	3.119	3.121	3.122	3.124	3.126	3.127	3.129
9.8	3.130	3.132	3.134	3.135	3.137	3.138	3.140	3.142	3.143	3.145
9.9	3.146	3.148	3.150	3.151	3.153	3.154	3.156	3.158	3.159	3.161

제곱근표(3) 10.0부터 54.9까지의 수

수	0	1	2	3	4	5	6	7	8	9
10	3.162	3.178	3.194	3.209	3.225	3.240	3.256	3.271	3.286	3.302
11	3.317	3.332	3.347	3.362	3.376	3.391	3.406	3.421	3.435	3.450
12	3.464	3.479	3.493	3.507	3.521	3.536	3.550	3.564	3.578	3.592
13	3.606	3.619	3.633	3.647	3.661	3.674	3.688	3.701	3.715	3.728
14	3.742	3.755	3.768	3.782	3.795	3.808	3.821	3.834	3.847	3.860
15	3.873	3.886	3.899	3.912	3.924	3.937	3.950	3.962	3.975	3.987
16	4.000	4.012	4.025	4.037	4.050	4.062	4.074	4.087	4.099	4.111
17	4.123	4.135	4.147	4.159	4.171	4.183	4.195	4.207	4.219	4.231
18	4.243	4.254	4.266	4.278	4.290	4.301	4.313	4.324	4.336	4.347
19	4.359	4.370	4.382	4.393	4.405	4.416	4.427	4.438	4.450	4.461
20	4.472	4.483	4.494	4.506	4.517	4.528	4.539	4.550	4.561	4.572
21	4.583	4.593	4.604	4.615	4.626	4.637	4.648	4.658	4.669	4.680
22	4.690	4.701	4.712	4.722	4.733	4.743	4.754	4.764	4.775	4.785
23	4.796	4.806	4.817	4.827	4.837	4.848	4.858	4.868	4.879	4.889
24	4.899	4.909	4.919	4.930	4.940	4.950	4.960	4.970	4.980	4.990
25	5.000	5.010	5.020	5.030	5.040	5.050	5.060	5.070	5.079	5.089
26	5.099	5.109	5.119	5.128	5.138	5.148	5.158	5.167	5.177	5.187
27	5.196	5.206	5.215	5.225	5.235	5.244	5.254	5.263	5.273	5.282
28	5.292	5.301	5.310	5.320	5.329	5.339	5.348	5.357	5.367	5.376
29	5.385	5.394	5.404	5.413	5.422	5.431	5.441	5.450	5.459	5.468
30	5.477	5.486	5.495	5.505	5.514	5.523	5.532	5.541	5.550	5.559
31	5.568	5.577	5.586	5.595	5.604	5.612	5.621	5.630	5.639	5.648
32	5.657	5.666	5.675	5.683	5.692	5.701	5.710	5.718	5.727	5.736
33	5.745	5.753	5.762	5.771	5.779	5.788	5.797	5.805	5.814	5.822
34	5.831	5.840	5.848	5.857	5.865	5.874	5.882	5.891	5.899	5.908
35	5.916	5.925	5.933	5.941	5.950	5.958	5.967	5.975	5.983	5.992
36	6.000	6.008	6.017	6.025	6.033	6.042	6.050	6.058	6.066	6.075
37	6.083	6.091	6.099	6.107	6.116	6.124	6.132	6.140	6.148	6.156
38	6.164	6.173	6.181	6.189	6.197	6.205	6.213	6.221	6.229	6.237
39	6.245	6.253	6.261	6.269	6.277	6.285	6.293	6.301	6.309	6.317
40	6.325	6.332	6.340	6.348	6.356	6.364	6.372	6.380	6.387	6.395
41	6.403	6.411	6.419	6.427	6.434	6.442	6.450	6.458	6.465	6.473
42	6.481	6.488	6.496	6.504	6.512	6.519	6.527	6.535	6.542	6.550
43	6.557	6.565	6.573	6.580	6.588	6.595	6.603	6.611	6.618	6.626
44	6.633	6.641	6.648	6.656	6.663	6.671	6.678	6.686	6.693	6.701
45	6.708	6.716	6.723	6.731	6.738	6.745	6.753	6.760	6.768	6.775
46	6.782	6.790	6.797	6.804	6.812	6.819	6.826	6.834	6.841	6.848
47	6.856	6.863	6.870	6.877	6.885	6.892	6.899	6.907	6.914	6.921
48	6.928	6.935	6.943	6.950	6.957	6.964	6.971	6.979	6.986	6.993
49	7.000	7.007	7.014	7.021	7.029	7.036	7.043	7.050	7.057	7.064
50	7.071	7.078	7.085	7.092	7.099	7.106	7.113	7.120	7.127	7.134
51	7.141	7.148	7.155	7.162	7.169	7.176	7.183	7.190	7.197	7.204
52	7.211	7.218	7.225	7.232	7.239	7.246	7.253	7.259	7.266	7.273
53	7.280	7.287	7.294	7.301	7.308	7.314	7.321	7.328	7.335	7.342
54	7.348	7.355	7.362	7.369	7.376	7.382	7.389	7.396	7.403	7.409

수	0	1	2	3	4	5	6	7	8	9
55	7.416	7.423	7.430	7.436	7.443	7.450	7.457	7.463	7.470	7.477
56	7.483	7.490	7.497	7.503	7.510	7.517	7.523	7.530	7.537	7.543
57	7.550	7.556	7.563	7.570	7.576	7.583	7.589	7.596	7.603	7.609
58	7.616	7.622	7.629	7.635	7.642	7.649	7.655	7.662	7.668	7.675
59	7.681	7.688	7.694	7.701	7.707	7.714	7.720	7.727	7.733	7.740
60	7.746	7.752	7.759	7.765	7.772	7.778	7.785	7.791	7.797	7.804
61	7.810	7.817	7.823	7.829	7.836	7.842	7.849	7.855	7.861	7.868
62	7.874	7.880	7.887	7.893	7.899	7.906	7.912	7.918	7.925	7.931
63	7.937	7.944	7.950	7.956	7.962	7.969	7.975	7.981	7.987	7.994
64	8.000	8.006	8.012	8.019	8.025	8.031	8.037	8.044	8.050	8.056
65	8.062	8.068	8.075	8.081	8.087	8.093	8.099	8.106	8.112	8.118
66	8.124	8.130	8.136	8.142	8.149	8.155	8.161	8.167	8.173	8.179
67	8.185	8.191	8.198	8.204	8.210	8.216	8.222	8.228	8.234	8.240
68	8.246	8.252	8.258	8.264	8.270	8.276	8.283	8.289	8.295	8.301
69	8.307	8.313	8.319	8.325	8.331	8.337	8.343	8.349	8.355	8.361
70	8.367	8.373	8.379	8.385	8.390	8.396	8.402	8.408	8.414	8.420
71	8.426	8.432	8.438	8.444	8.450	8.456	8.462	8.468	8.473	8.479
72	8.485	8.491	8.497	8.503	8.509	8.515	8.521	8.526	8.532	8.538
73	8.544	8.550	8.556	8.562	8.567	8.573	8.579	8.585	8.591	8.597
74	8.602	8.608	8.614	8.620	8.626	8.631	8.637	8.643	8.649	8.654
75	8.660	8.666	8.672	8.678	8.683	8.689	8.695	8.701	8.706	8.712
76	8.718	8.724	8.729	8.735	8.741	8.746	8.752	8.758	8.764	8.769
77	8.775	8.781	8.786	8.792	8.798	8.803	8.809	8.815	8.820	8.826
78	8.832	8.837	8.843	8.849	8.854	8.860	8.866	8.871	8.877	8.883
79	8.888	8.894	8.899	8.905	8.911	8.916	8.922	8.927	8.933	8.939
80	8.944	8.950	8.955	8.961	8.967	8.972	8.978	8.983	8.989	8.994
81	9.000	9.006	9.011	9.017	9.022	9.028	9.033	9.039	9.044	9.050
82	9.055	9.061	9.066	9.072	9.077	9.083	9.088	9.094	9.099	9.105
83	9.110	9.116	9.121	9.127	9.132	9.138	9.143	9.149	9.154	9.160
84	9.165	9.171	9.176	9.182	9.187	9.192	9.198	9.203	9.209	9.214
85	9.220	9.225	9.230	9.236	9.241	9.247	9.252	9.257	9.263	9.268
86	9.274	9.279	9.284	9.290	9.295	9.301	9.306	9.311	9.317	9.322
87	9.327	9.333	9.338	9.343	9.349	9.354	9.359	9.365	9.370	9.375
88	9.381	9.386	9.391	9.397	9.402	9.407	9.413	9.418	9.423	9.429
89	9.434	9.439	9.445	9.450	9.455	9.460	9.466	9.471	9.476	9.482
90	9.487	9.492	9.497	9.503	9.508	9.513	9.518	9.524	9.529	9.534
91	9.539	9.545	9.550	9.555	9.560	9.566	9.571	9.576	9.581	9.586
92	9.592	9.597	9.602	9.607	9.612	9.618	9.623	9.628	9.633	9.638
93	9.644	9.649	9.654	9.659	9.664	9.670	9.675	9.680	9.685	9.690
94	9.695	9.701	9.706	9.711	9.716	9.721	9.726	9.731	9.737	9.742
95	9.747	9.752	9.757	9.762	9.767	9.772	9.778	9.783	9.788	9.793
96	9.798	9.803	9.808	9.813	9.818	9.823	9.829	9.834	9.839	9.844
97	9.849	9.854	9.859	9.864	9.869	9.874	9.879	9.884	9.889	9.894
98	9.899	9.905	9.910	9.915	9.920	9.925	9.930	9.935	9.940	9.945
99	9.950	9.955	9.960	9.965	9.970	9.975	9.980	9.985	9.990	9.995

수학은 개념이다!

디딤돌의 중학 수학 시리즈는
여러분의 수학 자신감을 높여 줍니다.

개념 이해
디딤돌수학 개념연산

다양한 이미지와 단계별 접근을 통해
개념이 쉽게 이해되는 교재

개념 적용
디딤돌수학 개념기본

개념 이해, 개념 적용, 개념 완성으로
개념에 강해질 수 있는 교재

개념 응용
최상위수학 라이트

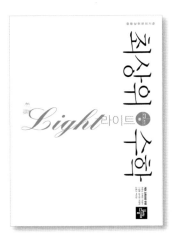

개념을 다양하게 응용하여
문제해결력을 키워주는 교재

개념 완성

디딤돌수학 개념연산과 개념기본은 동일한 학습 흐름으로 구성되어 있습니다.
연계 학습이 가능한 개념연산과 개념기본을 통해
중학 수학 개념을 완성할 수 있습니다.

개념의 수학

중 3/1

정답과 풀이

디딤돌

최상위 수학

중 3/1

정답과 풀이

1 제곱근과 실수

1 STEP 주제별 실력다지기

7~12쪽

1 9   **2** ㄱ, ㄷ, ㅁ   **3** ㄱ, ㄷ   **4** $8-5\sqrt{2}$ **5** (1) $2c-2a$ (2) $3a-3b$

6 $(0,0), (1,0), (0,1), (1,1), (0,4), (4,0)$ **7** 19   **8** 54   **9** 7

10 12   **11** ④, ⑤   **12** $A>B>C$ **13** $A>B$ **14** $c>a>b$

15 $\dfrac{1}{a}, \dfrac{1}{\sqrt{a}}, \sqrt{a}, a, a^2$ **16** $\pi, \sqrt{14.4}, 2-\sqrt{6}$ **17** ②, ⑤   **18** ①   **19** 10개

20 $2\sqrt{2}$ **21** $4\sqrt{2}-2$ **22** 풀이 참조   **23** (1) $3, 2\sqrt{3}-3$ (2) $3, 3\sqrt{2}-4$ (3) $2, 3\sqrt{2}-4$

24 2   **25** $3-\sqrt{2}$ **26** $\dfrac{4}{7}$ **27** $-a-5$

최상위 NOTE 01
$\sqrt{2}$가 무리수임을 증명하기

$\sqrt{2}$가 유리수라면 $\sqrt{2}=\dfrac{b}{a}$(a, b는 서로소인 자연수)로 표현할 수 있다.

양변에 a를 곱하면 $a\sqrt{2}=b$

양변을 제곱하면 $2a^2=b^2$ ...... ㉠

㉠에서 $2a^2$은 2의 배수이므로 짝수이고, 우변인 b^2도 짝수이다. b^2이 짝수이므로 b도 짝수임을 알 수 있다.

따라서 $b=2k$(k는 자연수)로 표현할 수 있고 이를 ㉠에 대입하면

즉, $2a^2=(2k)^2$, $2a^2=4k^2$, $a^2=2k^2$

이때 a^2은 2의 배수이므로 짝수이고, a^2이 짝수이므로 a도 짝수이다. 그런데 a, b가 모두 짝수이면 a, b는 2로 약분될 수 있으므로 a, b는 서로소인 자연수라는 조건에 모순이다.

따라서 $\sqrt{2}$는 유리수가 아니므로 무리수이다.

※ 이처럼 결론을 부정하여 모순을 보이고, 결국은 결론을 부정하지 않는 것이 옳다는 것을 보여주는 방법을 귀류법이라고 한다.

1 $(-12)^2=144$이므로 이것의 제곱근은 ±12이다.

$\therefore x=12$

$\sqrt{81}=9$이므로 이것의 제곱근은 ±3이다.

$\therefore y=-3$

$\therefore x+y=12+(-3)=9$

2 ㄱ, ㄷ, ㅁ. $(-\sqrt{a})^2=(\sqrt{a})^2=\sqrt{(-a)^2}=a$

ㄴ. $-\sqrt{a^2}=-a$

ㄹ. $-\sqrt{(-a)^2}=-\sqrt{a^2}=-a$

3 ㄱ. $x<-1$일 때,

$x-1<0$, $x+1<0$이므로

$A=-(x-1)-(x+1)=-2x$

ㄴ. $-1\leq x<1$일 때,

$x-1<0$, $x+1\geq0$이므로

$A=-(x-1)+(x+1)=2$

ㄷ. $x\geq1$일 때, $x-1\geq0$, $x+1>0$이므로

$A=(x-1)+(x+1)=2x$

따라서 옳은 것은 ㄱ, ㄷ이다.

> **TIP** $\sqrt{(a-b)^2}$의 꼴을 포함한 식을 계산할 때는 $a-b$의 부호를 판단하여 근호를 없앤 후 간단히 정리한다.
> (1) $a-b\geq0$이면 $\sqrt{(a-b)^2}=a-b$
> (2) $a-b<0$이면 $\sqrt{(a-b)^2}=-(a-b)$

4 $3-2\sqrt{2}=\sqrt{9}-\sqrt{8}>0$이므로

$\sqrt{(3-2\sqrt{2})^2}=3-2\sqrt{2}$

$3\sqrt{2}-5=\sqrt{18}-\sqrt{25}<0$이므로

$\sqrt{(3\sqrt{2}-5)^2}=5-3\sqrt{2}$

$\therefore \sqrt{(3-2\sqrt{2})^2}+\sqrt{(3\sqrt{2}-5)^2}$

$\quad =3-2\sqrt{2}+5-3\sqrt{2}$

$\quad =8-5\sqrt{2}$

5 (1) $a<b$이므로 $a-b<0$

$\sqrt{(a-b)^2}=|a-b|=-(a-b)=b-a$

$b<c$이므로 $b-c<0$

$\sqrt{(b-c)^2}=|b-c|=-(b-c)=c-b$

$a<c$이므로 $c-a>0$

$\sqrt{(c-a)^2}=|c-a|=c-a$

$\therefore \sqrt{(a-b)^2}+\sqrt{(b-c)^2}+\sqrt{(c-a)^2}$

$\quad =(b-a)+(c-b)+(c-a)$

$\quad =2c-2a$

(2) $ab<0$, $a>b$이면 $a>0$, $b<0$이므로 $b-a<0$

$|a|=a$, $\sqrt{(b-a)^2}=-(b-a)=a-b$,

$\sqrt{(-2b)^2}=-2b$, $\sqrt{(-a)^2}=-(-a)=a$

$\therefore$ (주어진 식)$=a+(a-b)+(-2b)+a$

$\quad =3a-3b$

6 a, b가 모두 음이 아닌 정수이므로

(ⅰ) $\sqrt{a}+\sqrt{b}=0$인 경우 $a=b=0$

(ⅱ) $\sqrt{a}+\sqrt{b}=1$인 경우

$a=1$, $b=0$ 또는 $a=0$, $b=1$

(ⅲ) $\sqrt{a}+\sqrt{b}=2$인 경우

$a=1$, $b=1$ 또는 $a=0$, $b=4$ 또는 $a=4$, $b=0$

따라서 구하는 순서쌍 (a, b)는

$(0, 0)$, $(1, 0)$, $(0, 1)$, $(1, 1)$, $(0, 4)$, $(4, 0)$

7 $\sqrt{891-81a}=\sqrt{81(11-a)}=9\sqrt{11-a}$가 자연수이므로

$0<11-a<11$이고, $\sqrt{11-a}$는 자연수이므로 $11-a$는

11보다 작은 제곱수이어야 한다.

11보다 작은 제곱수는 1, 4, 9이므로

$11-a=1, 4, 9$ $\quad \therefore a=2, 7, 10$

따라서 자연수 a의 값의 합은

$2+7+10=19$

> **TIP** $\sqrt{(수)-n}$, $\sqrt{(수)+n}$, $\sqrt{\dfrac{(수)}{n}}$가 자연수이면 근호 안의 수는 1, 4, 9, …와 같은 제곱수이다.
> 즉, $\sqrt{(수)-n}$이 자연수이면 $(수)-n=(자연수)^2$

8 $\sqrt{384-12x}=\sqrt{12(32-x)}=2\sqrt{3(32-x)}$가 자연수이므로 $0<32-x<32$이고 $\sqrt{3(32-x)}$는 자연수이므로

$32-x=3\times(자연수)^2$의 꼴이어야 한다.

즉, $32-x=3\times1^2, 3\times2^2, 3\times3^2$

$32-x=3, 12, 27$

$\therefore x=5, 20, 29$

따라서 자연수 x의 값의 합은

$5+20+29=54$

9 $252=2^2\times3^2\times7=(2\times3)^2\times7$이고, 252는 x에 의해 약분되어 완전제곱수가 되어야 하므로 x의 값은 $7\times a^2$의 꼴이고, a의 값은 2×3의 약수이다.

$\therefore x=7, 7\times2^2, 7\times3^2, 7\times2^2\times3^2$

따라서 가장 작은 자연수 x의 값은 7이다.

> **TIP** $\sqrt{\dfrac{(수)}{n}}$에서 n이 가장 작은 자연수이면 $\dfrac{(수)}{n}$는 가장 큰 제곱수이고, $\sqrt{\dfrac{(수)}{n}}$에서 n이 가장 큰 자연수이면 $\dfrac{(수)}{n}$는 가장 작은 제곱수이다.

10 $21600 = 2^4 \times 3^2 \times 5^2 \times 6 = (2^2 \times 3 \times 5)^2 \times 6$이고,
21600은 x에 의해 약분되어 완전제곱수가 되어야 하므로
x의 값은 $6 \times a^2$의 꼴이고, a의 값은 $2^2 \times 3 \times 5$의 약수이다.
$2^2 \times 3 \times 5$의 약수의 개수는 $(2+1) \times (1+1) \times (1+1) = 12$
따라서 정수 x의 개수는 12이다.

11 ① $3 - (\sqrt{3} + 2) = 1 - \sqrt{3} < 0$
$\qquad \therefore 3 < \sqrt{3} + 2$
② $\sqrt{2} - (\sqrt{4} - \sqrt{2}) = 2\sqrt{2} - 2 = \sqrt{8} - \sqrt{4} > 0$
$\qquad \therefore \sqrt{2} > \sqrt{4} - \sqrt{2}$
③ $-\sqrt{0.8} - (-\sqrt{0.7}) = -\sqrt{\dfrac{8}{10}} + \sqrt{\dfrac{7}{10}}$
$\qquad\qquad\qquad\qquad\quad = \dfrac{\sqrt{7} - \sqrt{8}}{\sqrt{10}} < 0$
$\qquad \therefore -\sqrt{0.8} < -\sqrt{0.7}$
④ $(2\sqrt{3})^2 - (3\sqrt{2} - 1)^2 = 12 - (18 - 6\sqrt{2} + 1)$
$\qquad\qquad\qquad\qquad\qquad = 6\sqrt{2} - 7$
$\qquad\qquad\qquad\qquad\qquad = \sqrt{72} - \sqrt{49} > 0$
$\qquad \therefore 2\sqrt{3} > 3\sqrt{2} - 1$
⑤ $(5\sqrt{3})^2 - (3\sqrt{5} + 2)^2 = 75 - (45 + 12\sqrt{5} + 4)$
$\qquad\qquad\qquad\qquad\qquad = 26 - 12\sqrt{5}$
$\qquad\qquad\qquad\qquad\qquad = \sqrt{676} - \sqrt{720} < 0$
$\qquad \therefore 5\sqrt{3} < 3\sqrt{5} + 2$
따라서 대소 관계가 옳은 것은 ④, ⑤이다.

12 $A - B = (5\sqrt{2} - 2) - 5 = 5\sqrt{2} - 7 = \sqrt{50} - \sqrt{49} > 0$
$\therefore A > B$
$B - C = 5 - (4\sqrt{3} - 2) = 7 - 4\sqrt{3} = \sqrt{49} - \sqrt{48} > 0$
$\therefore B > C$
$\therefore A > B > C$

13 $A = 3\sqrt{5} - 2\sqrt{2} = \sqrt{45} - \sqrt{8} > 0$
$B = 2\sqrt{10} - 3 = \sqrt{40} - \sqrt{9} > 0$
이므로
$A^2 - B^2 = (3\sqrt{5} - 2\sqrt{2})^2 - (2\sqrt{10} - 3)^2$
$\qquad\qquad = (53 - 12\sqrt{10}) - (49 - 12\sqrt{10}) = 4 > 0$
$\therefore A > B$

> **TIP** $(a-b)^2 = a^2 - 2ab + b$

14 $a > 0$, $b > 0$, $c > 0$이므로
$a^2 = 30 + 2\sqrt{209}$
$b^2 = 30 + 2\sqrt{200}$
$c^2 = 30 + 2\sqrt{216}$

따라서 $c^2 > a^2 > b^2$이므로
$c > a > b$

15 $0 < a < 1$이므로 $\sqrt{a} > a$, $a > a^2$
또한, $0 < \sqrt{a} < 1$이므로 $\sqrt{a} < \dfrac{1}{\sqrt{a}}$
$\dfrac{1}{a} - \dfrac{1}{\sqrt{a}} = \dfrac{\sqrt{a} - a}{a\sqrt{a}} > 0$이므로 $\dfrac{1}{a} > \dfrac{1}{\sqrt{a}}$
$\therefore \dfrac{1}{a} > \dfrac{1}{\sqrt{a}} > \sqrt{a} > a > a^2$
따라서 큰 순서대로 나열하면 $\dfrac{1}{a}$, $\dfrac{1}{\sqrt{a}}$, $\sqrt{a}$, a, a^2이다.

다른 풀이

구체적인 예를 들어 $a = \dfrac{1}{100}$이라 하면
$\sqrt{a} = \dfrac{1}{10}$, $a^2 = \dfrac{1}{10000}$, $\dfrac{1}{a} = 100$, $\dfrac{1}{\sqrt{a}} = 10$
$\therefore \dfrac{1}{a} > \dfrac{1}{\sqrt{a}} > \sqrt{a} > a > a^2$

> **TIP** $0 < a < 1$일 때, $\dfrac{1}{a} > 1$이므로 $0 < a < 1 < \dfrac{1}{a}$이다.

16 $\pi = 3.14159\cdots$ (순환하지 않는 무한소수) : 무리수
$\sqrt{0.16} = 0.4$: 유리수
$\sqrt{\dfrac{144}{9}} = \dfrac{12}{3} = 4$: 유리수
$\sqrt{14.4} = \sqrt{144 \times \dfrac{1}{10}} = 12\sqrt{\dfrac{1}{10}} = 12\dfrac{\sqrt{10}}{10} = \dfrac{6}{5}\sqrt{10}$: 무리수
$2 - \sqrt{6} = (유리수) - (무리수)$: 무리수
따라서 무리수인 것은 π, $\sqrt{14.4}$, $2 - \sqrt{6}$이다.

17 ② $\sqrt{4} = 2$이므로 다에 속하지 않는다.
⑤ $\dfrac{2}{3}$는 다에 속하지 않고, 나에 속한다.

18 ㄱ. 무한소수는 순환소수(유리수)와 순환하지 않는 무한소수(무리수)로 나뉜다.
ㄴ. **예** $4 = 3.\dot{9}$, $2.15 = 2.14\dot{9}$, $-8.37 = -8.36\dot{9}$
ㄷ. 유리수 중 순환소수는 무한소수이다.
ㄹ. $\sqrt{10000} = 100$의 제곱근은 ± 10이다.
ㅁ. 0의 제곱근은 0뿐이므로 1개이다.
ㅂ. $\sqrt{16} = 4$
따라서 옳은 것은 ㄴ의 1개이다.

19 $2 < \sqrt{x} < 4$에서 각 변을 제곱하면 $4 < x < 16$
$\sqrt{x}$가 무리수이므로 조건을 만족하는 자연수 x는 완전제곱수 9를 제외한 5, 6, 7, 8, 10, 11, 12, 13, 14, 15이다.
따라서 자연수 x는 모두 10개이다.

20 한 변의 길이가 1인 정사각형 ABCD의 대각선의 길이는 $\overline{AC}=\sqrt{1^2+1^2}=\sqrt{2}$이다.

따라서 $\overline{AC}=\overline{AP}=\overline{AQ}=\sqrt{2}$이므로

$x=2-\sqrt{2}$, $y=2+\sqrt{2}$

$\therefore y-x=2+\sqrt{2}-(2-\sqrt{2})=2\sqrt{2}$

TIP 점 Q는 점 A에서 오른쪽으로 선분 AC의 길이만큼 떨어진 점이다.

21 한 변의 길이가 2인 정사각형 ABCD의 대각선의 길이는

$\overline{AC}=\overline{BD}=\sqrt{2^2+2^2}=2\sqrt{2}$

따라서 $\overline{BD}=\overline{BQ}=\overline{CA}=\overline{CP}=2\sqrt{2}$

$\therefore \overline{PQ}=\overline{PC}+\overline{CQ}$

$=\overline{PC}+(\overline{BQ}-\overline{BC})$

$=2\sqrt{2}+(2\sqrt{2}-2)$

$=4\sqrt{2}-2$

22 $\triangle APS \equiv \triangle BQP \equiv \triangle CRQ \equiv \triangle DSR$ (SAS 합동)

이므로 $\overline{SP}=\overline{PQ}=\overline{QR}=\overline{RS}$ ······ ㉠

또, $\triangle APS$와 $\triangle BQP$에서 $\angle ASP=\angle BPQ$이므로

$\angle BPQ+\angle APS=\angle ASP+\angle APS=90°$

$\therefore \angle SPQ=90°$ ······ ㉡

㉠, ㉡에서 □PQRS는 정사각형이므로

$\overline{PQ}=x$라 하면

$\square ABCD=\square PQRS+4\times\triangle APS$

$=x^2+4\times\left(\dfrac{1}{2}\times1\times2\right)=9$

$x^2=5$ $\therefore x=\sqrt{5}$ ($\because x>0$)

23 (1) $2\sqrt{3}=\sqrt{12}$에서 $3<\sqrt{12}<4$이므로

(정수 부분)$=3$

(소수 부분)$=2\sqrt{3}-3$

(2) $3\sqrt{2}=\sqrt{18}$, $4<\sqrt{18}<5$에서 $3<\sqrt{18}-1<4$이므로

(정수 부분)$=3$

(소수 부분)$=(3\sqrt{2}-1)-3=3\sqrt{2}-4$

(3) $3\sqrt{2}=\sqrt{18}$, $4<\sqrt{18}<5$에서 $2<\sqrt{18}-2<3$이므로

(정수 부분)$=2$

(소수 부분)$=(3\sqrt{2}-2)-2=3\sqrt{2}-4$

TIP 무리수의 정수 부분은 대소 관계를 이용하여 무리수를 연속하는 두 정수 사이의 수로 나타내어 구한다.

24 $1<\sqrt{3}<2$에서 $-2<-\sqrt{3}<-1$, $2<4-\sqrt{3}<3$이므로 $4-\sqrt{3}$의 정수 부분은 2이고, 소수 부분

$a=(4-\sqrt{3})-2=2-\sqrt{3}$ $\therefore a-2=-\sqrt{3}$

$\therefore$ (주어진 식)$=(a-2)^2-1$

$=(-\sqrt{3})^2-1=2$

25 $\dfrac{1}{\sqrt{2}-1}=\dfrac{\sqrt{2}+1}{(\sqrt{2}-1)(\sqrt{2}+1)}=\sqrt{2}+1$에서

$1<\sqrt{2}<2$, $2<\sqrt{2}+1<3$이므로

$\alpha=2$, $\beta=(\sqrt{2}+1)-2=\sqrt{2}-1$

$\therefore \alpha-\beta=2-(\sqrt{2}-1)=3-\sqrt{2}$

26 $1<\sqrt{2}<2$에서 $-2<-\sqrt{2}<-1$, $3<5-\sqrt{2}<4$이므로

$a=3$, $b=(5-\sqrt{2})-3=2-\sqrt{2}$

$\therefore \dfrac{1}{b+2}+\dfrac{1}{2a-b}=\dfrac{1}{4-\sqrt{2}}+\dfrac{1}{4+\sqrt{2}}$

$=\dfrac{4+\sqrt{2}+4-\sqrt{2}}{(4-\sqrt{2})(4+\sqrt{2})}=\dfrac{8}{14}=\dfrac{4}{7}$

27 $4\sqrt{2}=\sqrt{32}$에서 $5<\sqrt{32}<6$이므로 정수 부분은 5이고, 소수 부분 $a=4\sqrt{2}-5$ $\therefore \sqrt{2}=\dfrac{a+5}{4}$

$\therefore \sqrt{18}-\sqrt{98}=3\sqrt{2}-7\sqrt{2}=-4\sqrt{2}$

$=-4\times\dfrac{a+5}{4}$

$=-a-5$

2 STEP 실력 높이기

1 ①	**2** ④	**3** ②	**4** 41	**5** 915	**6** ⑤
7 a^2-ab	**8** $-3a-1$	**9** a	**10** ①	**11** $\dfrac{2}{a}$	**12** -197
13 3	**14** $x=\dfrac{\sqrt{2}+\sqrt{3}}{5}, y=\dfrac{\sqrt{3}-\sqrt{2}}{5}$		**15** $6\sqrt{3}-7$	**16** $15\sqrt{3}$	**17** $4a-2$
18 $\dfrac{-5-6\sqrt{5}}{5}$	**19** 5	**20** $2\sqrt{2}+1$	**21** $-20\sqrt{2}$		

문제 풀이

1 ㄱ. 4의 제곱근은 ±2이다.

ㄴ. 0의 제곱근은 0이다.

ㄷ. 0의 제곱근은 0 하나 뿐이고, $a<0$일 때, a의 제곱근은 실수의 범위에서 존재하지 않는다.

ㅂ, ㅅ. -4의 제곱근은 실수의 범위에서 존재하지 않는다.

ㅇ. $a>0$이면 a의 제곱근은 $\pm\sqrt{a}$로 2개이다.

ㅈ. $\sqrt{4}=2$이므로 제곱근은 $\pm\sqrt{2}$이다.

ㅊ. $\sqrt{16}=4$

따라서 옳은 것은 ㄹ, ㅁ의 2개이다.

2 ①, ④ $a+b$, $a-b$는 항상 무리수이다.

②, ⑤ ab, $a\div b$는 $a=0$이면 유리수, $a\neq0$이면 무리수이다.

③ b^2은 $b=\pi$이면 무리수이다.

3 $100\le\sqrt{n}<1000$이므로 $10000\le n<1000000$

∴ 5자리 또는 6자리

4 서술형

표현 단계 $\sqrt{500-x}$는 최대 정수가 되고, $\sqrt{200+y}$는 최소 정수가 될 때, $\sqrt{500-x}-\sqrt{200+y}$가 가장 큰 정수가 된다.

변형 단계 x, y는 자연수이므로 $500-x$는 500보다 작은 제곱수 중 최대인 수이어야 한다.

즉, $500-x=484$에서 $x=16$

또한, $200+y$는 200보다 큰 제곱수 중 최소인 수이어야 하므로

$200+y=225$에서 $y=25$

풀이 단계 ∴ $x+y=16+25=41$

5 (i) $\sqrt{n}$이 무리수이어야 하므로 $n\neq k^2$ (k는 자연수)

∴ $k\neq1, 2, 3, \cdots, 31$

(ii) $\sqrt{2n}$이 무리수이어야 하므로 $n\neq2\times k^2$ (k는 자연수)

∴ $k\neq1, 2, 3, \cdots, 22$

(iii) $\sqrt{3n}$이 무리수이어야 하므로 $n\neq3\times k^2$ (k는 자연수)

∴ $k\neq1, 2, 3, \cdots, 18$

(iv) $\sqrt{5n}$이 무리수이어야 하므로 $n\neq5\times k^2$ (k는 자연수)

∴ $k\neq1, 2, 3, \cdots, 14$

(i), (ii), (iii), (iv)에서 서로 공통인 경우가 없으므로

$1000-(31+22+18+14)=1000-85$
$$=915$$

6 ② $\sqrt{3}-(4-\sqrt{3})=2\sqrt{3}-4=\sqrt{12}-\sqrt{16}<0$

∴ $\sqrt{3}<4-\sqrt{3}$ (참)

⑤ $2\sqrt{2}-\sqrt{3}-(3\sqrt{3}-3\sqrt{2})=5\sqrt{2}-4\sqrt{3}$
$$=\sqrt{50}-\sqrt{48}>0$$

∴ $2\sqrt{2}-\sqrt{3}>3\sqrt{3}-3\sqrt{2}$

따라서 옳지 않은 것은 ⑤이다.

> **TIP** $A-B>0$이면 $A>B$
> $A-B<0$이면 $A<B$

7 $|a|>|b|$이면 $a^2>b^2$이므로 $a^2-b^2>0$

∴ $\sqrt{(a^2-b^2)^2}=a^2-b^2$

$a<0<b$이면 $a-b<0$

∴ $\sqrt{(a-b)^2}=b-a$

∴ (주어진 식) $=(a^2-b^2)+b(b-a)$
$$=a^2-ab$$

8 $3(2-a)>5a+7$에서 $6-3a>5a+7$

$-8a>1$ ∴ $a<-\dfrac{1}{8}$

$-2a>0$, $1-a>0$이고

$||a|-a|=|-a-a|=|-2a|=-2a$이므로

(주어진 식) $=-2a-(1-a)+(-2a)$
$$=-3a-1$$

9 서술형

표현 단계 $a<b$, $ab<0$에서 $a<0$, $b>0$이므로

$a-b<0$, $-2a>0$, $-b<0$

변형 단계 즉, $\sqrt{(a-b)^2}=-(a-b)$

$\sqrt{(-2a)^2}=-2a$

$\sqrt{(-b)^2}=-(-b)$

이므로

풀이 단계 (주어진 식)$=-(a-b)-(-2a)+(-b)$

$\qquad =-a+b+2a-b$

$\qquad =a$

10 ① $3-x>0$이므로 $\sqrt{(3-x)^2}=3-x$

② $x-3<0$이므로 $-\sqrt{(x-3)^2}=x-3$

③ $3+y>0$이므로 $\sqrt{(3+y)^2}=3+y$

④ $-y>0$이므로 $-\sqrt{(-y)^2}=-(-y)=y$

⑤ $y-3<0$이므로 $-\sqrt{(y-3)^2}=y-3$

이때 ①, ③은 양수, ②, ④, ⑤는 음수이고 $3-x>3+y$이
므로 가장 큰 것은 ①이다.

11 $0<a<1$이므로 $\dfrac{1}{a}>1$ $\qquad \therefore \dfrac{1}{a}>a$

$\sqrt{x^2-4}=\sqrt{\left(a+\dfrac{1}{a}\right)^2-4}$

$\qquad =\sqrt{\left(a-\dfrac{1}{a}\right)^2+4-4}$

$\qquad =\sqrt{\left(a-\dfrac{1}{a}\right)^2}=\dfrac{1}{a}-a$

$\therefore$ (주어진 식)$=\left(a+\dfrac{1}{a}\right)+\left(\dfrac{1}{a}-a\right)=\dfrac{2}{a}$

12 $\sqrt{1.0\dot{2}\times\dfrac{a}{b}}=\sqrt{\dfrac{92}{90}\times\dfrac{a}{b}}=\sqrt{\dfrac{46a}{45b}}$이므로

$\sqrt{\dfrac{46a}{45b}}=\dfrac{2}{9}$, $\dfrac{46a}{45b}=\dfrac{4}{81}$ $\qquad \therefore \dfrac{a}{b}=\dfrac{10}{207}$

그런데 10, 207은 서로소이므로 $a=10$, $b=207$

$\therefore a-b=-197$

13 $\sqrt{3x}$가 양의 정수이므로 $x=3\times k^2$ (k는 자연수)

그런데 $100\leq x\leq 200$이므로 $k=6$, 7, 8

따라서 x는 $3\times 6^2=108$, $3\times 7^2=147$, $3\times 8^2=192$로 3개이다.

14 (i) $\sqrt{2}x+\sqrt{3}y=1$의 양변에 $\sqrt{3}$을 곱하면

$\sqrt{6}x+3y=\sqrt{3}$ $\quad$ ····· ㉠

$\sqrt{3}x-\sqrt{2}y=1$의 양변에 $\sqrt{2}$를 곱하면

$\sqrt{6}x-2y=\sqrt{2}$ $\quad$ ····· ㉡

㉠$-$㉡에서

$5y=\sqrt{3}-\sqrt{2}$ $\qquad \therefore y=\dfrac{\sqrt{3}-\sqrt{2}}{5}$

(ii) $\sqrt{2}x+\sqrt{3}y=1$의 양변에 $\sqrt{2}$를 곱하면

$2x+\sqrt{6}y=\sqrt{2}$ $\quad$ ····· ㉢

$\sqrt{3}x-\sqrt{2}y=1$의 양변에 $\sqrt{3}$을 곱하면

$3x-\sqrt{6}y=\sqrt{3}$ $\quad$ ····· ㉣

㉢$+$㉣에서

$5x=\sqrt{2}+\sqrt{3}$ $\qquad \therefore x=\dfrac{\sqrt{2}+\sqrt{3}}{5}$

15 $1<\sqrt{3}<2$에서 $2<4-\sqrt{3}<3$

$\therefore a=2$, $b=(4-\sqrt{3})-2=2-\sqrt{3}$

$\therefore \sqrt{3}a-b^2=2\sqrt{3}-(2-\sqrt{3})^2$

$\qquad =2\sqrt{3}-7+4\sqrt{3}$

$\qquad =6\sqrt{3}-7$

16 서술형

변형 단계 $1<\sqrt{3}<2$이므로

$-2<-\sqrt{3}<-1$, $5<7-\sqrt{3}<6$

에서 $7-\sqrt{3}$의 정수 부분 $a=5$

$5<\sqrt{27}<6$이므로

$2<\sqrt{27}-3<3$에서

$\sqrt{27}-3$의 정수 부분은 2이므로

$\sqrt{27}-3$의 소수 부분

$b=(\sqrt{27}-3)-2=3\sqrt{3}-5$

풀이 단계 $\therefore a^2+5b=5^2+5(3\sqrt{3}-5)$

$\qquad =25+15\sqrt{3}-25=15\sqrt{3}$

17 $1<\sqrt{3}<2$이므로 $a=\sqrt{3}-1$

$\therefore \sqrt{3}=a+1$

$6<\sqrt{48}<7$에서 $\sqrt{48}$의 소수 부분은 $\sqrt{48}-6$이므로

$\sqrt{48}-6=4\sqrt{3}-6=4(a+1)-6=4a-2$

18 $2<\sqrt{5}<3$에서 $1<\sqrt{5}-1<2$이므로 $[a]=1$

$\therefore$ (주어진 식)$=\dfrac{\sqrt{5}-1}{1+\sqrt{5}-1}+\dfrac{1}{1-(\sqrt{5}-1)}$

$\qquad =\dfrac{\sqrt{5}-1}{\sqrt{5}}+\dfrac{1}{2-\sqrt{5}}$

$\qquad =\dfrac{5-\sqrt{5}}{5}-(2+\sqrt{5})$

$\qquad =\dfrac{-5-6\sqrt{5}}{5}$

19 $5<\sqrt{n}<7$에서 각 변을 제곱하면

$25<n<49$이고 n은 자연수 중 가장 큰 수이므로

$\sqrt{n}=\sqrt{48}$이다.

$6<\sqrt{48}<7$이므로 $p=6$, $q=\sqrt{48}-6=4\sqrt{3}-6$

따라서 $\dfrac{p}{q}=\dfrac{6}{4\sqrt{3}-6}=\dfrac{3}{2\sqrt{3}-3}=2\sqrt{3}+3$이므로

$a=2$, $b=3$

$\therefore a+b=5$

20 서술형

표현 단계 한 변의 길이가 1인 정사각형의 대각선의 길이는

$\sqrt{1^2+1^2}=\sqrt{2}$이므로

$\overline{CP}=\overline{CA}=\sqrt{2}$, $\overline{FQ}=\overline{FH}=\sqrt{2}$

변형 단계 점 P의 좌표는 $0-\sqrt{2}=-\sqrt{2}$이고,

점 Q의 좌표는 $1+\sqrt{2}$이다.

풀이 단계 $\therefore \overline{PQ}=\overline{PC}+\overline{CQ}$

$=\sqrt{2}+(1+\sqrt{2})$

$=2\sqrt{2}+1$

> **TIP** (점 Q의 좌표)=(점 F의 좌표)+(선분 FH의 길이)
> (점 P의 좌표)=(점 C의 좌표)−(선분 CA의 길이)

21
□ABED, □BCFE는 한 변의 길이가 1인 정사각형

이므로 대각선의 길이는 $\sqrt{1^2+1^2}=\sqrt{2}$

$\therefore \overline{BD}=\overline{BF}=\sqrt{2}$

$\therefore a=5-\sqrt{2}$, $b=5+\sqrt{2}$

$\therefore a^2-b^2=(a+b)(a-b)$

$=10\times(-2\sqrt{2})$

$=-20\sqrt{2}$

---

3 STEP 최고 실력 완성하기

1 ⑤	2 $\sqrt{a}+\sqrt{b}>\sqrt{a+b}$	3 bc	4 0	5 2	6 $10-\sqrt{34}$
7 6	8 6자리	9 3	10 $m=39$, $n=38$ 또는 $m=9$, $n=2$		11 $\sqrt{2}$
12 풀이 참조					

문제 풀이

1 $a=11$, $b=-11$이므로 $\sqrt{a-2b+3}=\sqrt{36}=6$

따라서 구하는 제곱근은 $\pm\sqrt{6}$이다.

2 $\sqrt{a}+\sqrt{b}>0$, $\sqrt{a+b}>0$이므로 양변을 제곱하여 빼면

$(\sqrt{a}+\sqrt{b})^2-(\sqrt{a+b})^2=(a+b+2\sqrt{ab})-(a+b)$

$=2\sqrt{ab}>0$ ($\because a>0$, $b>0$)

$\therefore \sqrt{a}+\sqrt{b}>\sqrt{a+b}$

3 (i) $a>0$일 때, $b<0$, $c<0$이므로 $bc>0$

$\therefore \sqrt{b^2c^2}=\sqrt{(bc)^2}=bc$

(ii) $a<0$일 때, $b>0$, $c>0$이므로 $bc>0$

$\therefore \sqrt{b^2c^2}=\sqrt{(bc)^2}=bc$

따라서 (i), (ii)에 의해 $\sqrt{b^2c^2}=bc$

4 $x<y$, $xy<0$이므로 $x<0$, $y>0$이다.

따라서 $(\sqrt{-x})^2=-x$, $\sqrt{(x-1)^2}=1-x$,

$\sqrt{(y-x)^2}=y-x$, $\sqrt{(1-x+y)^2}=1-x+y$이므로

(주어진 식)

$=-x-(1-x)-(y-x)+(1-x+y)$

$=-x-1+x-y+x+1-x+y=0$

5 $7<\sqrt{20x^2}<10$이므로 각 변을 제곱하여 정리하면

$49<20x^2<100$, $\dfrac{49}{20}(=2.45)<x^2<5$

x는 자연수이므로 $x^2=4$

$\therefore x=2$

8 I실수와 그 연산

6 $\sqrt{3\times3}+\sqrt{4}=3+2=5$에서

$a=3$, $b=4$이므로 $\sqrt{2a^2+b^2}=\sqrt{34}$

그런데 $5<\sqrt{34}<6$이므로

$x=5$, $y=\sqrt{34}-5$

$\therefore x-y=5-(\sqrt{34}-5)=10-\sqrt{34}$

7 $54=2\times3^3$이므로 $\sqrt{\dfrac{54}{n^3}}=\dfrac{3}{n}\sqrt{\dfrac{6}{n}}$이고 $\sqrt{\dfrac{6}{n}}$이 유리수가

되어야 하므로 $\dfrac{6}{n}$은 완전제곱수의 꼴이 되어야 한다.

따라서 $n=6\times k^2$ (k는 자연수)의 꼴이므로 n의 최솟값은

6이다.

8 $1\times2\times3\times\cdots\times10=2^8\times3^4\times5^2\times7$

$\qquad\qquad\qquad\qquad\quad=(2^4\times3^2\times5)^2\times7$

$\qquad\qquad\qquad\qquad\quad=720^2\times7$

$\therefore 125\sqrt{1\times2\times3\times\cdots\times10}=125\times\sqrt{720^2\times7}$

$\qquad\qquad\qquad\qquad\qquad\qquad\quad=90000\sqrt{7}$

그런데 $2<\sqrt{7}<3$이므로

$180000<90000\sqrt{7}<270000$

따라서 구하는 정수 부분의 자릿수는 6이다.

9 ㈎에서 $nx=1,\ 2,\ 3,\ \cdots$

$\therefore x=\dfrac{1}{n},\ \dfrac{2}{n},\ \dfrac{3}{n},\ \cdots$

㈏에서 $3\leq\sqrt{nx}<4$이므로 각 변을 제곱하면

$9\leq nx<16$ $\qquad\therefore \dfrac{9}{n}\leq x<\dfrac{16}{n}$

따라서 ㈎, ㈏를 동시에 만족하는 x의 값은

$\dfrac{9}{n},\ \dfrac{10}{n},\ \dfrac{11}{n},\ \cdots,\ \dfrac{15}{n}$

이때 x의 값의 합이 28이므로

$\dfrac{1}{n}(9+10+11+\cdots+15)=28$

$\dfrac{84}{n}=28$ $\qquad\therefore n=3$

10 양변을 제곱하면 $n^2+77=m^2$이므로

$m^2-n^2=(m+n)(m-n)=77$

이때 m, n은 자연수이므로 $m+n>m-n$

따라서 $(m+n,\ m-n)=(77,\ 1),\ (11,\ 7)$이므로

$m=39$, $n=38$ 또는 $m=9$, $n=2$

12 자연수 : 정의된 수학적 개념이 없다.(대학 수학에서

페아노의 공리에 의해 설명할 수 있다.)

정수: 자연수와 이들의 음수 및 0으로 이루어진 수

유리수: m, n이 정수이고 $m\neq0$일 때, 분수 $\dfrac{n}{m}$의 꼴로 나

타낼 수 있는 수

자연수, 정수, 유리수는 m, n이 정수일 때, 분수 $\dfrac{n}{m}$의 꼴

로 나타낼 수 있지만 무리수는 나타낼 수 없다.

2 근호를 포함한 식의 계산

1 5

2 $4\sqrt{6}$

3 $\dfrac{\sqrt{2}+2-\sqrt{6}}{4}$

4 $\sqrt{21}+\sqrt{15}-\sqrt{14}-\sqrt{10}$

5 8

6 -6

7 $\sqrt{6}$

8 7

9 (1) 6 (2) $15\sqrt{2}$ (3) $\dfrac{23\sqrt{2}}{6}-2$

10 $13-9\sqrt{3}$

11 $2\sqrt{3}+3$

12 $\dfrac{a^2+2}{2a}$

13 (1) $34+24\sqrt{2}$ (2) $11-4\sqrt{6}$ (3) -1 (4) 1

14 $3+2\sqrt{2}$

15 24

16 $-\sqrt{3}$

17 8

18 $\dfrac{2}{3}$

19 $\dfrac{1}{3}$

20 5

21 $a=1,\ b=-\dfrac{2}{3}$

22 $x=\dfrac{1}{9},\ y=-\dfrac{1}{9}$

23 $x=-\dfrac{2}{3},\ y=\dfrac{1}{3}$

24 ③

25 (1) 83.67 (2) 0.8367 (3) 52.92

26 ①, ③

27 $\dfrac{1}{3}$

28 209

29 47.42

최상위 **02**
NOTE 제곱근의 곱셈과 나눗셈 원리 확인하기

$a>0$, $b>0$일 때,

(1) $\sqrt{a}\sqrt{b}=\sqrt{ab}$

해설 $(\sqrt{a}\sqrt{b})^2=(\sqrt{a}\sqrt{b})(\sqrt{a}\sqrt{b})$
$=(\sqrt{a}\sqrt{a})(\sqrt{b}\sqrt{b})$
$=ab$

따라서 $\sqrt{a}\sqrt{b}$는 ab의 양의 제곱근이다.

또, $(\sqrt{ab})^2=ab$이므로 $\sqrt{ab}$도 ab의 양의 제곱근이다.

$\therefore \sqrt{a}\sqrt{b}=\sqrt{ab}$

(2) $\sqrt{a}\div\sqrt{b}=\dfrac{\sqrt{a}}{\sqrt{b}}=\sqrt{\dfrac{a}{b}}$

해설 $\left(\dfrac{\sqrt{a}}{\sqrt{b}}\right)^2=\left(\dfrac{\sqrt{a}}{\sqrt{b}}\right)\times\left(\dfrac{\sqrt{a}}{\sqrt{b}}\right)$
$=\dfrac{\sqrt{a}\sqrt{a}}{\sqrt{b}\sqrt{b}}$
$=\dfrac{a}{b}$

따라서 $\dfrac{\sqrt{a}}{\sqrt{b}}$는 $\dfrac{a}{b}$의 양의 제곱근이다.

또, $\left(\sqrt{\dfrac{a}{b}}\right)^2=\dfrac{a}{b}$이므로 $\sqrt{\dfrac{a}{b}}$도 $\dfrac{a}{b}$의 양의 제곱근이다.

$\therefore \dfrac{\sqrt{a}}{\sqrt{b}}=\sqrt{\dfrac{a}{b}}$

1
$$\frac{3+2\sqrt{2}}{3-2\sqrt{2}}=\frac{3+2\sqrt{2}}{3-2\sqrt{2}}\times\frac{3+2\sqrt{2}}{3+2\sqrt{2}}$$
$$=\frac{(3+2\sqrt{2})^2}{9-8}$$
$$=9+12\sqrt{2}+8$$
$$=17+12\sqrt{2}$$
이므로 $a=17$, $b=12$
$\therefore a-b=17-12=5$

2 (주어진 식)$=5+2\sqrt{6}-\dfrac{1}{5+2\sqrt{6}}\times\dfrac{5-2\sqrt{6}}{5-2\sqrt{6}}$
$$=5+2\sqrt{6}-\frac{5-2\sqrt{6}}{25-24}$$
$$=5+2\sqrt{6}-5+2\sqrt{6}$$
$$=4\sqrt{6}$$

3 (주어진 식)$=\dfrac{1}{(1+\sqrt{2})+\sqrt{3}}\times\dfrac{(1+\sqrt{2})-\sqrt{3}}{(1+\sqrt{2})-\sqrt{3}}$
$$=\frac{1+\sqrt{2}-\sqrt{3}}{(1+\sqrt{2})^2-3}$$
$$=\frac{1+\sqrt{2}-\sqrt{3}}{2\sqrt{2}}$$
$$=\frac{\sqrt{2}+2-\sqrt{6}}{4}$$

> **TIP** 분모, 분자에 $(1+\sqrt{2})-\sqrt{3}$을 각각 곱한다.

4 (주어진 식)
$$=\frac{2}{(\sqrt{21}-\sqrt{10})-(\sqrt{15}-\sqrt{14})}$$
$$\times\frac{(\sqrt{21}-\sqrt{10})+(\sqrt{15}-\sqrt{14})}{(\sqrt{21}-\sqrt{10})+(\sqrt{15}-\sqrt{14})}$$
$$=\frac{2(\sqrt{21}-\sqrt{10}+\sqrt{15}-\sqrt{14})}{(31-2\sqrt{210})-(29-2\sqrt{210})}$$
$$=\sqrt{21}+\sqrt{15}-\sqrt{14}-\sqrt{10}$$

> **TIP** $\sqrt{21}-\sqrt{10}=A$, $\sqrt{15}-\sqrt{14}=B$라 놓고,
> $(A+B)(A-B)=A^2-B^2$임을 이용하면 계산이 더 편리하다.

5 $\dfrac{y}{x-1}+\dfrac{x}{y-1}$
$$=\frac{3-\sqrt{2}}{(3+\sqrt{2})-1}+\frac{3+\sqrt{2}}{(3-\sqrt{2})-1}$$
$$=\frac{3-\sqrt{2}}{2+\sqrt{2}}+\frac{3+\sqrt{2}}{2-\sqrt{2}}$$
$$=\frac{(3-\sqrt{2})(2-\sqrt{2})+(3+\sqrt{2})(2+\sqrt{2})}{(2+\sqrt{2})(2-\sqrt{2})}$$
$$=\frac{(8-5\sqrt{2})+(8+5\sqrt{2})}{2}$$
$$=8$$

6 $x=\dfrac{1}{2-\sqrt{3}}=\dfrac{2+\sqrt{3}}{(2-\sqrt{3})(2+\sqrt{3})}=2+\sqrt{3}$,
$y=\dfrac{11}{2\sqrt{3}-1}=\dfrac{11(2\sqrt{3}+1)}{(2\sqrt{3}-1)(2\sqrt{3}+1)}=2\sqrt{3}+1$이므로
$x^2-y^2=(2+\sqrt{3})^2-(2\sqrt{3}+1)^2$
$$=7+4\sqrt{3}-(13+4\sqrt{3})$$
$$=-6$$

7 (주어진 식)$=\dfrac{\sqrt{1+x}\times\sqrt{1+x}}{\sqrt{1-x}\times\sqrt{1+x}}+\dfrac{\sqrt{1-x}\times\sqrt{1-x}}{\sqrt{1+x}\times\sqrt{1-x}}$
$$=\frac{1+x+1-x}{\sqrt{1-x^2}}$$
$$=\frac{2}{\sqrt{1-x^2}}$$
$$=\frac{2}{\sqrt{\frac{2}{3}}}=\sqrt{6}$$

8 $\dfrac{1}{f(x)}=\dfrac{1}{\sqrt{x+1}+\sqrt{x}}\times\dfrac{\sqrt{x+1}-\sqrt{x}}{\sqrt{x+1}-\sqrt{x}}$
$$=\sqrt{x+1}-\sqrt{x}$$
$\therefore$ (주어진 식)
$$=(\sqrt{2}-\sqrt{1})+(\sqrt{3}-\sqrt{2})+(\sqrt{4}-\sqrt{3})+\cdots$$
$$+(\sqrt{64}-\sqrt{63})$$
$$=\sqrt{64}-\sqrt{1}=7$$

> **TIP** $\dfrac{1}{f(x)}$의 분모를 유리화한 후 x에 1, 2, 3, $\cdots$, 63의 값을 각각 대입
> 한다.

9 (1) (주어진 식)
$$=2\sqrt{3}(5\sqrt{3}-6\sqrt{3}+4\sqrt{3})-2\sqrt{2}(4\sqrt{2}-6\sqrt{2}+5\sqrt{2})$$
$$=2\sqrt{3}\times3\sqrt{3}-2\sqrt{2}\times3\sqrt{2}$$
$$=18-12=6$$
(2) (주어진 식)
$$=10\sqrt{3}-6\left(\frac{5\sqrt{3}}{3}-2\sqrt{2}\right)+3\sqrt{2}$$
$$=10\sqrt{3}-10\sqrt{3}+12\sqrt{2}+3\sqrt{2}$$
$$=15\sqrt{2}$$
(3) (주어진 식)
$$=\sqrt{3}(\sqrt{6}-\sqrt{3})+(1+\sqrt{2})-\frac{\sqrt{2}}{6}$$
$$=3\sqrt{2}-3+1+\sqrt{2}-\frac{\sqrt{2}}{6}$$
$$=\frac{23\sqrt{2}}{6}-2$$

10 $B=\sqrt{3}(\sqrt{12}-1)=\sqrt{3}(2\sqrt{3}-1)=6-\sqrt{3}$

$C=\sqrt{18}+\sqrt{24}=3\sqrt{2}+2\sqrt{6}$이므로

$A+3B-\sqrt{2}C$

$=1-2\sqrt{3}+3(6-\sqrt{3})-\sqrt{2}(3\sqrt{2}+2\sqrt{6})$

$=1-2\sqrt{3}+18-3\sqrt{3}-6-4\sqrt{3}$

$=13-9\sqrt{3}$

11 $x \circ y=\sqrt{3}(2-\sqrt{3})-\sqrt{3}+2-\sqrt{3}$

$\qquad\quad =2\sqrt{3}-3-\sqrt{3}+2-\sqrt{3}$

$\qquad\quad =-1$

$\therefore (x \circ y) * y=(-1)*(2-\sqrt{3})$

$\qquad\qquad\qquad =\dfrac{2\times(-1)+2-\sqrt{3}}{-1\times(2-\sqrt{3})}$

$\qquad\qquad\qquad =\dfrac{-\sqrt{3}}{-2+\sqrt{3}}\times\dfrac{-2-\sqrt{3}}{-2-\sqrt{3}}$

$\qquad\qquad\qquad =\dfrac{2\sqrt{3}+3}{4-3}$

$\qquad\qquad\qquad =2\sqrt{3}+3$

12 $\sqrt{5}=a-\sqrt{7}$의 양변을 제곱하여 정리하면

$5=a^2-2\sqrt{7}a+7 \qquad \therefore a^2-2\sqrt{7}a+2=0$

따라서 $a^2+2=2\sqrt{7}a$이므로

$\sqrt{7}=\dfrac{a^2+2}{2a}$

13 (1) (주어진 식)$=16+24\sqrt{2}+18=34+24\sqrt{2}$

(2) (주어진 식)$=3-4\sqrt{6}+8=11-4\sqrt{6}$

(3) (주어진 식)$=24-25=-1$

(4) (주어진 식)$=2-\sqrt{2}+\sqrt{2}-1=1$

14 $(1-\sqrt{2})^8(1+\sqrt{2})^{10}$

$=\{(1-\sqrt{2})(1+\sqrt{2})\}^8\times(1+\sqrt{2})^2$

$=(1-2)^8\times(1+\sqrt{2})^2$

$=1\times(1+2\sqrt{2}+2)$

$=3+2\sqrt{2}$

15 $(1-\sqrt{3}+\sqrt{2})^2(1+\sqrt{3}-\sqrt{2})^2$

$=\{(1-\sqrt{3}+\sqrt{2})(1+\sqrt{3}-\sqrt{2})\}^2$

$=[\{1-(\sqrt{3}-\sqrt{2})\}\{1+(\sqrt{3}-\sqrt{2})\}]^2$

$=\{1^2-(\sqrt{3}-\sqrt{2})^2\}^2$

$=(-4+2\sqrt{6})^2$

$=16-16\sqrt{6}+24$

$=40-16\sqrt{6}$

이므로 $a=40$, $b=-16$

$\therefore a+b=40-16=24$

16 $x^2-3x-1=(\sqrt{3}+1)^2-3(\sqrt{3}+1)-1$

$\qquad\qquad\quad =4+2\sqrt{3}-3\sqrt{3}-3-1$

$\qquad\qquad\quad =-\sqrt{3}$

다른 풀이

$x-1=\sqrt{3}$의 양변을 제곱하면

$(x-1)^2=(\sqrt{3})^2$, $x^2-2x+1=3$

$x^2-2x-2=0$

$\therefore x^2-3x-1=(x^2-2x-2)-x+1$

$\qquad\qquad\quad =-x+1$

$\qquad\qquad\quad =-(\sqrt{3}+1)+1=-\sqrt{3}$

17 $2<\sqrt{5}<3$에서 $\sqrt{5}$의 정수 부분은 2이므로 $x=\sqrt{5}-2$

x^2+4x에 대입하면

$x^2+4x=(\sqrt{5}-2)^2+4(\sqrt{5}-2)$

$\qquad\quad =9-4\sqrt{5}+4\sqrt{5}-8=1$

$\therefore (x^2+4x-3)(x^2+4x-5)=(1-3)\times(1-5)=8$

다른 풀이

$x=\sqrt{5}-2$이므로 $x+2=\sqrt{5}$의 양변을 제곱하면

$(x+2)^2=(\sqrt{5})^2$, $x^2+4x+4=5$, $x^2+4x=1$

$\therefore (x^2+4x-3)(x^2+4x-5)=(1-3)\times(1-5)=8$

18 $(2+x\sqrt{2})(3-\sqrt{2})=6-2x+(3x-2)\sqrt{2}$

가 유리수이므로 $3x-2=0 \qquad \therefore x=\dfrac{2}{3}$

19 $\dfrac{a+\sqrt{2}}{3\sqrt{2}+1}=\dfrac{a+\sqrt{2}}{3\sqrt{2}+1}\times\dfrac{3\sqrt{2}-1}{3\sqrt{2}-1}$

$\qquad\qquad\quad =\dfrac{6-a+(3a-1)\sqrt{2}}{17}$

가 유리수이므로 $3a-1=0 \qquad \therefore a=\dfrac{1}{3}$

20 $\dfrac{2\sqrt{2}+a-5}{a\sqrt{2}-3}=\dfrac{2\sqrt{2}+a-5}{a\sqrt{2}-3}\times\dfrac{a\sqrt{2}+3}{a\sqrt{2}+3}$

$\qquad\qquad\qquad =\dfrac{7a-15+(a^2-5a+6)\sqrt{2}}{2a^2-9}$

가 유리수이므로 $a^2-5a+6=0$에서

$(a-2)(a-3)=0 \qquad \therefore a=2$ 또는 $a=3$

따라서 a의 값의 합은 $2+3=5$

21 $(3-\sqrt{3})(2a-b\sqrt{3})=4$를 전개하여 정리하면

$(6a+3b)-(2a+3b)\sqrt{3}=4$

$\therefore 6a+3b=4,\ 2a+3b=0$

두 식을 연립해서 풀면

$a=1,\ b=-\dfrac{2}{3}$

22 $1<\sqrt{3}<2$이므로

$a=\sqrt{3}-1,\ b=\dfrac{1}{a}=\dfrac{1}{\sqrt{3}-1}=\dfrac{\sqrt{3}+1}{2}$

$a,\ b$의 값을 주어진 식에 대입하면

$(\sqrt{3}-2)x+(\sqrt{3}+7)y+1=0$

$(-2x+7y+1)+(x+y)\sqrt{3}=0$

$\therefore -2x+7y+1=0,\ x+y=0$

두 식을 연립해서 풀면

$x=\dfrac{1}{9},\ y=-\dfrac{1}{9}$

23 $x\,\text{◎}\,2y=\sqrt{2}x-2y$이므로

$(\sqrt{2}x-2y)\,\text{◎}\,y+1=\sqrt{2}x-2y$

$\sqrt{2}(\sqrt{2}x-2y)-y+1=\sqrt{2}x-2y$

$2x-2\sqrt{2}y-y+1=\sqrt{2}x-2y$

$(2x+y+1)-(x+2y)\sqrt{2}=0$

$\therefore 2x+y+1=0,\ x+2y=0$

두 식을 연립해서 풀면

$x=-\dfrac{2}{3},\ y=\dfrac{1}{3}$

24 ① $\sqrt{0.5}=\sqrt{\dfrac{1}{2}}=\dfrac{1}{\sqrt{2}}=\dfrac{\sqrt{2}}{2}=\dfrac{1.414}{2}$

② $\sqrt{0.02}=\sqrt{\dfrac{2}{100}}=\dfrac{\sqrt{2}}{10}=\dfrac{1.414}{10}$

③ $\sqrt{12}=2\sqrt{3}$

④ $\sqrt{32}=4\sqrt{2}=4\times1.414$

⑤ $\sqrt{200}=10\sqrt{2}=10\times1.414$

따라서 그 값을 구할 수 없는 것은 ③이다.

25 (1) $\sqrt{7000}=10\sqrt{70}=10\times8.367=83.67$

(2) $\sqrt{0.7}=\sqrt{\dfrac{7}{10}}=\sqrt{\dfrac{70}{100}}=\dfrac{\sqrt{70}}{10}=\dfrac{8.367}{10}=0.8367$

(3) $\sqrt{2800}=20\sqrt{7}=20\times2.646=52.92$

26 ① $\sqrt{196}=\sqrt{1.96\times100}=\sqrt{1.4^2\times10^2}=1.4\times10=14$

② $\sqrt{19.6}=\sqrt{1.96\times10}=\sqrt{1.4^2\times10}=1.4\sqrt{10}$

③ $\sqrt{0.0196}=\sqrt{\dfrac{1.96}{100}}=\sqrt{\dfrac{1.4^2}{10^2}}=\dfrac{1.4}{10}=0.14$

④ $\sqrt{14}=\sqrt{1.4\times10}$

⑤ $\sqrt{140}=\sqrt{1.4\times10^2}=10\sqrt{1.4}$

따라서 그 값을 구할 수 있는 것은 ①, ③이다.

27 (주어진 식)$=\dfrac{\sqrt{3^{26}+3^{16}}}{\sqrt{3^{18}+3^{28}}}$

$=\dfrac{\sqrt{3^{16}\times(3^{10}+1)}}{\sqrt{3^{18}\times(1+3^{10})}}$

$=\sqrt{\dfrac{1}{3^2}}=\dfrac{1}{3}$

28 $13=x$라 하면

(주어진 식)$=\sqrt{x(x+1)(x+2)(x+3)+1}$

$=\sqrt{(x^2+3x)(x^2+3x+2)+1}$

$x^2+3x=t$라 하면

(주어진 식)$=\sqrt{t(t+2)+1}$

$=\sqrt{(t+1)^2}$

$=t+1\ (\because t>0)$

$=x^2+3x+1$

$=13^2+3\times13+1$

$=209$

TIP $a^2+2ab+b^2=(a+b)^2$이다.

29 $\sqrt{2248}=2\sqrt{562}$

$=2\sqrt{5.62\times100}$

$=20\sqrt{5.62}=20\times2.371=47.42$

2 STEP 실력 높이기

1 $\sqrt{2}+\sqrt{3}$	**2** 1	**3** $2\sqrt{13}-1$	**4** 2	**5** -6	**6** 2
7 6	**8** $\dfrac{\sqrt{2}-1}{2}$	**9** 155	**10** $\dfrac{3}{2}$	**11** 13	**12** $0, -1, \pm\sqrt{2}$
13 $4+3\sqrt{2}$	**14** -32	**15** $0<x\leq\sqrt{2}$ 또는 $x=-\sqrt{2}$		**16** 6	**17** $\sqrt{3}+\sqrt{2}$
18 ③	**19** 87300				

문제 풀이

1
$$x^2-y^2=(x+y)(x-y)$$
$$=\frac{(1+\sqrt{2}+\sqrt{3})+(1-\sqrt{2}-\sqrt{3})}{2}$$
$$\times\frac{(1+\sqrt{2}+\sqrt{3})-(1-\sqrt{2}-\sqrt{3})}{2}$$
$$=1\times(\sqrt{2}+\sqrt{3})$$
$$=\sqrt{2}+\sqrt{3}$$

2
$$(주어진\ 식)=\sqrt{2}-\cfrac{1}{\sqrt{2}-\cfrac{1}{\sqrt{2}-(\sqrt{2}+1)}}$$
$$=\sqrt{2}-\frac{1}{\sqrt{2}+1}$$
$$=\sqrt{2}-(\sqrt{2}-1)=1$$

3 서술형

표현 단계
$$\frac{1}{f(x)}=\frac{1}{\sqrt{x+2}+\sqrt{x+1}}$$
$$=\frac{1}{\sqrt{x+2}+\sqrt{x+1}}\times\frac{\sqrt{x+2}-\sqrt{x+1}}{\sqrt{x+2}-\sqrt{x+1}}$$
$$=\frac{\sqrt{x+2}-\sqrt{x+1}}{(\sqrt{x+2})^2-(\sqrt{x+1})^2}$$
$$=\frac{\sqrt{x+2}-\sqrt{x+1}}{x+2-(x+1)}$$
$$=\sqrt{x+2}-\sqrt{x+1}$$

변형 단계
$$\therefore \frac{1}{f(0)}+\frac{1}{f(1)}+\frac{1}{f(2)}+\cdots+\frac{1}{f(50)}$$
$$=(\sqrt{2}-1)+(\sqrt{3}-\sqrt{2})+(\sqrt{4}-\sqrt{3})+\cdots$$
$$+(\sqrt{52}-\sqrt{51})$$

풀이 단계
$$=\sqrt{52}-1$$
$$=2\sqrt{13}-1$$

4
$$\frac{1}{\sqrt{n}+\sqrt{n+1}}=\frac{\sqrt{n+1}-\sqrt{n}}{(\sqrt{n+1}+\sqrt{n})(\sqrt{n+1}-\sqrt{n})}$$
$$=\sqrt{n+1}-\sqrt{n}$$
$$\therefore (주어진\ 식)=(\sqrt{2}-1)+(\sqrt{3}-\sqrt{2})+(\sqrt{4}-\sqrt{3})$$
$$+\cdots+(\sqrt{50}-\sqrt{49})$$
$$=\sqrt{50}-1$$

$7<\sqrt{50}<8$에서 $6<\sqrt{50}-1<7$이므로
$$a=(\sqrt{50}-1)-6=5\sqrt{2}-7$$
$a+7=5\sqrt{2}$의 양변을 제곱하면
$$a^2+14a+49=50$이므로$$
$$a^2+14a=1$$
$$\therefore a^2+14a+1=1+1=2$$

5 서술형

표현 단계 $\dfrac{5a-4b}{5b-a}=2$에서 $5a-4b=2(5b-a)$
$$5a-4b=10b-2a,\ 7a=14b\qquad\therefore a=2b$$

변형 단계 $a=2b$를 주어진 식에 각각 대입하면
$$\sqrt{\frac{6a+3b}{2a-b}}=\sqrt{\frac{15b}{3b}}=\sqrt{5}$$
$\sqrt{4}<\sqrt{5}<\sqrt{6.25}$에서 $2<\sqrt{5}<2.5$이므로
$\sqrt{5}$에 가장 가까운 정수 $m=2$
$$-\sqrt{\frac{6a+3b}{2a-b}}=-\sqrt{\frac{15b}{3b}}=-\sqrt{5}$$
$2<\sqrt{5}<3$에서 $-3<-\sqrt{5}<-2$이므로
$-\sqrt{5}$를 넘지 않는 최대의 정수 $n=-3$

확인 단계 $\therefore mn=2\times(-3)=-6$

6 전체 식을 t로 놓으면
$$\sqrt{6-\sqrt{6-\sqrt{6-\sqrt{6-\cdots}}}}=t\ (t>0)$$
$$\sqrt{6-t}=t$$
양변을 제곱하여 정리하면
$$t^2+t-6=0,\ (t+3)(t-2)=0$$
$$\therefore t=2\ (\because t>0)$$

7 $4<\sqrt{x^2+y^2}<5$에서 $16<x^2+y^2<25$이므로
$(x,\ y)$는 $(1,\ 4),\ (2,\ 4),\ (3,\ 3),\ (4,\ 1),\ (4,\ 2)$이다.
따라서 $x+y$의 값은 5 또는 6이므로 최댓값은 6이다.

8 $x_1=2\sqrt{2}$에서 $y_1=2\sqrt{2}-2$
$$x_2=\frac{1}{y_1}=\frac{1}{2\sqrt{2}-2}=\frac{2\sqrt{2}+2}{4}=\frac{\sqrt{2}+1}{2}$에서$$
$$y_2=\frac{\sqrt{2}+1}{2}-1=\frac{\sqrt{2}-1}{2}$$

$x_3=\dfrac{1}{y_2}=\dfrac{2}{\sqrt{2}-1}=2(\sqrt{2}+1)$에서

$y_3=2(\sqrt{2}+1)-4=2\sqrt{2}-2,\ \cdots$

따라서 $y_1=y_3=y_5=\cdots=2\sqrt{2}-2,$

$y_2=y_4=y_6=\cdots=\dfrac{\sqrt{2}-1}{2}$이므로

$y_{2020}=\dfrac{\sqrt{2}-1}{2}$

TIP $2<2\sqrt{2}<3$이므로 $2\sqrt{2}$의 소수 부분 y_1은 $2\sqrt{2}-2$이다.

9 $f(n)=(\sqrt{n}$ 이하의 자연수의 개수$)$이므로

(i) $1\leq n<4$일 때, $f(n)=1$

　$f(1)=f(2)=f(3)=1$

(ii) $4\leq n<9$일 때, $f(n)=2$

　$f(4)=f(5)=\cdots=f(8)=2$

(iii) $9\leq n<16$일 때, $f(n)=3$

　$f(9)=f(10)=\cdots=f(15)=3$

(iv) $16\leq n<25$일 때, $f(n)=4$

　$f(16)=f(17)=\cdots=f(24)=4$

(v) $25\leq n<36$일 때, $f(n)=5$

　$f(25)=f(26)=\cdots=f(35)=5$

(vi) $36\leq n\leq40$일 때, $f(n)=6$

　$f(36)=f(37)=\cdots=f(40)=6$

∴ $f(1)+f(2)+\cdots+f(40)$

　$=1\times3+2\times5+3\times7+4\times9+5\times11+6\times5$

　$=155$

10 $4^x\times4^y=(4+2\sqrt{2})(4-2\sqrt{2})$

　　　　$=16-8=8$

$4^x\times4^y=4^{x+y}=8$에서

$4^{x+y}=(2^2)^{x+y}=2^{2x+2y}$이고 $8=2^3$이므로

$2^{2x+2y}=2^3$

따라서 $2x+2y=3$이므로 $x+y=\dfrac{3}{2}$

11 서술형

표현 단계　$x,\ y$의 분모를 각각 유리화하면

$x=\dfrac{\sqrt{6}+\sqrt{2}}{\sqrt{6}-\sqrt{2}}\times\dfrac{\sqrt{6}+\sqrt{2}}{\sqrt{6}+\sqrt{2}}=\dfrac{(\sqrt{6}+\sqrt{2})^2}{6-2}$

　$=\dfrac{8+4\sqrt{3}}{4}=2+\sqrt{3}$

$y=\dfrac{\sqrt{6}-\sqrt{2}}{\sqrt{6}+\sqrt{2}}\times\dfrac{\sqrt{6}-\sqrt{2}}{\sqrt{6}-\sqrt{2}}=\dfrac{(\sqrt{6}-\sqrt{2})^2}{6-2}$

　$=\dfrac{8-4\sqrt{3}}{4}=2-\sqrt{3}$

변형 단계　∴ x^2-xy+y^2

　　　　$=x^2+y^2-xy$

　　　　$=(x+y)^2-3xy$

풀이 단계　$=(2+\sqrt{3}+2-\sqrt{3})^2-3(2+\sqrt{3})(2-\sqrt{3})$

　　　　$=16-3=13$

12 $\sqrt{a}$가 실수가 될 조건은 $a\geq0$이므로 주어진 식의 값이 실수가 되려면 $-x^2(x+1)^2|2-x^2|\geq0$에서

$x^2(x+1)^2|2-x^2|\leq0$

완전제곱식과 절댓값은 음수가 될 수 없으므로

$x^2(x+1)^2|2-x^2|=0$

즉, $x^2=0$ 또는 $(x+1)^2=0$ 또는 $|2-x^2|=0$이므로

$x=0$ 또는 $x=-1$ 또는 $x=\pm\sqrt{2}$

따라서 실수 x의 값을 모두 구하면 $0,\ -1,\ \pm\sqrt{2}$이다.

13 $1<\sqrt{2}<2$에서 $2<\sqrt{2}+1<3$이므로 $[x]=2$

∴ (주어진 식)$=\dfrac{2}{(\sqrt{2}+1)-2}+\dfrac{2(\sqrt{2}+1)+2}{2}$

　$=\dfrac{2}{\sqrt{2}-1}+\sqrt{2}+2$

　$=2(\sqrt{2}+1)+\sqrt{2}+2$

　$=4+3\sqrt{2}$

14 $(\sqrt{5}-\sqrt{7})^3=m,\ (\sqrt{5}+\sqrt{7})^3=n$이라 하면

(주어진 식)$=(m+n)^2-(m-n)^2$

　$=(m^2+2mn+n^2)-(m^2-2mn+n^2)$

　$=4mn$

　$=4(\sqrt{5}-\sqrt{7})^3(\sqrt{5}+\sqrt{7})^3$

　$=4\{(\sqrt{5}-\sqrt{7})(\sqrt{5}+\sqrt{7})\}^3$

　$=4\times(-2)^3=-32$

15 $2-x^2\geq0$이므로 $-\sqrt{2}\leq x\leq\sqrt{2}$ (단, $x\neq0$)

(i) $0<x\leq\sqrt{2}$일 때,

$\sqrt{2-x^2}=\sqrt{x^2\left(\dfrac{2}{x^2}-1\right)}=\sqrt{2-x^2}$

이므로 항상 성립한다.

∴ $0<x\leq\sqrt{2}$

(ii) $-\sqrt{2}\leq x<0$일 때,

$\sqrt{2-x^2}=-\sqrt{x^2\left(\dfrac{2}{x^2}-1\right)}=-\sqrt{2-x^2}$이므로

$2\sqrt{2-x^2}=0,\ x^2=2$

∴ $x=-\sqrt{2}\ (\because -\sqrt{2}\leq x<0)$

(i), (ii)에서 $0<x\leq\sqrt{2}$ 또는 $x=-\sqrt{2}$

16 $(2+3\sqrt{2})(x-2\sqrt{2})=(2x-12)+(3x-4)\sqrt{2}$

가 유리수이므로

$3x-4=0$ $\quad \therefore x=\dfrac{4}{3}$

$\therefore a=1$, $b=\dfrac{1}{3}$

따라서 $m+n\sqrt{\dfrac{1}{3}}=m+\dfrac{n\sqrt{3}}{3}=3+\sqrt{3}$이므로

$m=3$, $n=3$ $\quad \therefore m+n=3+3=6$

> **TIP** $(a+b)(c+d)=ac+ad+bc+bd$

17 $x+y=\sqrt{6}$, $x-y=\sqrt{2}$, $xy=1$이므로

$$\dfrac{\sqrt{x}+\sqrt{y}}{\sqrt{x}-\sqrt{y}}=\dfrac{\sqrt{x}+\sqrt{y}}{\sqrt{x}-\sqrt{y}}\times\dfrac{\sqrt{x}+\sqrt{y}}{\sqrt{x}+\sqrt{y}}$$
$$=\dfrac{x+y+2\sqrt{xy}}{x-y}$$
$$=\dfrac{\sqrt{6}+2\times1}{\sqrt{2}}$$
$$=\sqrt{3}+\sqrt{2}$$

18 ① $\sqrt{3610}=\sqrt{361\times10}=\sqrt{19^2\times10}=19\sqrt{10}$

: 알 수 없다.

② $\sqrt{36.1}=\sqrt{\dfrac{361}{10}}=\sqrt{\dfrac{19^2}{10}}=\dfrac{19}{\sqrt{10}}$

: 알 수 없다.

③ $\sqrt{3.61}=\sqrt{\dfrac{361}{100}}=\sqrt{\dfrac{19^2}{10^2}}=\dfrac{19}{10}=1.9$

④ $\sqrt{19}$: 알 수 없다.

⑤ $\sqrt{190}=\sqrt{19\times10}$: 알 수 없다.

19 서술형

표현 단계 $(295.5)^2=(2.955\times100)^2$

$=(2.955)^2\times10000$

변형 단계 $=(\sqrt{8.73})^2\times10000$

풀이 단계 $=8.73\times10000$

$=87300$

3^{STEP} 최고 실력 완성하기

1 3   **2** 2   **3** ㄹ, ㅁ   **4** -10 **5** 4   **6** $9\sqrt{6}-18$

7 $5\sqrt{3}$ **8** 60   **9** $x=\dfrac{3+\sqrt{11}}{2}$, $y=\dfrac{-3+\sqrt{11}}{2}$

문제 풀이

1 $x=\sqrt{3+\sqrt{3+\sqrt{3+\cdots}}}$ 에서 양변을 제곱하면

$x^2=3+\sqrt{3+\sqrt{3+\cdots}}$ 이므로

$x^2=3+x$ $\quad \therefore x^2-x=3$

2 $x^2+y^2=1$이므로

$1+xy=x^2+xy+y^2$

$=\left(x^2+xy+\dfrac{1}{4}y^2\right)+\dfrac{3}{4}y^2$

$=\left(x+\dfrac{1}{2}y\right)^2+\dfrac{3}{4}y^2\geq0$

$\therefore \sqrt{(1+xy)^2}=1+xy$

$1-xy=x^2-xy+y^2$

$=\left(x^2-xy+\dfrac{1}{4}y^2\right)+\dfrac{3}{4}y^2$

$=\left(x-\dfrac{1}{2}y\right)^2+\dfrac{3}{4}y^2\geq0$

$\therefore \sqrt{(1-xy)^2}=1-xy$

$\therefore$ (주어진 식)$=(1+xy)+(1-xy)=2$

3 무리수가 되지 않는 예를 찾는다.

ㄱ. $a=2$, $b=-\sqrt{2}$일 때, $\sqrt{a}+b=0$이므로 유리수이다.

ㄴ. $a=2$, $b=\sqrt{2}$일 때, $b-\sqrt{a}=0$이므로 유리수이다.

ㄷ. $a=-2$, $b=\sqrt{2}$일 때, $a+b^2=0$이므로 유리수이다.

ㄹ, ㅁ. 항상 무리수이다.

ㅂ. $a=0$일 때, $\dfrac{a}{b}=0$이므로 유리수이다.

ㅅ. $a=0$일 때, $a\sqrt{b}=0$이므로 유리수이다.

ㅇ. $a=0$일 때, $b\sqrt{a}=0$이므로 유리수이다.

따라서 항상 무리수인 것은 ㄹ, ㅁ이다.

4 $a<0$, $b<0$이므로

$a\sqrt{\dfrac{b}{a}}=-\sqrt{a^2\times\dfrac{b}{a}}=-\sqrt{ab}$

$b\sqrt{\dfrac{a}{b}}=-\sqrt{b^2\times\dfrac{a}{b}}=-\sqrt{ab}$

$\therefore$ (주어진 식)$=-2\sqrt{ab}=-10$

5 $\sqrt{2}$의 값은 1.414이므로

$\dfrac{\sqrt{2}}{\sqrt{2}+1}=\dfrac{\sqrt{2}}{\sqrt{2}+1}\times\dfrac{\sqrt{2}-1}{\sqrt{2}-1}$

$\qquad=2-\sqrt{2}=2-1.414=0.586$

$\therefore \left\langle\dfrac{\sqrt{2}}{\sqrt{2}+1}\right\rangle=1$

$\dfrac{\sqrt{2}}{\sqrt{2}-1}=\dfrac{\sqrt{2}}{\sqrt{2}-1}\times\dfrac{\sqrt{2}+1}{\sqrt{2}+1}$

$\qquad=2+\sqrt{2}=2+1.414=3.414$

$\therefore \left\langle\dfrac{\sqrt{2}}{\sqrt{2}-1}\right\rangle=3$

$\therefore$ (주어진 식)$=1+3=4$

6 $2<\sqrt{6}<3$이므로 $x_1=\sqrt{6}-2$

$\therefore x_2=\dfrac{1}{\sqrt{6}-2}-\left[\dfrac{1}{\sqrt{6}-2}\right]$

$\qquad=\dfrac{\sqrt{6}+2}{2}-\left[\dfrac{\sqrt{6}+2}{2}\right]$

$\qquad=\dfrac{\sqrt{6}+2}{2}-2=\dfrac{\sqrt{6}-2}{2}$

같은 방법으로

$x_3=\dfrac{2}{\sqrt{6}-2}-\left[\dfrac{2}{\sqrt{6}-2}\right]$

$\quad=\sqrt{6}+2-[\sqrt{6}+2]$

$\quad=\sqrt{6}+2-4=\sqrt{6}-2$

즉, $x_1=x_3=x_5=\cdots=x_{11}=\sqrt{6}-2$

$x_2=x_4=x_6=\cdots=x_{12}=\dfrac{\sqrt{6}-2}{2}$

$\therefore$ (주어진 식)

$\quad=(x_1+x_3+\cdots+x_{11})+(x_2+x_4+\cdots+x_{12})$

$\quad=6(\sqrt{6}-2)+6\times\dfrac{\sqrt{6}-2}{2}$

$\quad=9\sqrt{6}-18$

TIP $[\sqrt{6}]=\sqrt{6}$을 넘지 않는 최대 정수이므로
$\sqrt{6}-[\sqrt{6}]=\sqrt{6}-(\sqrt{6}$의 정수 부분$)$
$\qquad\qquad=(\sqrt{6}$의 소수 부분$)$

7 $x=\sqrt{3}-1$에서 $x+1=\sqrt{3}$이므로 양변을 제곱하면

$(x+1)^2=3$, $x^2+2x-2=0$

$\therefore x^2+2x=2$

$\therefore$ (주어진 식)$=x(x^2+2x)+3x+5$

$\qquad\qquad=5x+5$

$\qquad\qquad=5(\sqrt{3}-1)+5=5\sqrt{3}$

8 $1.5^2=2.25$, 즉 $\sqrt{2.25}=1.5$이므로

$n<2.25$인 자연수 n에 대하여 $f(n)=1$이다.

$\therefore f(1)=f(2)=1$

$2.5^2=6.25$, 즉 $\sqrt{6.25}=2.5$이므로

$2.25\leq n<6.25$인 자연수 n에 대하여 $f(n)=2$이다.

$\therefore f(3)=f(4)=f(5)=f(6)=2$

$3.5^2=12.25$에서 $6.25\leq n<12.25$인 자연수 n에 대하여

$f(n)=3$이고, $4.5^2=20.25$에서

$12.25\leq n<20.25$인 자연수 n에 대하여 $f(n)=4$이다.

$\therefore f(7)=f(8)=\cdots=f(12)=3$

$\quad f(13)=f(14)=\cdots=f(20)=4$

$\therefore f(1)+f(2)+\cdots+f(20)$

$\quad=1\times2+2\times4+3\times6+4\times8=60$

9 $x=n+y$ (n은 음이 아닌 정수, $0\leq y<1$)로 놓으면

$0\leq y^2<1$이므로 $x^2+y^2=10$에서

$0\leq 10-x^2<1$, $9<x^2\leq 10$

$9<(n+y)^2\leq 10$

$\therefore 3<n+y\leq\sqrt{10}$

따라서 $n=3$일 때만 성립하므로

$x=3+y$ ······ ㉠

$x^2+y^2=10$에 ㉠을 대입하면

$(3+y)^2+y^2=10$, $2y^2+6y-1=0$

$\therefore y=\dfrac{-3+\sqrt{11}}{2}$ $(\because 0\leq y<1)$

$\therefore x=3+\dfrac{-3+\sqrt{11}}{2}=\dfrac{3+\sqrt{11}}{2}$

1 ①. ⑤	**2** 4자리	**3** 1	**4** ⑤	**5** $4-\sqrt{2}$	**6** $-a+6$
7 $\dfrac{2}{a}$	**8** $7-2a$	**9** 14	**10** ⑤	**11** $2\sqrt{3}+\sqrt{2}<3\sqrt{6}-2$	
12 $a>c>b$	**13** ④	**14** 4, 11, 16, 19	**15** 6	**16** 22	**17** -3
18 $\dfrac{5\sqrt{5}+6}{2}$	**19** 0	**20** 30	**21** ⑤	**22** 4	**23** 17.89
24 6	**25** $a=3,\ b=-1$	**26** ④	**27** 3	**28** 14	**29** $2x$
30 $5\sqrt{5}+\sqrt{3}$					

문제 풀이

1　① $\sqrt{4}=2$이므로 제곱근은 $\pm\sqrt{2}$이다.

② $\sqrt{4}=2$이므로 $\sqrt{2}$는 $\sqrt{4}$의 제곱근이다.

③ $2-\sqrt{3}>0$이므로 제곱근은 2개이다.

④ $\sqrt{81}=\sqrt{9}=3$이므로 제곱근은 $\pm\sqrt{3}$이다.

⑤ 0의 제곱근은 1개, 음의 정수의 제곱근은 실수의 범위에서는 없다.

따라서 옳지 않은 것은 ①, ⑤이다.

2　$10^7\leq x<10^8$이므로 $1000\sqrt{10}\leq\sqrt{x}<10000$

따라서 $\sqrt{x}$의 정수 부분의 자릿수는 4자리이다.

3　$4<\sqrt{19}<5$에서 $a=\sqrt{19}-4$이므로 $1-a=5-\sqrt{19}>0$

$\therefore a+\sqrt{(1-a)^2}=(\sqrt{19}-4)+(5-\sqrt{19})=1$

4

$a>1$	$0<a<1$	$-1<a<0$	$a<-1$
$a>\sqrt{a}$	$a<\sqrt{a}$		
$a>\dfrac{1}{a}$	$a<\dfrac{1}{a}$	$a>\dfrac{1}{a}$	$a<\dfrac{1}{a}$
$a<a^2<a^3<\cdots$	$a>a^2>a^3>\cdots$	$a<a^3<a^5<\cdots$	$a>a^3>a^5>\cdots$

따라서 옳지 않은 것은 ⑤이다.

5　$10-\sqrt{2}>0$, $\sqrt{8}-3<0$이므로

(주어진 식)$=(10-\sqrt{2})-(3-\sqrt{8})+\dfrac{(1+\sqrt{2})^2}{(1-\sqrt{2})(1+\sqrt{2})}$

$\qquad\quad=10-\sqrt{2}-3+2\sqrt{2}-3-2\sqrt{2}=4-\sqrt{2}$

6　$-2<a<2$이므로 $a-2<0$, $2+a>0$, $2-a>0$

즉, $\sqrt{(a-2)^2}=-(a-2)$

$\sqrt{(2+a)^2}=2+a$, $\sqrt{(2-a)^2}=2-a$이므로

(주어진 식)$=-(a-2)+(2+a)+(2-a)$

$\qquad\quad=-a+2+2+a+2-a$

$\qquad\quad=-a+6$

TIP $\sqrt{a^2}=\begin{cases} a & (a\geq 0) \\ -a & (a<0) \end{cases}$

7　$0<a<1$이면 $a<\dfrac{1}{a}$이므로 $\sqrt{\left(a-\dfrac{1}{a}\right)^2}=\dfrac{1}{a}-a$

$\therefore$ (주어진 식)$=\left(\dfrac{1}{a}-a\right)+\left(a+\dfrac{1}{a}\right)=\dfrac{2}{a}$

8　$\sqrt{x}=2-a$의 양변을 제곱하면 $x=a^2-4a+4$

$\sqrt{x}=2-a\geq 0$에서 $a\leq 2$

$\therefore$ (주어진 식)$=\sqrt{a^2-6a+9}+\sqrt{a^2-8a+16}$

$\qquad\quad=\sqrt{(a-3)^2}+\sqrt{(a-4)^2}$

$\qquad\quad=(3-a)+(4-a)=7-2a$

9　$\sqrt{144-18n}=\sqrt{18(8-n)}=\sqrt{2\times 3^2(8-n)}$

$\qquad\qquad\quad=3\sqrt{2(8-n)}$

이 정수가 되려면 $0\leq 8-n<8$이고 $2(8-n)$이 0 또는 완전제곱의 형태가 되어야 하므로

$8-n=0,\ 2$　$\therefore n=8,\ 6$

따라서 자연수 n의 값의 합은 $8+6=14$

10　① $a=-2$, $b=0$일 때, $a+b\sqrt{3}=-2$

② $a=b=0$일 때, $a+b\sqrt{3}=0$

③ $a=4$, $b=2$일 때, $a+b\sqrt{3}=4+2\sqrt{3}=4+\sqrt{12}$

④ $a=0$, $b=\dfrac{1}{3}$일 때,

$\quad a+b\sqrt{3}=\dfrac{\sqrt{3}}{3}=\dfrac{1}{\sqrt{3}}=\sqrt{\dfrac{1}{3}}$

⑤ $2-\sqrt{\dfrac{3}{2}}=2-\dfrac{\sqrt{3}}{\sqrt{2}}=2-\dfrac{\sqrt{2}}{2}\times\sqrt{3}$

$\quad -\dfrac{\sqrt{2}}{2}$는 유리수가 아니므로 $2-\sqrt{\dfrac{3}{2}}$은 x의 값이 될 수 없다.

11 $2\sqrt{3}+\sqrt{2}>0$, $3\sqrt{6}-2>0$이므로

두 수의 제곱의 차를 구하여 부호를 조사한다.

$(2\sqrt{3}+\sqrt{2})^2-(3\sqrt{6}-2)^2$

$=(12+4\sqrt{6}+2)-(54-12\sqrt{6}+4)$

$=14+4\sqrt{6}-58+12\sqrt{6}$

$=-44+16\sqrt{6}$

$=-\sqrt{1936}+\sqrt{1536}<0$

$\therefore 2\sqrt{3}+\sqrt{2}<3\sqrt{6}-2$

> **TIP** 두 수가 모두 양수이므로 제곱의 차를 구하여 부호를 조사한다.

12 $a-b=(3\sqrt{2}+1)-(2\sqrt{3}+1)=\sqrt{18}-\sqrt{12}>0$

$\therefore a>b$

$b-c=(2\sqrt{3}+1)-5=2\sqrt{3}-4=\sqrt{12}-\sqrt{16}<0$

$\therefore b<c$

$a-c=(3\sqrt{2}+1)-5=3\sqrt{2}-4=\sqrt{18}-\sqrt{16}>0$

$\therefore a>c$

따라서 $a>c>b$이다.

13 ① $a=1$, $b=\sqrt{2}$일 때, $a^2+b=1+\sqrt{2}$이므로 유리수가
아니다.

② $a=1$, $b=3+\sqrt{2}$일 때, $a^2b^2=11+6\sqrt{2}$이므로 유리수가
아니다.

③ $b=\sqrt{2}-1$일 때, $b^2=3-2\sqrt{2}$이므로 유리수가 아니다.

⑤ $a=0$, $b=\sqrt{2}$일 때, $a\div b=\dfrac{a}{b}=\dfrac{0}{\sqrt{2}}=0$이므로 무리수가
아니다.

14 근호 안의 수가 제곱수이면 근호가 없어지고 자연수
가 된다.

$\sqrt{20-x}$가 자연수이어야 하므로 $20-x>0$

즉, $x<20$인 자연수이다.

20보다 작은 제곱수는 1, 4, 9, 16이므로

$20-x=1$에서 $x=19$, $20-x=4$에서 $x=16$

$20-x=9$에서 $x=11$, $20-x=16$에서 $x=4$

따라서 구하는 자연수 x는 4, 11, 16, 19이다.

15 $\dfrac{y}{x-2}+\dfrac{x}{y-2}$

$=\dfrac{5-\sqrt{3}}{3+\sqrt{3}}+\dfrac{5+\sqrt{3}}{3-\sqrt{3}}$

$=\dfrac{(5-\sqrt{3})(3-\sqrt{3})+(5+\sqrt{3})(3+\sqrt{3})}{(3+\sqrt{3})(3-\sqrt{3})}$

$=\dfrac{18-8\sqrt{3}+18+8\sqrt{3}}{6}=\dfrac{36}{6}=6$

16 $2<\sqrt{2x+3}<7$의 각 변을 제곱하면

$4<2x+3<49$ $\qquad\therefore\dfrac{1}{2}<x<23$

그런데 x는 자연수이므로

$x=1$, 2, $\cdots$, 22의 22개이다.

17 (주어진 식)$=4\sqrt{3}-5-3\sqrt{3}+(2-\sqrt{3})=-3$

18 $4<\sqrt{20}<5$이므로 $a=4$, $b=\sqrt{20}-4=2\sqrt{5}-4$

$\therefore\dfrac{b}{a}+\dfrac{a}{b}=\dfrac{2\sqrt{5}-4}{4}+\dfrac{4}{2\sqrt{5}-4}$

$\qquad\qquad=\dfrac{\sqrt{5}-2}{2}+\dfrac{4(2\sqrt{5}+4)}{(2\sqrt{5}-4)(2\sqrt{5}+4)}$

$\qquad\qquad=\dfrac{\sqrt{5}-2}{2}+2\sqrt{5}+4=\dfrac{5\sqrt{5}+6}{2}$

19 $2\sqrt{3}=\sqrt{12}$이므로

$3<2\sqrt{3}<4$, $-4<-2\sqrt{3}<-3$, $1<5-2\sqrt{3}<2$

에서 $5-2\sqrt{3}$의 소수 부분은

$x=(5-2\sqrt{3})-1=4-2\sqrt{3}$

$x=4-2\sqrt{3}$이므로 $x-4=-2\sqrt{3}$의 양변을 제곱하면

$x^2-8x+16=12$ $\qquad\therefore x^2-8x+4=0$

20 $\sqrt{40\times a}=2\sqrt{10\times a}=b$이므로

$a=10$, 10×2^2, 10×3^2, 10×4^2, $\cdots$

즉, $(a, b)=(10, 20)$, $(40, 40)$, $(90, 60)$, $\cdots$

따라서 $a+b$의 최솟값은 $10+20=30$

> **다른 풀이**

$a=10k^2$(k는 자연수)의 꼴이고 $b=20k$이다.

이때 a, b는 자연수이므로 $k=1$일 때 최솟값을 갖는다.

따라서 $a=10$, $b=20$이므로 $a+b$의 최솟값은

$10+20=30$

21 주어진 식의 각 변을 제곱하면 $4<|x-5|<9$이므로

$4<x-5<9$ 또는 $-9<x-5<-4$

$\therefore 9<x<14$ 또는 $-4<x<1$

그런데 x는 정수이므로

$x=10$, 11, 12, 13, -3, -2, -1, 0

따라서 구하는 x의 값의 합은

$10+11+12+13-3-2-1=40$

22 $1024 = 2^{10} = (2^5)^2$이므로

$\sqrt{1024} = \sqrt{(2^5)^2} = 2^5$

$\sqrt{2\sqrt{4\sqrt{8\sqrt{1024}}}} = \sqrt{2\sqrt{4\sqrt{2^3 \times 2^5}}}$

$\qquad\qquad\quad = \sqrt{2\sqrt{4\sqrt{(2^4)^2}}}$

$\qquad\qquad\quad = \sqrt{2\sqrt{2^2 \times 2^4}}$

$\qquad\qquad\quad = \sqrt{2\sqrt{(2^3)^2}}$

$\qquad\qquad\quad = \sqrt{2 \times 2^3}$

$\qquad\qquad\quad = \sqrt{(2^2)^2}$

$\qquad\qquad\quad = 2^2 = 4$

> **TIP** 근호 안의 수를 2의 거듭제곱으로 나타내어 근호를 차례대로 풀어 낸다.

23 $\sqrt{320} = \sqrt{3.2 \times 10^2} = 10\sqrt{3.2}$

$\qquad\quad = 10 \times 1.789 = 17.89$

24 $(3+2\sqrt{3})(a-4\sqrt{3}) = 3a - 12\sqrt{3} + 2a\sqrt{3} - 24$

$\qquad\qquad\qquad\qquad = (3a-24) + (2a-12)\sqrt{3}$

주어진 식이 유리수가 되려면

$2a - 12 = 0,\ 2a = 12 \qquad \therefore a = 6$

> **TIP** a, b가 유리수일 때, $a+b\sqrt{3}$이 유리수가 되려면 $b=0$이어야 한다.

25 $(a+\sqrt{2}) + (3+b\sqrt{2}) = (a+3) + (b+1)\sqrt{2}$

가 유리수가 되려면

$b + 1 = 0 \qquad \therefore b = -1 \qquad \cdots\cdots ㉠$

$(a+\sqrt{2})(3+b\sqrt{2}) = (3a+2b) + (ab+3)\sqrt{2}$

가 유리수가 되려면

$ab + 3 = 0 \qquad\qquad\qquad \cdots\cdots ㉡$

㉠을 ㉡에 대입하면

$-a + 3 = 0 \qquad \therefore a = 3$

26 $\overline{AD} = \sqrt{1^2 + 2^2} = \sqrt{5}$이고, 점 A에 대응하는 수가 2이므로 점 P에 대응하는 수는 $2 - \sqrt{5}$ 이다.

27 $\sqrt{2a} = a$의 양변을 제곱하면

$2a = a^2 \qquad \therefore a = 2\ (\because a \neq 0)$

$c = a + \dfrac{b}{a+b} = 2 + \dfrac{\sqrt{3}}{2+\sqrt{3}}$

$\qquad\qquad\quad = 2 + \sqrt{3}\,(2-\sqrt{3})$

$\qquad\qquad\quad = -1 + 2\sqrt{3}$

$\therefore a + 2b - c = 2 + 2\sqrt{3} - (-1 + 2\sqrt{3}) = 3$

28 $3 \leq \sqrt{a} < 4$에서 $9 \leq a < 16$이므로

$9 \leq 33 - |x| < 16$

$\therefore 17 < |x| \leq 24$

따라서 $17 < x \leq 24$ 또는 $-24 \leq x < -17$이므로

x는 $\pm 18,\ \pm 19,\ \pm 20,\ \pm 21,\ \pm 22,\ \pm 23,\ \pm 24$의 14개이 다.

29 (i) $x \geq 0$일 때, $\sqrt{x^2} = x$이므로

$\quad$ (주어진 식) $= \sqrt{(x+x)^2} - \sqrt{(x-x)^2}$

$\qquad\qquad\quad = \sqrt{(2x)^2} = 2x$

(ii) $x < 0$일 때, $\sqrt{x^2} = -x$이므로

$\quad$ (주어진 식) $= \sqrt{(x-x)^2} - \sqrt{(x+x)^2}$

$\qquad\qquad\quad = -\sqrt{(2x)^2} = -(-2x) = 2x$

(i), (ii)에서 (주어진 식) $= 2x$

30 $(x+y)^2 = 7\sqrt{5} - \sqrt{3} \qquad \cdots\cdots ㉠$

$(x-y)^2 = 7\sqrt{3} - \sqrt{5} \qquad \cdots\cdots ㉡$

㉠$+$㉡에서 $x^2 + y^2 = 3(\sqrt{5} + \sqrt{3})$

㉠$-$㉡에서 $xy = 2(\sqrt{5} - \sqrt{3})$

$\therefore$ (주어진 식) $= (x^2 + y^2) + xy$

$\qquad\qquad\quad = 3(\sqrt{5} + \sqrt{3}) + 2(\sqrt{5} - \sqrt{3})$

$\qquad\qquad\quad = 5\sqrt{5} + \sqrt{3}$

1 다항식의 곱셈

1 STEP 주제별 실력다지기

41~47쪽

1 (1) $-6a^2+13ab-6b^2$ (2) $x^4-3x^3+7x^2-7x+6$ (3) 2 (4) $9+4\sqrt{2}-2\sqrt{6}-4\sqrt{3}$ (5) $16a^3+12ab^2$ (6) $a^{16}-2a^8b^8+b^{16}$

2 (1) $x^2-x-2+\sqrt{2}$ (2) $-5-4\sqrt{3}$ (3) x^3-2x^2-5x+6 (4) $-13+12\sqrt{2}$ **3** ④

4 (1) $4a$ (2) $x^4+10x^3+35x^2+50x+24$ (3) $x^4+4x^3-17x^2-24x+36$ (4) $8a^2-8ab+2b^2+2$ **5** (1) 20 (2) 40

6 -4 **7** (1) $\sqrt{3}$ (2) $\dfrac{1}{4}$ (3) $\dfrac{5}{2}$ (4) $-\sqrt{6}$ **8** (1) 12 (2) 40 (3) 8 (4) 136

9 (1) 13 (2) 17 (3) 45 (4) 161   **10** (1) 1 (2) 52 (3) 194   **11** 82   **12** -10

13 (1) 7 (2) 18 (3) 5   **14** (1) 6 (2) 14 (3) 8   **15** (1) 3 (2) 0   **16** $-9+8\sqrt{2}$

17 $a=32,\ b=7$ **18** (1) $\dfrac{81}{16}y^2$ (2) 4 (3) $20y,\ -20y$ **19** 1   **20** 6   **21** $-4,\ 4$

22 37   **23** $a=0,\ b=0,\ c=0$

최상위 03
NOTE **다항식의 계수의 총합 구하기**

다항식 ax^2+bx+c(단, a, b, c는 상수)에 대하여 상수항을 포함한 계수의 총합은 $a+b+c$이므로 다항식에 $x=1$을 대입하여 구할 수 있다. 마찬가지로 다항식 $ax^2+bxy+cy^2$(단, a, b, c는 상수)에 대하여 상수항을 포함한 계수의 총합은 $a+b+c$이므로 다항식에 $x=y=1$을 대입하여 구할 수 있다.

따라서 다항식의 모든 미지수에 1을 대입하면 상수항을 포함한 계수의 총합을 구할 수 있다.

예를 들어 다항식 $(x+1)^2(x-2)^2$을 전개하면
$$(x+1)^2(x-2)^2=(x^2+2x+1)(x^2-4x+4)$$
$$=x^4-2x^3-3x^2+4x+4$$
이므로 상수항을 포함한 계수의 총합은 $1-2-3+4+4=4$이다.

하지만 다항식 $(x+1)^2(x-2)^2$을 전개하지 않아도 다항식에 $x=1$을 대입하면 상수항을 포함한 계수의 총합이 $(1+1)^2(1-2)^2=2^2\times(-1)^2=4$임을 알 수 있다.

즉, 다항식을 굳이 전개하지 않아도 미지수에 1을 대입하면 상수항을 포함한 계수의 총합을 구할 수 있다.

1 (1) $(2a-3b)(-3a+2b)$
$\quad = -6a^2+4ab+9ab-6b^2$
$\quad = -6a^2+13ab-6b^2$

(2) $(x^2-x+2)(x^2-2x+3)$
$\quad = x^4-2x^3+3x^2-x^3+2x^2-3x+2x^2-4x+6$
$\quad = x^4-3x^3+7x^2-7x+6$

(3) $\left(1+\dfrac{1}{\sqrt{3}}\right)(3-\sqrt{3})=3-\sqrt{3}+\sqrt{3}-1=2$

(4) $(2+\sqrt{2}-\sqrt{3})^2=4+2+3+2(2\sqrt{2}-\sqrt{6}-2\sqrt{3})$
$\quad\quad\quad\quad\quad\quad = 9+4\sqrt{2}-2\sqrt{6}-4\sqrt{3}$

(5) $(2a-b)^3+(2a+b)^3$
$\quad = (2a)^3-3\times(2a)^2\times b+3\times 2a\times b^2-b^3$
$\quad\quad\quad + (2a)^3+3\times(2a)^2\times b+3\times 2a\times b^2+b^3$
$\quad = 8a^3-12a^2b+6ab^2-b^3+8a^3+12a^2b+6ab^2+b^3$
$\quad = 16a^3+12ab^2$

(6) $(a-b)^2(a+b)^2(a^2+b^2)^2(a^4+b^4)^2$
$\quad = \{(a-b)(a+b)(a^2+b^2)(a^4+b^4)\}^2$
$\quad = \{(a^2-b^2)(a^2+b^2)(a^4+b^4)\}^2$
$\quad = \{(a^4-b^4)(a^4+b^4)\}^2=(a^8-b^8)^2$
$\quad = (a^8)^2-2\times a^8\times b^8+(b^8)^2$
$\quad = a^{16}-2a^8b^8+b^{16}$

> **TIP** $(2+\sqrt{2}-\sqrt{3})^2$에서 $-\sqrt{3}$과 같이 $-$를 포함한 항이 있는 경우 $(2+\sqrt{2}-\sqrt{3})^2=\{2+\sqrt{2}+(-\sqrt{3})\}^2$로 변형하여 공식을 적용하면 된다.

2 (1) $(x-\sqrt{2})(x+\sqrt{2}-1)$
$\quad = x^2+(-\sqrt{2}+\sqrt{2}-1)x-\sqrt{2}(\sqrt{2}-1)$
$\quad = x^2-x-2+\sqrt{2}$

(2) $(2+\sqrt{3})(2-3\sqrt{3})$
$\quad = 2^2+(\sqrt{3}-3\sqrt{3})\times 2+\sqrt{3}\times(-3\sqrt{3})$
$\quad = -5-4\sqrt{3}$

(3) $(x-1)(x+2)(x-3)$
$\quad = x^3+(-1+2-3)x^2+(-2-6+3)x$
$\quad\quad\quad\quad\quad\quad\quad\quad + (-1)\times 2\times(-3)$
$\quad = x^3-2x^2-5x+6$

(4) $(1-\sqrt{2})(1-2\sqrt{2})(1+3\sqrt{2})$
$\quad = 1^3+(-\sqrt{2}-2\sqrt{2}+3\sqrt{2})\times 1^2+(4-12-6)\times 1$
$\quad\quad\quad\quad\quad\quad\quad + (-\sqrt{2})\times(-2\sqrt{2})\times 3\sqrt{2}$
$\quad = -13+12\sqrt{2}$

3 (어두운 부분의 넓이)$=(2+3\sqrt{2}+\sqrt{3})(2+3\sqrt{2}-\sqrt{2})$
$2+3\sqrt{2}$를 x로 생각하면
$(x+\sqrt{3})(x-\sqrt{2})=x^2+(\sqrt{3}-\sqrt{2})x-\sqrt{6}$
따라서 주어진 그림에서 어두운 부분의 넓이를 구할 때 이용되는 전개식은 ④이다.

4 (1) (주어진 식)
$\quad = \{(a+1)-b\}\{(a+1)+b\}$
$\quad\quad\quad\quad + \{b+(a-1)\}\{b-(a-1)\}$
$a+1=X$, $a-1=Y$로 치환하면
$(X-b)(X+b)+(b+Y)(b-Y)$
$\quad = X^2-b^2+b^2-Y^2$
$\quad = X^2-Y^2$
$\quad = (a+1)^2-(a-1)^2$
$\quad = a^2+2a+1-(a^2-2a+1)$
$\quad = 4a$

(2) (주어진 식)$=\{(x+1)(x+4)\}\{(x+2)(x+3)\}$
$\quad\quad\quad\quad\quad = (x^2+5x+4)(x^2+5x+6)$
$x^2+5x=A$로 치환하면
$(A+4)(A+6)$
$\quad = A^2+10A+24$
$\quad = (x^2+5x)^2+10(x^2+5x)+24$
$\quad = (x^4+10x^3+25x^2)+(10x^2+50x)+24$
$\quad = x^4+10x^3+35x^2+50x+24$

(3) (주어진 식)$=\{(x-1)(x+6)\}\{(x+2)(x-3)\}$
$\quad\quad\quad\quad\quad = (x^2+5x-6)(x^2-x-6)$
$x^2-6=A$로 치환하면
$(A+5x)(A-x)$
$\quad = A^2+4xA-5x^2$
$\quad = (x^2-6)^2+4x(x^2-6)-5x^2$
$\quad = (x^4-12x^2+36)+(4x^3-24x)-5x^2$
$\quad = x^4+4x^3-17x^2-24x+36$

(4) $2a-b=X$로 치환하면
(주어진 식)$=(X-1)^2+(X+1)^2$
$\quad\quad\quad\quad\quad = X^2-2X+1+X^2+2X+1$
$\quad\quad\quad\quad\quad = 2X^2+2$
$\quad\quad\quad\quad\quad = 2(2a-b)^2+2$
$\quad\quad\quad\quad\quad = 2(4a^2-4ab+b^2)+2$
$\quad\quad\quad\quad\quad = 8a^2-8ab+2b^2+2$

5 (1) $(x+2)^2(2x-1)(x+1)^2$
$\quad = (x^2+4x+4)(2x-1)(x^2+2x+1)$
$\quad = (x^2+4x+4)(2x^3+3x^2-1)$

따라서 x^3항은 ㉠과 ㉡에서 만들어지므로 x^3항의 계수는 $12+8=20$이다.

(2) $(x+2)^2(2x-1)(x+1)^2$
$\quad = ax^5+bx^4+cx^3+dx^2+ex+f$
라 하고 양변에 $x=1$을 대입하면

$a+b+c+d+e+f=(1+2)^2(2-1)(1+1)^2=36$

상수항은 $2^2\times(-1)\times1=-4$이므로 상수항을 제외한 계수의 총합은

$36-(-4)=40$

6 (i) $(2x-y+z)^3$의 전개식에서 계수의 총합은 x, y, z에 모두 1을 대입하여 계산한 결과와 같으므로 x, y, z에 모두 1을 대입하면

$(2-1+1)^3=8$

$\therefore a=8$

(ii) $(2x-y+z)^3=\underbrace{(2x-y+z)(2x-y+z)(2x-y+z)}$

xyz항의 계수는 ㉠에서 $2\times(-1)\times1=-2$

ⓛ에서 $2\times1\times(-1)=-2$

같은 방법으로 계산하면 -2가 모두 6번이 만들어지므로 xyz항의 계수는

$-2\times6=-12$

$\therefore b=-12$

(i), (ii)에서

$a+b=8+(-12)=-4$

7 (1) $x+y=\dfrac{\sqrt{3}-\sqrt{2}}{2}+\dfrac{\sqrt{3}+\sqrt{2}}{2}$

$=\dfrac{2\sqrt{3}}{2}=\sqrt{3}$

(2) $xy=\dfrac{\sqrt{3}-\sqrt{2}}{2}\times\dfrac{\sqrt{3}+\sqrt{2}}{2}$

$=\dfrac{3-2}{4}=\dfrac{1}{4}$

(3) $x^2+y^2=\left(\dfrac{\sqrt{3}-\sqrt{2}}{2}\right)^2+\left(\dfrac{\sqrt{3}+\sqrt{2}}{2}\right)^2$

$=\dfrac{(\sqrt{3})^2+(\sqrt{2})^2}{2}$

$=\dfrac{5}{2}$

(4) $x^2-y^2=\left(\dfrac{\sqrt{3}-\sqrt{2}}{2}\right)^2-\left(\dfrac{\sqrt{3}+\sqrt{2}}{2}\right)^2$

$=\dfrac{-4\times\sqrt{3}\times\sqrt{2}}{4}$

$=-\sqrt{6}$

8 (1) $a^2+b^2=(a+b)^2-2ab$

$=4^2-2\times2$

$=16-4=12$

(2) $a^3+b^3=(a+b)^3-3ab(a+b)$

$=4^3-3\times2\times4$

$=64-24=40$

(3) $(a-b)^2=(a+b)^2-4ab$

$=4^2-4\times2$

$=16-8=8$

(4) $a^4+b^4=(a^2+b^2)^2-2(ab)^2$

$=12^2-2\times2^2$

$=144-8=136$

9 (1) $a^2+b^2=(a-b)^2+2ab$

$=3^2+2\times2$

$=9+4=13$

(2) $(a+b)^2=(a-b)^2+4ab$

$=3^2+4\times2$

$=9+8=17$

(3) $a^3-b^3=(a-b)^3+3ab(a-b)$

$=3^3+3\times2\times3$

$=27+18=45$

(4) $a^4+b^4=(a^2+b^2)^2-2(ab)^2$

$=13^2-2\times2^2$

$=169-8=161$

10 (1) $x^2+y^2=(x+y)^2-2xy$이므로

$14=16-2xy$, $2xy=2$

$\therefore xy=1$

(2) $x^3+y^3=(x+y)^3-3xy(x+y)=64-12=52$

(3) $x^4+y^4=(x^2)^2+(y^2)^2=(x^2+y^2)^2-2(xy)^2$

$=14^2-2\times1^2$

$=194$

> **TIP** (2) $(x+y)(x^2+y^2)=x^3+y^3+x^2y+xy^2$에서
> $x^3+y^3=(x+y)(x^2+y^2)-xy(x+y)$이므로
> $x^3+y^3=4\times14-1\times4=52$로 계산할 수도 있다.

11 $x^4+y^4=(x^2+y^2)^2-2(xy)^2$

$=10^2-2\times3^2$

$=100-18=82$

12 $(a+b)^2=a^2+b^2+2ab$에서

$4=5+2ab$ $\therefore ab=-\dfrac{1}{2}$

$\therefore \dfrac{b}{a}+\dfrac{a}{b}=\dfrac{a^2+b^2}{ab}=\dfrac{5}{-\dfrac{1}{2}}=5\times\left(-\dfrac{2}{1}\right)=-10$

13 (1) $x^2+\dfrac{1}{x^2}=\left(x+\dfrac{1}{x}\right)^2-2=9-2=7$

(2) $x^3+\dfrac{1}{x^3}=\left(x+\dfrac{1}{x}\right)^3-3\left(x+\dfrac{1}{x}\right)=27-9=18$

(3) $\left(x-\dfrac{1}{x}\right)^2=\left(x+\dfrac{1}{x}\right)^2-4=9-4=5$

14 (1) $x^2+\dfrac{1}{x^2}=\left(x-\dfrac{1}{x}\right)^2+2=4+2=6$

(2) $x^3-\dfrac{1}{x^3}=\left(x-\dfrac{1}{x}\right)^3+3\left(x-\dfrac{1}{x}\right)=8+6=14$

(3) $\left(x+\dfrac{1}{x}\right)^2=\left(x-\dfrac{1}{x}\right)^2+4=4+4=8$

15 (1) $x^2-3x+1=0$에 $x=0$을 대입하면 $1=0$이므로 $x\neq0$이다.

따라서 양변을 x로 나누면

$x-3+\dfrac{1}{x}=0$　　$\therefore x+\dfrac{1}{x}=3$

(2) $x^2-3x+1=0$에서 $x^2=3x-1$

$\therefore x^3-4x^2+4x-1$

$=x\times x^2-4\times x^2+4x-1$

$=x(3x-1)-4(3x-1)+4x-1$

$=3x^2-9x+3$

$=3(3x-1)-9x+3$

$=0$

> **TIP** $x^2=3x-1$을 통하여 $x^n\,(n\geq2)$을 모두 일차식으로 나타낼 수 있다.

16 $x=-1+\sqrt{2}$이므로 $x+1=\sqrt{2}$

양변을 제곱하여 정리하면 $x^2+2x-1=0$

따라서 $x^2=-2x+1$이므로

x^3-2x^2-x+3

$=x(-2x+1)-2(-2x+1)-x+3$

$=-2x^2+4x+1$

$=-2(-2x+1)+4x+1=8x-1$

$=8(-1+\sqrt{2})-1=-9+8\sqrt{2}$

17 $x-\dfrac{1}{x}=5$에서 $x\neq0$이므로 양변에 x를 곱하면

$x^2-1=5x$　　$\therefore x^2=5x+1$

$x^3+x^2+x+1=x\times x^2+x^2+x+1$

$\qquad\qquad\quad=x(5x+1)+(5x+1)+x+1$

$\qquad\qquad\quad=5x^2+7x+2$

$\qquad\qquad\quad=5(5x+1)+7x+2$

$\qquad\qquad\quad=32x+7$

$\therefore a=32,\ b=7$

18 (1) $4x^2-9xy+\square=(2x)^2+2\times2x\times\left(-\dfrac{9}{4}y\right)+\square$

$\therefore \square=\left(-\dfrac{9}{4}y\right)^2=\dfrac{81}{16}y^2$

(2) $\square x^2+4xy+y^2=\square x^2+2\times2x\times y+y^2$

$\square x^2=(2x)^2$

$\square x^2=4x^2$

$\therefore \square=4$

(3) $4x^2+\square x+25y^2=(2x)^2+\square x+(5y)^2$

$\square x=\pm2\times2x\times5y$

$\square x=\pm20xy$

$\therefore \square=\pm20y$

19 (주어진 식)

$=\{(x+1)(x+4)\}\{(x+2)(x+3)\}+m$

$=(x^2+5x+4)(x^2+5x+6)+m$

$x^2+5x=t$로 치환하면

$(t+4)(t+6)+m=t^2+10t+24+m$

완전제곱식이 되려면

$24+m=\left(\dfrac{10}{2}\right)^2=5^2$

$\therefore m=1$

20 $(a+b+c)^2=a^2+b^2+c^2+2(ab+bc+ca)$에서

$16=a^2+b^2+c^2+2\times5$

$\therefore a^2+b^2+c^2=6$

21 $(a+b+c)^2=a^2+b^2+c^2+2(ab+bc+ca)$

$\qquad\qquad\quad=6+2\times5=16$

$\therefore a+b+c=\pm4$

22 $a-b=3,\ b-c=4$를 변끼리 더하면

$a-c=7$

$\therefore a^2+b^2+c^2-ab-bc-ca$

$\quad=\dfrac{1}{2}\{(a-b)^2+(b-c)^2+(c-a)^2\}$

$\quad=\dfrac{1}{2}(9+16+49)$

$\quad=37$

23 $a^2+b^2+c^2+ab+bc+ca$

$\quad=\dfrac{1}{2}\{(a+b)^2+(b+c)^2+(c+a)^2\}=0$

즉, $(a+b)^2+(b+c)^2+(c+a)^2=0$이고 $a+b,\ b+c,$ $c+a$는 실수이므로

$a+b=0,\ b+c=0,\ c+a=0$　　$\cdots\cdots$ ㉠

세 식을 변끼리 더하면

$2(a+b+c)=0$

$\therefore a+b+c=0$　　$\cdots\cdots$ ㉡

㉠을 ㉡에 각각 대입하면

$a=b=c=0$

1 (1) $2^{16}-1$ (2) x^6-y^6	**2** -10	**3** 99	**4** $-12x^2-4x+8$	**5** 90
6 55	**7** 648	**8** $\dfrac{3^{15}-1}{2}$	**9** $4a^6-12a^4b^2+12a^2b^4-4b^6$	**10** $-11x^2+6xy+y^2$
11 100	**12** 54	**13** $2\sqrt{6}$	**14** 22	**15** $-\dfrac{13\sqrt{3}}{6}$	**16** 151
17 8	**18** -2	**19** $4a^2+4b^2+4c^2$	**20** 6	**21** 10	**22** 3
23 8				

문제 풀이

1 (1) 주어진 식에 $(2-1)$을 곱해도 식의 값은 변하지 않으므로

$(2+1)(2^2+1)(2^4+1)(2^8+1)$

$=(2-1)(2+1)(2^2+1)(2^4+1)(2^8+1)$

$=(2^2-1)(2^2+1)(2^4+1)(2^8+1)$

$=(2^4-1)(2^4+1)(2^8+1)$

$=(2^8-1)(2^8+1)$

$=2^{16}-1$

(2) $(x+y)(x-y)(x^2+xy+y^2)(x^2-xy+y^2)$

$=\{(x+y)(x-y)\}\{(x^2+y^2)+xy\}\{(x^2+y^2)-xy\}$

$=(x^2-y^2)(x^4+y^4+2x^2y^2-x^2y^2)$

$=(x^2-y^2)(x^4+y^4+x^2y^2)$

$=x^6+x^2y^4+x^4y^2-x^4y^2-y^6-x^2y^4$

$=x^6-y^6$

다른 풀이

$(x+y)(x-y)(x^2+xy+y^2)(x^2-xy+y^2)$

$=\{(x-y)(x^2+xy+y^2)\}\{(x+y)(x^2-xy+y^2)\}$

$=(x^3-y^3)(x^3+y^3)$

$=(x^3)^2-(y^3)^2$

$=x^6-y^6$

2 $(2x+A)(Bx+5)=2Bx^2+(10+AB)x+5A$
$\qquad\qquad\qquad\quad=4x^2+6x+C$

각 항의 계수를 비교하면

$2B=4$, $10+AB=6$, $5A=C$이므로

$A=-2$, $B=2$, $C=-10$

$\therefore A+B+C=-2+2-10=-10$

3 $(1+2x+3x^2+4x^3)^2=a_1+a_2x+\cdots+a_7x^6$이라 하면 계수의 총합은 양변에 $x=1$을 대입하여 계산한 결과와 같다.

즉, $a_1+a_2+\cdots+a_7=(1+2+3+4)^2=10^2=100$

그런데 주어진 식에서 상수항 $a_1=1$이므로 구하는 값은 $100-1=99$이다.

4 $A=2x^2+(1-2)x-1=2x^2-x-1$

$B=\dfrac{8x^3+2x^2-6x}{-2x}=-4x^2-x+3$

$C=8x^{12}y^6\div 4x^{10}y^6=\dfrac{8x^{12}y^6}{4x^{10}y^6}=2x^2$

$\therefore$ (주어진 식)$=2A-\{C-(2B-A+B)\}$

$\qquad\qquad\quad=2A-(C-2B+A-B)$

$\qquad\qquad\quad=2A-(C-3B+A)$

$\qquad\qquad\quad=2A-C+3B-A$

$\qquad\qquad\quad=A+3B-C$

$\qquad\qquad\quad=(2x^2-x-1)+3(-4x^2-x+3)-2x^2$

$\qquad\qquad\quad=-12x^2-4x+8$

5 $\left(2x^2+3x+4+\dfrac{5}{x}\right)^2$

$\quad=\left(2x^2+3x+4+\dfrac{5}{x}\right)\left(2x^2+3x+4+\dfrac{5}{x}\right)$

이므로 상수항은

$3x\times\dfrac{5}{x}+4\times 4+\dfrac{5}{x}\times 3x=46$

이고 x항은

$2x^2\times\dfrac{5}{x}+3x\times 4+4\times 3x+\dfrac{5}{x}\times 2x^2=44x$

$\therefore a=46$, $b=44$ $\qquad \therefore a+b=90$

6 $(x+a_1)(x+a_2)(x+a_3)\times\cdots\times(x+a_n)$

$=x^n+(a_1+a_2+\cdots+a_n)x^{n-1}$

$\qquad\qquad +(a_1a_2+a_1a_3+\cdots+a_{n-1}a_n)x^{n-2}+\cdots$

$=x^n+(각 상수항의 합)x^{n-1}$

$\qquad\qquad\qquad +(두 상수항의 곱의 합)x^{n-2}$

$\qquad\qquad\qquad +(세 상수항의 곱의 합)x^{n-3}+\cdots$

따라서 다항식의 전개식에서 x^9항은

$(1+2+3+\cdots+10)x^9$이다.

$\therefore A=1+2+3+\cdots+10=55$

7 서술형

변형 단계 (주어진 식)
$$=(1+x+1+2x+x^2+1+3x+3x^2+x^3)^4$$
$$=(3+6x+4x^2+x^3)^4$$

풀이 단계 구하는 일차항은 $4x^2$, x^3을 사용하여 전개된 항과는 관계가 없으므로 $(3+6x)^4$의 전개식에서 일차항을 구하면 된다.
$$(3+6x)^4=\{(3+6x)^2\}^2$$
$$=(9+36x+36x^2)^2$$

같은 방법으로 일차항은 $36x^2$을 사용하여 전개된 항과는 관계가 없으므로 $(9+36x)^2$의 전개식에서 일차항을 구하면 된다.
$$(9+36x)^2=81+648x+1296x^2$$

확인 단계 따라서 x의 계수는 648이다.

8 주어진 식의 양변에 $(3-1)$을 곱하면
$$(3-1)A=(3-1)(3+1)(3^2+1)(3^4+1)(3^8+1)$$
$$-(3-1)\times 3^{15}$$
$$2A=(3^2-1)(3^2+1)(3^4+1)(3^8+1)-2\times 3^{15}$$
$$=(3^4-1)(3^4+1)(3^8+1)-2\times 3^{15}$$
$$=(3^8-1)(3^8+1)-2\times 3^{15}$$
$$=3^{16}-1-2\times 3^{15}$$
$$=3\times 3^{15}-2\times 3^{15}-1$$
$$=(3-2)\times 3^{15}-1$$
$$=3^{15}-1$$
$$\therefore A=\frac{3^{15}-1}{2}$$

9 $(a+b)^3=X$, $(a-b)^3=Y$로 치환하면
$$(주어진 식)=(X+Y)^2-(Y-X)^2$$
$$=4XY$$
$$=4(a+b)^3(a-b)^3$$
$$=4\{(a+b)(a-b)\}^3$$
$$=4(a^2-b^2)^3$$
$$=4(a^6-3a^4b^2+3a^2b^4-b^6)$$
$$=4a^6-12a^4b^2+12a^2b^4-4b^6$$

10 $\begin{vmatrix} 3x-y & 2(x+y) \\ x-y & -3x+y \end{vmatrix}$
$$=(3x-y)(-3x+y)-2(x+y)(x-y)$$
$$=-(3x-y)^2-2(x+y)(x-y)$$
$$=-9x^2+6xy-y^2-2(x^2-y^2)$$
$$=-11x^2+6xy+y^2$$

11 (주어진 식)
$$=abx^2+a^2xy+b^2xy+aby^2$$
$$=ab(x^2+y^2)+xy(a^2+b^2)$$
$$=ab\{(x+y)^2-2xy\}+xy\{(a+b)^2-2ab\}$$
$$=5(16-8)+4(25-10)=100$$

12 (주어진 식)$=(ab)\times a^2+(ab)^2+(ab)\times b^2$
$$=3a^2+9+3b^2$$
$$=3(a^2+b^2)+9$$
$$=3\{(a-b)^2+2ab\}+9$$
$$=3(9+6)+9=54$$

13 $x+y=\sqrt{5}$, $x-y=\sqrt{2}-\sqrt{3}$이므로
$$(x+y)^2-(x-y)^2=5-(\sqrt{2}-\sqrt{3})^2$$
$$=5-(5-2\sqrt{6})=2\sqrt{6}$$

14 $x=2+\sqrt{5}$에서 $x-2=\sqrt{5}$
양변을 제곱하여 정리하면 $x^2-4x-1=0$
양변을 x로 나누어 정리하면 $x-\dfrac{1}{x}=4$
$$\therefore (주어진 식)=\left\{\left(x-\frac{1}{x}\right)^2+2\right\}+\left(x-\frac{1}{x}\right)=22$$

15 $x=\dfrac{(\sqrt{3}-1)(\sqrt{3}-1)}{(\sqrt{3}+1)(\sqrt{3}-1)}=\dfrac{4-2\sqrt{3}}{2}=2-\sqrt{3}$
$y=\dfrac{(\sqrt{3}+1)(\sqrt{3}+1)}{(\sqrt{3}-1)(\sqrt{3}+1)}=\dfrac{4+2\sqrt{3}}{2}=2+\sqrt{3}$
이므로 $x+y=4$, $xy=1$, $x-y=-2\sqrt{3}$
$$\therefore (주어진 식)=\frac{(x+y)^2-3xy}{x-y}=\frac{13}{-2\sqrt{3}}$$
$$=-\frac{13}{2\sqrt{3}}=-\frac{13\sqrt{3}}{6}$$

16 $x^2-5x+1=0$에서 $x\neq 0$이므로 양변을 x로 나누면
$$x-5+\frac{1}{x}=0 \qquad \therefore x+\frac{1}{x}=5$$
이때 $x^2+\dfrac{1}{x^2}=\left(x+\dfrac{1}{x}\right)^2-2$
$$=5^2-2=23$$
$x^3+\dfrac{1}{x^3}=\left(x+\dfrac{1}{x}\right)^3-3\left(x+\dfrac{1}{x}\right)$
$$=5^3-3\times 5=110$$
$$\therefore 2x^3-3x^2-\frac{3}{x^2}+\frac{2}{x^3}=2\left(x^3+\frac{1}{x^3}\right)-3\left(x^2+\frac{1}{x^2}\right)$$
$$=2\times 110-3\times 23$$
$$=151$$

17 $x=\dfrac{(\sqrt{5}+\sqrt{3})(\sqrt{5}+\sqrt{3})}{(\sqrt{5}-\sqrt{3})(\sqrt{5}+\sqrt{3})}=\dfrac{8+2\sqrt{15}}{2}=4+\sqrt{15}$

이므로 $x-4=\sqrt{15}$

양변을 제곱하여 정리하면 $x^2-8x=-1$

$\therefore$ (주어진 식)$=(-1+4)\times(4+1)-7=8$

18 (주어진 식)
$=\left(x^3-\dfrac{1}{x^3}\right)-2\left(x^2+\dfrac{1}{x^2}\right)$
$=\left\{\left(x-\dfrac{1}{x}\right)^3+3\left(x-\dfrac{1}{x}\right)\right\}-2\left\{\left(x-\dfrac{1}{x}\right)^2+2\right\}$
$=(1+3)-2(1+2)$
$=4-6=-2$

19 서술형

표현 단계 $a+b+c=s$라 하면

변형 단계 $a+b=s-c$
$b+c=s-a$
$c+a=s-b$

풀이 단계 (주어진 식)
$=s^2+(s-2c)^2+(s-2b)^2+(s-2a)^2$
$=s^2+s^2-4sc+4c^2+s^2-4sb+4b^2$
$\qquad\qquad\qquad\qquad\qquad +s^2-4sa+4a^2$
$=4(a^2+b^2+c^2)+4s^2-4s(a+b+c)$
$=4(a^2+b^2+c^2)+4s^2-4s^2\,(\because a+b+c=s)$
$=4(a^2+b^2+c^2)$
$=4a^2+4b^2+4c^2$

확인 단계 따라서 주어진 식을 전개하면 $4a^2+4b^2+4c^2$이다.

20 모든 모서리의 길이의 합이 16 cm이므로
$4(x+y+z)=16$ $\qquad \therefore x+y+z=4$

직육면체의 겉넓이가 10 cm²이므로
$2(xy+yz+zx)=10$ $\qquad \therefore xy+yz+zx=5$

$\therefore x^2+y^2+z^2=(x+y+z)^2-2(xy+yz+zx)$
$\qquad\qquad\qquad =4^2-2\times5=6$

21 $\dfrac{1}{x}+\dfrac{1}{y}+\dfrac{1}{z}=\dfrac{xy+yz+zx}{xyz}=1$

$\therefore xy+yz+zx=xyz$ $\qquad$ ...... ㉠

한편, $x^2+y^2+z^2=(x+y+z)^2-2(xy+yz+zx)$이므로

$xy+yz+zx=\dfrac{(x+y+z)^2-(x^2+y^2+z^2)}{2}$
$\qquad\qquad\quad =\dfrac{1-9}{2}\,(\because x+y+z=1,\ x^2+y^2+z^2=9)$
$\qquad\qquad\quad =-4$

㉠에서 $xyz=-4$

$\therefore$ (주어진 식)
$=27-9(x+y+z)+3(xy+yz+zx)-xyz$
$=27-9-12+4=10$

22 $(|a|+|b|)^2=a^2+b^2+2|ab|$
$\qquad\qquad\qquad =(a+b)^2-2ab+2|ab|$
$\qquad\qquad\qquad =9-2+2=9$

$|a|\geq0,\ |b|\geq0$이므로
$|a|+|b|\geq0$
$\therefore |a|+|b|=3$

> **TIP** $|a||b|=|ab|$
> $|-3|=3$, $|0|=0$과 같이 어떤 수에 절댓값을 취하면 음수는 양수가 되고 0은 0이다. 따라서 두 수 a, b 각각에 절댓값을 취하여 곱한 값 $|a||b|$와 두 수 a, b를 곱한 뒤에 절댓값을 취한 값 $|ab|$는 반드시 같을 수밖에 없다. 엄밀하게 설명하면 다음과 같다.
> (i) $a\geq0$, $b\geq0$인 경우
> $\quad |ab|=ab\,(\because ab\geq0)$, $|a||b|=ab$
> (ii) $a\geq0$, $b<0$인 경우
> $\quad |ab|=-ab\,(\because ab\leq0)$, $|a||b|=a(-b)=-ab$
> (iii) $a<0$, $b\geq0$인 경우
> $\quad |ab|=-ab\,(\because ab\leq0)$, $|a||b|=(-a)b=-ab$
> (iv) $a<0$, $b<0$인 경우
> $\quad |ab|=ab\,(\because ab>0)$, $|a||b|=(-a)(-b)=ab$
> 위와 같이 a, b의 값에 관계없이 $|a||b|=|ab|$가 성립함을 알 수 있다.
> 따라서 $(|a|+|b|)^2=a^2+2|a||b|+b^2=a^2+2|ab|+b^2$이다.

23 서술형

표현 단계 $a^2+b^2+c^2=12$, $a+b+c=6$이므로

변형 단계 $2(ab+bc+ca)=(a+b+c)^2-(a^2+b^2+c^2)$
$\qquad\qquad\qquad\qquad =36-12=24$

$\therefore ab+bc+ca=12$

따라서 $a^2+b^2+c^2=ab+bc+ca$이므로

$a^2+b^2+c^2-ab-bc-ca=0$

$\dfrac{1}{2}(2a^2+2b^2+2c^2-2ab-2bc-2ca)=0$

$\dfrac{1}{2}\{(a-b)^2+(b-c)^2+(c-a)^2\}=0$

$a-b=0,\ b-c=0,\ c-a=0$ $\qquad \therefore a=b=c$

풀이 단계 이때 $a+b+c=6$이므로 $a=b=c=2$

확인 단계 $\therefore abc=2\times2\times2=8$

1 $-4x^2+4xy$ **2** 4   **3** ②   **4** 512   **5** 40   **6** 40

7 $\dfrac{8}{27}$ **8** 1   **9** $\dfrac{16}{25}$ **10** $x^2+y^2+z^2$ **11** 775

12 (1) 214×21 또는 21×214 (2) 풀이 참조   (3) 풀이 참조

문제 풀이

1
$$A=(8x^3y^4-16x^3y^5-4x^2y^5)\div(-2xy^2)^2$$
$$=(8x^3y^4-16x^3y^5-4x^2y^5)\times\frac{1}{4x^2y^4}$$
$$=2x-4xy-y$$
$$B=(2x-y)(1-2x+y)$$
$$=(2x-y)\{1-(2x-y)\}$$
$$=2x-y-(2x-y)^2$$
$$=2x-y-4x^2+4xy-y^2$$
$$\therefore B-A=2x-y-4x^2+4xy-y^2-(2x-4xy-y)$$
$$=-4x^2+8xy-y^2$$
$B-(A+C)=4xy-y^2$에서
$B-A-C=4xy-y^2$이므로
$$C=B-A-(4xy-y^2)$$
$$=-4x^2+8xy-y^2-4xy+y^2$$
$$=-4x^2+4xy$$

2 $(a+b)^n=X,\ (a-b)^n=Y$로 치환하면
$$(\text{주어진 식})=(X+Y)^2-(X-Y)^2$$
$$=4XY$$
$$=4(a+b)^n(a-b)^n$$
$$=4\{(a+b)(a-b)\}^n$$
$$=4(a^2-b^2)^n$$
$$=4\times1^n=4$$

3
$$(x+x^3+x^5+x^7)^3=\{x(1+x^2+x^4+x^6)\}^3$$
$$=x^3(1+x^2+x^4+x^6)^3$$
따라서 $g(n)=f(n-3)$ 또는 $f(n)=g(n+3)$이므로
② $f(4)=g(7)$이 옳다.

4 주어진 식의 양변에 $x=1$을 대입하면
$$2^{10}=a_1+a_2+a_3+\cdots+a_{11}\quad\cdots\cdots\ \text{㉠}$$
주어진 식의 양변에 $x=-1$을 대입하면
$$0=a_1-a_2+a_3-\cdots+a_{11}\quad\cdots\cdots\ \text{㉡}$$
㉠, ㉡을 변끼리 더하면
$$2(a_1+a_3+\cdots+a_{11})=2^{10}$$
$$\therefore a_1+a_3+\cdots+a_{11}=2^9=512$$

5 $(|x|-|y|)^2=x^2+y^2-2|xy|$이므로
$$16=x^2+y^2-24$$
$$\therefore x^2+y^2=40$$

6
$$(x+y)^2=x^2+y^2+2xy$$
$$=10+6=16$$
$$\therefore x+y=4\ (\because x>0,\ y>0)$$
$$\therefore (\text{주어진 식})=x^3+y^3+x^2y+xy^2$$
$$=(x^3+y^3)+xy(x+y)$$
$$=\{(x+y)^3-3xy(x+y)\}+xy(x+y)$$
$$=(x+y)^3-2xy(x+y)$$
$$=64-2\times3\times4$$
$$=40$$

다른 풀이
$$(\text{주어진 식})=x^2(x+y)+y^2(x+y)$$
$$=(x+y)(x^2+y^2)$$
$$=4\times10=40$$

7 $x+y+z=1$에서
$$x+y=1-z,\ y+z=1-x,\ x+z=1-y$$
이므로
$$\therefore (\text{주어진 식})=(1-z)(1-x)(1-y)$$
$$=1-(x+y+z)+(xy+yz+zx)-xyz$$
$$=1-1+\frac{1}{3}-\frac{1}{27}$$
$$=\frac{8}{27}$$

8 $a^2+b^2=1$에서

$b^2=1-a^2$ ...... ㉠

$c^2+d^2=1$에서

$d^2=1-c^2$ ...... ㉡

$ac+bd=0$에서

$ac=-bd$

$\therefore a^2c^2=b^2d^2$ ...... ㉢

㉠, ㉡에 의해

$b^2d^2=(1-a^2)(1-c^2)$

$a^2c^2=1-(a^2+c^2)+a^2c^2$ ($\because$ ㉢)

$0=1-(a^2+c^2)$

$\therefore a^2+c^2=1$

9 $(a^2+b^2)(c^2+d^2)=1$이므로

$a^2c^2+a^2d^2+b^2c^2+b^2d^2=1$ ...... ㉠

$\therefore (ad-bc)^2=a^2d^2+b^2c^2-2abcd$

$=(1-a^2c^2-b^2d^2)-2abcd$ ($\because$ ㉠)

$=1-(a^2c^2+2abcd+b^2d^2)$

$=1-(ac+bd)^2$

$=1-\left(\dfrac{3}{5}\right)^2$

$=\dfrac{16}{25}$

10 $\dfrac{x+y+z}{3}=t$로 치환하면

$\dfrac{(x+y+z)^2}{3}=3\times\dfrac{(x+y+z)^2}{9}$

$=3\left(\dfrac{x+y+z}{3}\right)^2$

$=3t^2$

$\therefore$ (주어진 식)

$=(x-t)^2+(y-t)^2+(z-t)^2+3t^2$

$=x^2+y^2+z^2-2(x+y+z)t+3t^2+3t^2$

$=x^2+y^2+z^2-6t^2+6t^2$ ($\because x+y+z=3t$)

$=x^2+y^2+z^2$

11 다음 그림과 같이 31×25를 선 긋기 곱셈법을 이용하여 풀면

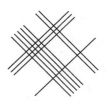

$31\times25=(6\times100)+\{(15+2)\times10\}+(5\times1)$

$=600+170+5$

$=775$

12 다음 그림에서

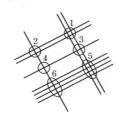

(1) 선이 2개, 1개, 4개이고 반대 방향으로 2개, 1개이므로 나타내는 곱셈식은

214×21 또는 21×214

(2) 1은 천의 자리의 수, 2와 3은 백의 자리의 수, 4와 5는 십의 자리의 수, 6은 일의 자리의 수를 나타낸다.

(3) 1에 교차점의 개수가 4개이므로 천의 자리의 숫자는 4

2와 3에 교차점의 개수가 각각 2개, 2개이므로 백의 자리의 숫자는 $2+2=4$

4와 5에 교차점의 개수가 각각 1개, 8개이므로 십의 자리의 숫자는 $1+8=9$

6에 교차점의 개수가 4개이므로 일의 자리의 숫자는 4

따라서 계산 과정은

$(4\times1000)+\{(2+2)\times100\}+\{(1+8)\times10\}+(4\times1)$

$=4000+400+90+4$

$=4494$

2 인수분해

1^{STEP} 주제별 실력다지기

1 (1) $b(a^2-bc-d^2)$　(2) $(a-1)(b-1)$　(3) $(x-1)(x-2)(x+2)$　　**2** (1) $(a+2b-1)(a-2b+1)$

(2) $(x+y-z)(x-y-z)$　　**3** (1) $(x+y+3)(x-y-1)$　(2) $(ab+a+b-1)(ab-a-b-1)$　**4** ⑤

5 (1) $(a-b)(a+b)(a^2+b^2)(a^4+b^4)$　(2) $(x-2y)(x+2y)(x^2+4y^2)$　(3) $(2a+3b)(4a^2-6ab+9b^2)$　(4) $(a-2b)(a^2+2ab+4b^2)$

6 (가) $2(xy)^2$　(나) $(xy)^2$　(다) x^2-xy+y^2　　**7** (1) $(3x-8y)(9x-y)$　(2) $(2x-y)(7x+13y)$

(3) $\dfrac{1}{36}(2x-9)(2x+5)$　　**8** $\left(\dfrac{1}{x}-3\right)\left(\dfrac{1}{x}-4\right)$　　**9** (1) $(x-1)(x+1)(x^2+4)$

(2) $(x-2)(x+1)(x^2+2x+4)(x^2-x+1)$　(3) $(x^2+x-3)(x^2-x-3)$　(4) $(x^2-2x+2)(x^2+2x+2)$

10 (1) $(2a+b+4c)(2a+b+6c)$　(2) $x(x+3)(x^2+3x+11)$　(3) $(x-y-2)(x-y+1)$

11 (1) $x(x+5)(x^2+5x+10)$　(2) $(xy+x+1)(xy+y+1)$　(3) $-3(a-x)(b-x)(a+b-2x)$

12 (가) $(b-c)a^2-(b^2-c^2)a+b^2c-bc^2$　(나) $(b-c)a^2-(b-c)(b+c)a+bc(b-c)$　(다) $(b-c)\{a^2-(b+c)a+bc\}$

(라) $(b-c)(a-b)(a-c)$　　**13** (1) $(x+2y+3)(x-y+2)$　(2) $(a+b)(b+c)(c+a)$

(3) $(x-y)(x^2+y^2+z^2+xy+yz+zx)$　(4) $(a-c)(b-c)(ab+bc+ca)$

(5) $(a+b+x+y)(a+b-x-y)(a+b+x-y)(a+b-x+y)$　**14** -7

최상위 **04**
NOTE　**인수분해 공식의 원리 확인하기**

곱셈 공식의 변형으로부터 인수분해 공식을 유도할 수 있다.

(1) $a^3+b^3=(a+b)(a^2-ab+b^2)$

　곱셈 공식의 변형에 의해

　$a^3+b^3=(a+b)^3-3ab(a+b)$

　$=(a+b)\{(a+b)^2-3ab\}$

　$=(a+b)(a^2+2ab+b^2-3ab)$

　$=(a+b)(a^2-ab+b^2)$

(2) $a^3-b^3=(a-b)(a^2+ab+b^2)$

　곱셈 공식의 변형에 의해

　$a^3-b^3=(a-b)^3+3ab(a-b)$

　$=(a-b)\{(a-b)^2+3ab\}$

　$=(a-b)(a^2-2ab+b^2+3ab)$

　$=(a-b)(a^2+ab+b^2)$

1 (1) 공통인수 b를 묶어내면

$a^2b-b^2c-bd^2=b(a^2-bc-d^2)$

(2) $ab-a-b+1=(ab-a)+(-b+1)$

$\qquad\qquad\quad =a(b-1)-(b-1)$

$\qquad\qquad\quad =(a-1)(b-1)$

(3) $x^3-x^2-4x+4=(x^3-x^2)-4(x-1)$

$\qquad\qquad\qquad\quad =x^2(x-1)-4(x-1)$

$\qquad\qquad\qquad\quad =(x-1)(x^2-4)$

$\qquad\qquad\qquad\quad =(x-1)(x-2)(x+2)$

2 (1) $a^2-4b^2+4b-1=a^2-(4b^2-4b+1)$

$\qquad\qquad\qquad\quad =a^2-(2b-1)^2$

$\qquad\qquad\qquad\quad =(a+2b-1)(a-2b+1)$

(2) $x^2-y^2+z^2-2xz=(x^2-2xz+z^2)-y^2$

$\qquad\qquad\qquad\quad =(x-z)^2-y^2$

$\qquad\qquad\qquad\quad =(x+y-z)(x-y-z)$

3 (1) $x^2-y^2+2x-4y-3$

$\qquad =(x^2+2x+1)-(y^2+4y+4)$

$\qquad =(x+1)^2-(y+2)^2$

$\qquad =(x+1+y+2)(x+1-y-2)$

$\qquad =(x+y+3)(x-y-1)$

(2) $(1-a^2)(1-b^2)-4ab$

$\qquad =1-a^2-b^2+a^2b^2-4ab$

$\qquad =\{(ab)^2-2ab+1\}-(a^2+2ab+b^2)$

$\qquad =(ab-1)^2-(a+b)^2$

$\qquad =(ab+a+b-1)(ab-a-b-1)$

> **TIP** 인수분해는 하나의 다항식을 두 개 이상의 인수의 곱으로 나타내는 것이므로 $(1-a^2)(1-b^2)-4ab$를 $(1+a)(1-a)(1+b)(1-b)-4ab$와 같이 잘못 인수분해하지 않도록 주의한다.

4 (주어진 식)$=x^2(y^2+4y+4)-(y^2+4y+4)$

$\qquad\qquad\quad =(x^2-1)(y^2+4y+4)$

$\qquad\qquad\quad =(x-1)(x+1)(y+2)^2$

따라서 인수가 아닌 것은 ⑤ $y+4$이다.

5 (1) $a^8-b^8=(a^4)^2-(b^4)^2$

$\qquad\qquad =(a^4-b^4)(a^4+b^4)$

$\qquad\qquad =(a^2-b^2)(a^2+b^2)(a^4+b^4)$

$\qquad\qquad =(a-b)(a+b)(a^2+b^2)(a^4+b^4)$

(2) $x^4-16y^4=(x^2)^2-(4y^2)^2$

$\qquad\qquad\quad =(x^2-4y^2)(x^2+4y^2)$

$\qquad\qquad\quad =(x-2y)(x+2y)(x^2+4y^2)$

(3) $8a^3+27b^3=(2a)^3+(3b)^3$

$\qquad\qquad\qquad =(2a+3b)(4a^2-6ab+9b^2)$

(4) $a^3-8b^3=a^3-(2b)^3=(a-2b)(a^2+2ab+4b^2)$

6 $x^4+x^2y^2+y^4=(x^4+y^4)+x^2y^2$

$\qquad\qquad\qquad =\{(x^2+y^2)^2-\boxed{2(xy)^2}\}+(xy)^2$

$\qquad\qquad\qquad =(x^2+y^2)^2-\boxed{(xy)^2}$

$\qquad\qquad\qquad =(x^2+xy+y^2)(\boxed{x^2-xy+y^2})$

7 (1) $27x^2-75xy+8y^2$

$$
\begin{array}{ccc}
3x & \diagdown & -8y \longrightarrow -72xy \\
9x & \diagup & -y \longrightarrow \underline{-3xy}\;(+ \\
 & & \quad -75xy
\end{array}
$$

$\therefore 27x^2-75xy+8y^2=(3x-8y)(9x-y)$

(2) $14x^2+19xy-13y^2$

$$
\begin{array}{ccc}
2x & \diagdown & -y \longrightarrow -7xy \\
7x & \diagup & 13y \longrightarrow \underline{26xy}\;(+ \\
 & & \quad 19xy
\end{array}
$$

$\therefore 14x^2+19xy-13y^2=(2x-y)(7x+13y)$

(3) $\dfrac{1}{9}x^2-\dfrac{2}{9}x-\dfrac{5}{4}=\dfrac{1}{36}(4x^2-8x-45)$

$$
\begin{array}{ccc}
2x & \diagdown & -9 \longrightarrow -18x \\
2x & \diagup & 5 \longrightarrow \underline{10x}\;(+ \\
 & & \quad -8x
\end{array}
$$

$\therefore \dfrac{1}{9}x^2-\dfrac{2}{9}x-\dfrac{5}{4}=\dfrac{1}{36}(2x-9)(2x+5)$

> **TIP** $\dfrac{1}{9}x^2-\dfrac{2}{9}x-\dfrac{5}{4}$ 는 식에 등호가 없다. 즉, 등식이 아니므로 식에 36 을 곱하면 안되고 $\dfrac{1}{9}x^2-\dfrac{2}{9}x-\dfrac{5}{4}=\dfrac{1}{36}(4x^2-8x-45)$와 같이 변형해야 한다.

8 $\dfrac{1}{x^2}-\dfrac{7}{x}+12=\left(\dfrac{1}{x}\right)^2-7\left(\dfrac{1}{x}\right)+12$

$\qquad\qquad\qquad =\left(\dfrac{1}{x}-3\right)\left(\dfrac{1}{x}-4\right)$

다른 풀이

$\dfrac{1}{x}=t$로 치환하면

(주어진 식)$=t^2-7t+12=(t-3)(t-4)$

$\qquad\qquad\quad =\left(\dfrac{1}{x}-3\right)\left(\dfrac{1}{x}-4\right)$

9 (1) $x^2=t$로 치환하면

$x^4+3x^2-4=t^2+3t-4$

$\qquad\qquad\quad =(t+4)(t-1)$

$\qquad\qquad\quad =(x^2+4)(x^2-1)$

$\qquad\qquad\quad =(x-1)(x+1)(x^2+4)$

(2) $x^3=t$로 치환하면

$\qquad x^6-7x^3-8=t^2-7t-8$

$\qquad\qquad\qquad\quad =(t-8)(t+1)$

$\qquad\qquad\qquad\quad =(x^3-8)(x^3+1)$

$\qquad\qquad\qquad\quad =(x-2)(x^2+2x+4)(x+1)(x^2-x+1)$

$\qquad\qquad\qquad\quad =(x-2)(x+1)(x^2+2x+4)(x^2-x+1)$

(3) $x^4-7x^2+9=(x^4-6x^2+9)-x^2$

$\qquad\qquad\qquad\quad =(x^2-3)^2-x^2$

$\qquad\qquad\qquad\quad =(x^2-3+x)(x^2-3-x)$

$\qquad\qquad\qquad\quad =(x^2+x-3)(x^2-x-3)$

(4) $x^4+4=(x^4+4x^2+4)-4x^2$

$\qquad\qquad\quad =(x^2+2)^2-(2x)^2$

$\qquad\qquad\quad =(x^2-2x+2)(x^2+2x+2)$

10 (1) $2a+b=t$로 치환하면

(주어진 식)$=t^2+10tc+24c^2$

$\qquad\qquad\quad =(t+4c)(t+6c)$

$\qquad\qquad\quad =(2a+b+4c)(2a+b+6c)$

(2) $x^2+3x=t$로 치환하면

(주어진 식)$=(t+4)(t+7)-28$

$\qquad\qquad\quad =t^2+11t$

$\qquad\qquad\quad =t(t+11)$

$\qquad\qquad\quad =(x^2+3x)(x^2+3x+11)$

$\qquad\qquad\quad =x(x+3)(x^2+3x+11)$

(3) (주어진 식)$=(x-y)^2-(x-y)-2$

이므로 $x-y=t$로 치환하면

(주어진 식)$=t^2-t-2$

$\qquad\qquad\quad =(t-2)(t+1)$

$\qquad\qquad\quad =(x-y-2)(x-y+1)$

11 (1) (주어진 식)

$\qquad =\{(x+1)(x+4)\}\{(x+2)(x+3)\}-24$

$\qquad =(x^2+5x+4)(x^2+5x+6)-24$

$x^2+5x=t$로 치환하면

(주어진 식)$=(t+4)(t+6)-24$

$\qquad\qquad\quad =t^2+10t$

$\qquad\qquad\quad =t(t+10)$

$\qquad\qquad\quad =(x^2+5x)(x^2+5x+10)$

$\qquad\qquad\quad =x(x+5)(x^2+5x+10)$

(2) (주어진 식)$=(xy+1)(xy+x+y+1)+xy$

$\qquad\qquad\quad =(xy+1)\{(xy+1)+x+y\}+xy$

$xy+1=t$로 치환하면

(주어진 식)$=t(t+x+y)+xy$

$\qquad\qquad\quad =t^2+(x+y)t+xy$

$\qquad\qquad\quad =(t+x)(t+y)$

$\qquad\qquad\quad =(xy+x+1)(xy+y+1)$

(3) $a-x=m$, $b-x=n$으로 치환하면

$a+b-2x=m+n$

(주어진 식)$=m^3+n^3-(m+n)^3$

$\qquad\qquad\quad =-3mn(m+n)$

$\qquad\qquad\quad =-3(a-x)(b-x)(a+b-2x)$

12 (주어진 식)

$\qquad =a^2b-ab^2+b^2c-bc^2+c^2a-ca^2$

$\qquad =(b-c)a^2-(b^2-c^2)a+b^2c-bc^2$: (가)

$\qquad =(b-c)a^2-(b-c)(b+c)a+bc(b-c)$: (나)

$\qquad =(b-c)\{a^2-(b+c)a+bc\}$: (다)

$\qquad =(b-c)(a-b)(a-c)$: (라)

$\qquad =-(a-b)(b-c)(c-a)$

13 (1) 주어진 식을 x에 대하여 내림차순으로 정리하면

(주어진 식)$=x^2+(y+5)x-2y^2+y+6$

$\qquad\qquad\quad =x^2+(y+5)x-(2y^2-y-6)$

$\qquad\qquad\quad =x^2+(y+5)x-(2y+3)(y-2)$

$\qquad\qquad\quad =(x+2y+3)(x-y+2)$

(2) (주어진 식)

$\qquad =a^2b+ca^2+ab^2+b^2c+bc^2+c^2a+2abc$

a에 대하여 내림차순으로 정리하면

(주어진 식)$=(b+c)a^2+(b^2+c^2+2bc)a+b^2c+bc^2$

$\qquad\qquad\quad =(b+c)a^2+(b+c)^2a+bc(b+c)$

$\qquad\qquad\quad =(b+c)\{a^2+(b+c)a+bc\}$

$\qquad\qquad\quad =(b+c)(a+b)(a+c)$

$\qquad\qquad\quad =(a+b)(b+c)(c+a)$

(3) 주어진 식을 z에 대하여 내림차순으로 정리하면

(주어진 식)$=(x-y)z^2+(x^2-y^2)z+x^3-y^3$

$\qquad\qquad\quad =(x-y)z^2+(x-y)(x+y)z$

$\qquad\qquad\qquad\qquad +(x-y)(x^2+xy+y^2)$

$\qquad\qquad\quad =(x-y)\{z^2+(x+y)z+x^2+xy+y^2\}$

$\qquad\qquad\quad =(x-y)(x^2+y^2+z^2+xy+yz+zx)$

(4) (주어진 식)$=ac^3+bc^3-a^2c^2-abc^2-b^2c^2+a^2b^2$

a에 대하여 내림차순으로 정리하면

(주어진 식)

$\qquad =(b^2-c^2)a^2+(c^3-bc^2)a+bc^3-b^2c^2$

$\qquad =(b-c)(b+c)a^2-c^2(b-c)a-bc^2(b-c)$

$\qquad =(b-c)\{(b+c)a^2-c^2a-bc^2\}$

$\qquad =(b-c)(a^2b+a^2c-c^2a-bc^2)$

$\qquad =(b-c)\{(a^2-c^2)b+ac(a-c)\}$

$\qquad =(b-c)(a-c)\{(a+c)b+ac\}$

$\qquad =(a-c)(b-c)(ab+bc+ca)$

(5) $(a+b)^2=A$로 치환하면

(주어진 식)$=A^2-2(x^2+y^2)A+(x^2-y^2)^2$
$\qquad\qquad=A^2-2(x^2+y^2)A+(x+y)^2(x-y)^2$
$\qquad\qquad=\{A-(x+y)^2\}\{A-(x-y)^2\}$
$\qquad\qquad=\{(a+b)^2-(x+y)^2\}\{(a+b)^2-(x-y)^2\}$
$\qquad\qquad=(a+b+x+y)(a+b-x-y)$
$\qquad\qquad\qquad(a+b+x-y)(a+b-x+y)$

14 주어진 식을 x에 대하여 내림차순으로 정리하면
(주어진 식)$=x^2-2(2y+3)x+3y^2+2y-16$
$\qquad\qquad=x^2-2(2y+3)x+(3y+8)(y-2)$
$\qquad\qquad=(x-3y-8)(x-y+2)$
따라서 $A=-8$, $B=-1$, $C=2$이므로
$A+B+C=-7$

2^{STEP} 실력 높이기

61~64쪽

1 ①

2 ㄱ, ㄴ, ㄷ, ㄹ, ㅁ

3 $(x-y+1)^2$

4 -7

5 $xy^2+2xy-1$

6 $(x-3y+1)^2$

7 4

8 $(x+y-1)(x+y+1)$

9 $(x+y+z)(xy+yz+zx)$

10 $-(a-b)(b-c)(c-a)$

11 (1) -715 (2) 4950

12 46

13 (1) 2003 (2) $\dfrac{255}{16}$

14 (1) $(x^2+5)(x+3)(x-3)$ (2) $(x^2+3x+1)(x^2-3x+1)$

15 $(x^2+2x-4)(x^2+x-4)$

16 $(x+y)(x-y)(y-z)$

17 $(x-1)(x^2-x+1)(x^2+x+1)$

문제 풀이

1 각각을 인수분해하면
① $(x-2)(x-3)$
② $(x+2)(x+1)$
③ $(2x+3)(x+2)$
④ $(2x-1)(x+2)$
⑤ $(3x+1)(x+2)$
따라서 ②, ③, ④, ⑤는 $x+2$를 공통인수로 갖는다.

2 ㄱ. $(x-2)(x+3)$ ㄴ. $(x+2)(x-2)$
ㄷ. $(x-2)(x^2+2x+4)$ ㄹ. $(2x-1)(x-2)$
ㅁ. $(x-2)(x+2)(x^2+4)$ ㅂ. $(x+2)(x-3)$
따라서 ㅂ만 $x-2$를 인수로 갖지 않는다.

TIP x^2-x-6에 $x=2$를 대입하면 $2^2-2-6=-4\neq0$이므로 x^2-x-6은 $x-2$를 인수로 갖지 않는다.

3 서술형
표현 단계 x, y에 대하여 모두 이차식이므로 x에 대하여 내림차순으로 정리하면
변형 단계 $y^2-2y+x^2-2xy+2x+1$
$\qquad=x^2-2(y-1)x+y^2-2y+1$
$\qquad=x^2-2(y-1)x+(y-1)^2$
풀이 단계 $\quad=\{x-(y-1)\}^2$
$\qquad\quad=(x-y+1)^2$
확인 단계 따라서 주어진 식은

$(x-y+1)^2$으로 인수분해된다.

4 $2x^2+cx+3=2bx^2+(ab-2)x-a$
양변의 계수를 비교하면
$2b=2$, $ab-2=c$, $-a=3$
$\therefore a=-3$, $b=1$, $c=-5$
$\therefore a+b+c=-3+1-5=-7$

5 (주어진 식)$=(xy^2-x)+(1-y^2)$
$\qquad\qquad=x(y^2-1)-(y^2-1)$
$\qquad\qquad=(x-1)(y^2-1)$
$\qquad\qquad=(x-1)(y-1)(y+1)$
따라서 인수는 $x-1$, $y-1$, $y+1$
$(x-1)(y-1)=xy-y-x+1$
$(x-1)(y+1)=xy-y+x-1$
$(y-1)(y+1)=y^2-1$
$(x-1)(y-1)(y+1)=xy^2+1-x-y^2$
$\therefore (x-1)+(y-1)+(y+1)+(xy-y-x+1)$
$\qquad+(xy-y+x-1)+(y^2-1)+(xy^2+1-x-y^2)$
$\quad=xy^2+2xy-1$

6 x에 대하여 내림차순으로 정리하면

(주어진 식)$=x^2+2(1-3y)x+9y^2-6y+1$
$\qquad\qquad=x^2-2(3y-1)x+(3y-1)^2$
$\qquad\qquad=(x-3y+1)^2$

다른 풀이
(주어진 식)$=(x^2+2x+1)-6(x+1)y+9y^2$
$\qquad\qquad=(x+1)^2-6(x+1)y+9y^2$

$x+1=A$로 치환하면
(주어진 식)$=A^2-6Ay+9y^2$
$\qquad\qquad=(A-3y)^2$
$\qquad\qquad=(x-3y+1)^2$

7
$x^2-xy-2y^2+5x-y+6$
$=x^2+(5-y)x-2y^2-y+6$
$=x^2+(5-y)x-(2y^2+y-6)$
$=x^2+(5-y)x-(2y-3)(y+2)$
$=(x-2y+3)(x+y+2)$
$\therefore a+b+c+d=-2+3+1+2=4$

8 서술형
표현 단계 $x+ay-1$은 $x^2+y^2+bxy-1$의 인수이므로
$\qquad x^2+y^2+bxy-1=(x+ay-1)(x+cy+1)$
$\qquad$로 나타낼 수 있다.
변형 단계 $x^2+y^2+bxy-1$
$\qquad=(x+ay-1)(x+cy+1)$
$\qquad=x^2+cxy+x+axy+acy^2+ay-x-cy-1$
$\qquad=x^2+acy^2+(a+c)xy+(a-c)y-1$
풀이 단계 y^2항의 계수를 비교하면 $1=ac$
$\qquad xy$항의 계수를 비교하면 $b=a+c$
$\qquad y$항의 계수를 비교하면 $0=a-c$
확인 단계 $b>0$이므로 $a=c=1$, $b=2$
$\qquad x^2+y^2+2xy-1$
$\qquad=x^2+2xy+y^2-1$
$\qquad=(x+y)^2-1$
$\qquad=(x+y-1)(x+y+1)$

9 (주어진 식)
$=x^2y+xz^2+x^2z+y^2z+xy^2+yz^2+3xyz$
$=(y+z)x^2+(y^2+3yz+z^2)x+yz(y+z)$

$\qquad y+z \qquad\qquad\qquad yz \rightarrow \qquad yz$
$\qquad\qquad\qquad \times$
$\qquad 1 \qquad\qquad\qquad y+z \rightarrow \quad \underline{(y+z)^2}\ (+$
$\qquad\qquad\qquad\qquad\qquad\qquad\quad y^2+3yz+z^2$

$=\{(y+z)x+yz\}(x+y+z)$
$=(x+y+z)(xy+yz+zx)$

TIP $x+y+z=t$라 하면
$(x+y)(y+z)(z+x)+xyz$
$=(t-x)(t-y)(t-z)+xyz$
$=t^3-(x+y+z)t^2+(xy+yz+zx)t-xyz+xyz$
$=t\{t^2-(x+y+z)t+(xy+yz+zx)\}$
$=(x+y+z)(xy+yz+zx)$
위와 같이 치환을 이용하여 문제를 해결할 수도 있다.

10 서술형
표현 단계 $[a, b, c]=a^2(b-c)$
$\qquad\qquad [b, c, a]=b^2(c-a)$
$\qquad\qquad [c, a, b]=c^2(a-b)$
변형 단계 $[a, b, c]+[b, c, a]+[c, a, b]$
$\qquad=a^2(b-c)+b^2(c-a)+c^2(a-b)$
풀이 단계 $=a^2b-a^2c+b^2c-ab^2+ac^2-bc^2$
$\qquad=(b-c)a^2-(b^2-c^2)a+b^2c-bc^2$
$\qquad=(b-c)a^2-(b-c)(b+c)a+bc(b-c)$
$\qquad=(b-c)\{a^2-(b+c)a+bc\}$
$\qquad=(b-c)(a-b)(a-c)$
$\qquad=-(a-b)(b-c)(c-a)$
확인 단계 따라서 주어진 식은 $-(a-b)(b-c)(c-a)$로 인
$\qquad$수분해된다.

11 (1) $356=t$로 치환하면
$\quad$(주어진 식)
$\quad=t^2+(t+2)t-(t+2)^2-(t+1)(t-1)$
$\quad=t^2+t^2+2t-t^2-4t-4-t^2+1$
$\quad=-2t-3=-2\times356-3$
$\quad=-715$
(2) (주어진 식)
$\quad=1^2+(3^2-2^2)+(5^2-4^2)+\cdots+(99^2-98^2)$
$\quad=1^2+(3+2)(3-2)+(5+4)(5-4)+\cdots$
$\qquad\qquad\qquad\qquad\qquad\qquad +(99+98)(99-98)$
$\quad=1+(3+2)+(5+4)+\cdots+(99+98)$
$\quad=1+2+3+4+5+\cdots+99$
$\quad=\dfrac{99\times100}{2}$
$\quad=4950$

12 $a^2-b^2=(a+b)(a-b)$이므로
$3^8-1=(3^4+1)(3^4-1)$
$\qquad=(3^4+1)(3^2+1)(3^2-1)$
$\qquad=(3^4+1)(3^2+1)(3+1)(3-1)$
즉, 3^8-1의 약수 중 10 이상 20 이하의 자연수는
$2\times5=10$

$2 \times 2 \times 2 \times 2 = 16$

$2 \times 2 \times 5 = 20$

따라서 구하는 자연수의 합은

$10 + 16 + 20 = 46$

13 (1) $2002 = t$로 치환하면

$$\begin{aligned}
(주어진 \ 식) &= \frac{t^3 + 1}{(t-1)t + 1} \\
&= \frac{(t+1)(t^2 - t + 1)}{t^2 - t + 1} \\
&= t + 1 \\
&= 2003
\end{aligned}$$

(2) $$\begin{aligned}
(주어진 \ 식) &= \sqrt{\frac{254 \times 256 + 1}{256}} \\
&= \sqrt{\frac{(255-1)(255+1) + 1}{256}} \\
&= \sqrt{\frac{255^2 - 1 + 1}{256}} \\
&= \sqrt{\frac{255^2}{256}} \\
&= \frac{255}{16}
\end{aligned}$$

14 (1) $$\begin{aligned}
(주어진 \ 식) &= (x^2 + 5)(x^2 - 9) \\
&= (x^2 + 5)(x + 3)(x - 3)
\end{aligned}$$

(2) $$\begin{aligned}
(주어진 \ 식) &= (x^4 + 2x^2 + 1) - 9x^2 \\
&= (x^2 + 1)^2 - (3x)^2 \\
&= (x^2 + 3x + 1)(x^2 - 3x + 1)
\end{aligned}$$

15 $$\begin{aligned}
(주어진 \ 식) &= \{(x-1)(x+4)\}\{(x-2)(x+2)\} + 2x^2 \\
&= (x^2 + 3x - 4)(x^2 - 4) + 2x^2
\end{aligned}$$

$x^2 - 4 = t$로 치환하면

$$\begin{aligned}
(주어진 \ 식) &= (t + 3x)t + 2x^2 \\
&= t^2 + 3xt + 2x^2 \\
&= (t + 2x)(t + x) \\
&= (x^2 + 2x - 4)(x^2 + x - 4)
\end{aligned}$$

16 z에 대하여 내림차순으로 정리하면

$$\begin{aligned}
(주어진 \ 식) &= (y^2 - x^2)z + x^2 y - y^3 \\
&= (y + x)(y - x)z + y(x^2 - y^2) \\
&= (y + x)(y - x)z + y(x + y)(x - y) \\
&= -(x + y)(x - y)z + y(x + y)(x - y) \\
&= (x + y)(x - y)(y - z)
\end{aligned}$$

17 $$\begin{aligned}
(주어진 \ 식) &= x^4(x - 1) + x^2(x - 1) + (x - 1) \\
&= (x - 1)(x^4 + x^2 + 1) \\
&= (x - 1)\{(x^4 + 2x^2 + 1) - x^2\} \\
&= (x - 1)\{(x^2 + 1)^2 - x^2\} \\
&= (x - 1)(x^2 - x + 1)(x^2 + x + 1)
\end{aligned}$$

1 $(x^2+x+a+1)(x^2-x-a+1)$ **2** $b=c$인 이등변삼각형 또는 빗변의 길이가 a인 직각삼각형

3 $(ac-d)(ab+c+d)$ **4** $a=b$인 이등변삼각형 또는 빗변의 길이가 c인 직각삼각형   **5** 64

6 571   **7** $(x^2-4x+1)(x^2-x+1)$ **8** 1, 3   **9** $p<0$ **10** 풀이 참조

11 10 m   **12** (1) 1 m   (2) 1 m

문제 풀이

1 주어진 식을 a에 대하여 내림차순으로 정리하면

$$(주어진 식) = -a^2-2xa+(x^4+x^2+1)$$
$$= -a^2-2xa+(x^2+x+1)(x^2-x+1)$$
$$= (a+x^2+x+1)(-a+x^2-x+1)$$
$$= (x^2+x+a+1)(x^2-x-a+1)$$

2 주어진 식을 정리하면

$$a^2c^2+b^2c^2-c^4=b^2c^2+a^2b^2-b^4$$
$$b^4-c^4+a^2c^2-a^2b^2=0$$
$$(b^2+c^2)(b^2-c^2)-a^2(b^2-c^2)=0$$
$$(b^2-c^2)(b^2+c^2-a^2)=0$$
$$(b-c)(b+c)(b^2+c^2-a^2)=0$$
$$\therefore b=c \text{ 또는 } a^2=b^2+c^2$$

따라서 $b=c$인 이등변삼각형 또는 빗변의 길이가 a인 직각삼각형이다.

3 b에 대하여 내림차순으로 정리하면

$$(주어진 식)=(a^2c-ad)b+(ac^2+acd-cd-d^2)$$
$$=a(ac-d)b+\{ac(c+d)-d(c+d)\}$$
$$=a(ac-d)b+(c+d)(ac-d)$$
$$=(ac-d)(ab+c+d)$$

4 주어진 식을 정리하면

$$(a-b)c^4-2(a-b)(a^2+ab+b^2)c^2$$
$$+(a-b)(a+b)^2(a^2+b^2)=0$$
$$(a-b)\{c^4-2(a^2+ab+b^2)c^2+(a^2+b^2)(a+b)^2\}=0$$
$$(a-b)(c^2-a^2-b^2)\{c^2-(a+b)^2\}=0$$
$$(a-b)(c^2-a^2-b^2)(c+a+b)(c-a-b)=0$$
$$a+b+c\neq0, \ c-a-b\neq0(\because c<a+b)$$이므로
$$a=b \text{ 또는 } c^2=a^2+b^2$$

따라서 $a=b$인 이등변삼각형 또는 빗변의 길이가 c인 직각삼각형이다.

5 $2^{40}-1=(2^{20}+1)(2^{20}-1)$
$$=(2^{20}+1)(2^{10}+1)(2^{10}-1)$$
$$=(2^{20}+1)(2^{10}+1)(2^5+1)(2^5-1)$$

따라서 $2^5+1=33$과 $2^5-1=31$에 의해 나누어 떨어진다.
$$\therefore 33+31=64$$

6 $24=t$로 치환하면

$$(주어진 식)=\sqrt{(t-3)(t-1)(t+1)(t+3)+16}$$
$$=\sqrt{\{(t-1)(t+1)\}\{(t-3)(t+3)\}+16}$$
$$=\sqrt{(t^2-1)(t^2-9)+16}$$
$$=\sqrt{t^4-10t^2+25}$$
$$=\sqrt{(t^2-5)^2}=\sqrt{(24^2-5)^2}$$
$$=\sqrt{571^2}$$
$$=571$$

TIP $(a-b)(a+b)=a^2-b^2$를 이용하기 위해 $24=t$로 치환한다.

7 상반식의 인수분해는 가운데 항 x^2으로 묶어낸다.

$$x^4-5x^3+6x^2-5x+1$$
$$=x^2\left(x^2-5x+6-\frac{5}{x}+\frac{1}{x^2}\right)$$
$$=x^2\left\{x^2+\frac{1}{x^2}-5\left(x+\frac{1}{x}\right)+6\right\}$$
$$=x^2\left\{\left(x+\frac{1}{x}\right)^2-5\left(x+\frac{1}{x}\right)+4\right\}$$
$$=x^2\left\{\left(x+\frac{1}{x}\right)-4\right\}\left\{\left(x+\frac{1}{x}\right)-1\right\}$$
$$=x\left(x+\frac{1}{x}-4\right)x\left(x+\frac{1}{x}-1\right)$$
$$=(x^2-4x+1)(x^2-x+1)$$

8 $n^4+n^2+1=(n^4+2n^2+1)-n^2$
$$=(n^2+1)^2-n^2$$
$$=(n^2+n+1)(n^2-n+1)$$

따라서 n^4+n^2+1이 소수가 되려면
$$n^2+n+1=1 \text{ 또는 } n^2-n+1=1$$

(i) $n^2+n+1=1$일 때
$$n(n+1)=0 \qquad \therefore n=0 \text{ 또는 } n=-1$$

(ii) $n^2-n+1=1$일 때
$$n(n-1)=0 \qquad \therefore n=0 \text{ 또는 } n=1$$

(i), (ii)에 의해 $n=1$ ($\because n$은 자연수)
$$\therefore p=1+1+1=3$$

9
$$p = a^4 - 2(b^2+c^2)a^2 + (b^4 - 2b^2c^2 + c^4)$$
$$= a^4 - 2(b^2+c^2)a^2 + (b^2-c^2)^2$$
$$= a^4 - 2(b^2+c^2)a^2 + (b+c)^2(b-c)^2$$
$$= \{a^2 - (b+c)^2\}\{a^2 - (b-c)^2\}$$
$$= (a+b+c)(a-b-c)(a+b-c)(a-b+c)$$

한편, $a>0$, $b>0$, $c>0$이므로 $a+b+c>0$

또, 삼각형의 어느 두 변의 길이의 합도 다른 한 변의 길이

보다 크므로 $a<b+c$, $b<a+c$, $c<a+b$

$\therefore a-b-c<0$, $a+c-b>0$, $a+b-c>0$

$\therefore p<0$

10 어떤 동물원에 갔더니 맹수 우리는 총 8개였고, 각각 암수 한 쌍이 있었다.

따라서 이 동물원에는 총 $2 \times 8 = 16$(마리)의 맹수가 있다는 것을 알 수 있었다.

11 세로의 길이를 x m라 하면 가로의 길이는

$(x+10)$ m이고 넓이가 200 m²이므로

$x(x+10)=200$에서 $x^2+10x-200=0$

이 식의 좌변을 인수분해하면 $(x-10)(x+20)=0$

$\therefore x=-20$ 또는 $x=10$

이때 x는 양수이므로 $x=10$이고 구하는 세로의 길이는

10 m이다.

12 (1) 가로의 길이를 x m라 하면 세로의 길이는

$(5-x)$ m이고 넓이가 6 m²이므로

$x(5-x)=6$에서 $x^2-5x+6=0$

이 식의 좌변을 인수분해하면 $(x-2)(x-3)=0$

$\therefore x=2$ 또는 $x=3$

따라서 가로와 세로의 길이의 차는 $3-2=1$(m)이다.

(2) 가로와 세로의 길이를 각각 x m, y m라 하면 주어진 조건에서 $x+y=5$, $xy=6$이므로

$$|x-y| = \sqrt{(x+y)^2 - 4xy} = \sqrt{5^2 - 4 \times 6} = 1$$

따라서 가로와 세로의 길이의 차는 1 m이다.

1 $11x^2+2x-7$	**2** $a=3, b=4, c=6$	**3** ③	**4** $-\dfrac{11}{3}$	**5** 0	**6** ①
7 -6	**8** 0	**9** -1	**10** 18	**11** -3	**12** 8
13 $-256p^2q^2$	**14** $-\dfrac{9}{5}$	**15** ⑤	**16** ㄱ, ㄷ	**17** $2x+2y-1$	**18** -10
19 5	**20** $(x+y+z)^2$	**21** $9-4\sqrt{5}$	**22** $\left(a^2+\dfrac{2}{a^2}-1\right)^2$	**23** $(x+1)(m-x-1)(m-x+1)$	
24 $(x-2)(3x+4)$					

문제 풀이

1
$$A=(2x+1)(3x-4)$$
$$=6x^2+(-8+3)x-4$$
$$=6x^2-5x-4$$
$$B=(x+1)(x-1)$$
$$=x^2-1$$
$$C=(3x-1)^2-(3x+1)^2$$
$$=(9x^2-6x+1)-(9x^2+6x+1)$$
$$=-12x$$
∴ (주어진 식)
$$=3A-2B-(2C-B-C+A)$$
$$=3A-2B-A+B-C$$
$$=2A-B-C$$
$$=2(6x^2-5x-4)-(x^2-1)-(-12x)$$
$$=12x^2-10x-8-x^2+1+12x$$
$$=11x^2+2x-7$$

2
$$(ax-5)(2x+b)=2ax^2+(ab-10)x-5b$$
$$=cx^2+2x-20$$
이므로
$$2a=c, \ ab-10=2, \ -5b=-20$$
$-5b=-20$에서 $b=4$
$ab-10=2$에서
$4a-10=2$ ∴ $a=3$
$2a=c$에서 $6=c$
∴ $a=3, \ b=4, \ c=6$

3
$$1002\times998=(1000+2)(1000-2)$$
$$=1000^2-2^2$$
$$=1000000-4$$
$$=999996$$
따라서 곱셈 공식 $(a+b)(a-b)=a^2-b^2$을 이용하는 것이 가장 좋다.

4
x, y에 1을 대입하여 전개식에서 상수항을 포함한 계수의 총합을 구하면 $(2+a+5)(1+2+3)=6a+42$이고, 상수항은 $5\times3=15$이므로
$$(6a+42)-15=5, \ 6a=-22$$
$$\therefore \ a=-\frac{11}{3}$$

5
$3a+2b=1$에서 $2b=1-3a$를 주어진 식에 대입하면
$$9a^2-(2b)^2+3a+3\times2b-2$$
$$=9a^2-(1-3a)^2+3a+3(1-3a)-2$$
$$=9a^2-1+6a-9a^2+3a+3-9a-2$$
$$=0$$

> **TIP** $x^2-y^2=(x+y)(x-y)$를 이용하여 다음과 같이 계산할 수도 있다.
> $$9a^2-4b^2=(3a)^2-(2b)^2$$
> $$=(3a+2b)(3a-2b)$$
> $$=3a-2b \ (\because 3a+2b=1)$$
> 이므로
> $$9a^2-4b^2+3a+6b-2=3a-2b+3a+6b-2$$
> $$=6a+4b-2$$
> $$=2(3a+2b)-2$$
> $$=2\times1-2=0$$

6
$364=t$라 하면
$366=t+2, \ 728=2t, \ 363=t-1, \ 365=t+1$이므로
주어진 식에 대입하면
$$(주어진 식)=t(t+2)-2t-(t-1)(t+1)$$
$$=t^2+2t-2t-t^2+1$$
$$=1$$

7
$x=2-\sqrt{3}$, 즉 $x-2=-\sqrt{3}$의 양변을 제곱하여 정리하면
$$x^2-4x=-1$$
$$\therefore \ x^2-4x-5=-1-5$$
$$=-6$$

8 $(1+x+x^2+x^3+x^4)^3$을 전개할 때, x^3항의 계수는 ( ) 안의 x^4항의 영향을 받지 않는다.

즉, $(1+x+x^2+x^3+x^4)^3$의 x^3항의 계수와

$(1+x+x^2+x^3)^3$의 x^3항의 계수는 서로 같다.

따라서 $a=b$이므로 $a-b=0$

9 $(a+b)^2=a^2+2ab+b^2$이므로

$ab=\dfrac{(a+b)^2-(a^2+b^2)}{2}$

$\quad=\dfrac{9-5}{2}=2$

(주어진 식)$=-\{(ab)^2-2ab+1\}$

$\qquad\qquad\quad=-(ab-1)^2$

$\qquad\qquad\quad=-(2-1)^2$

$\qquad\qquad\quad=-1$

10 $x\neq0$이므로 $x^2-4x+1=0$의 양변을 x로 나누면

$x-4+\dfrac{1}{x}=0 \qquad \therefore x+\dfrac{1}{x}=4$

$\therefore$ (주어진 식)$=\left(x^2+\dfrac{1}{x^2}\right)+\left(x+\dfrac{1}{x}\right)$

$\qquad\qquad\quad=\left\{\left(x+\dfrac{1}{x}\right)^2-2\right\}+\left(x+\dfrac{1}{x}\right)$

$\qquad\qquad\quad=(16-2)+4$

$\qquad\qquad\quad=18$

11 $(x-2y)^2=(x+2y)^2-8xy$

$\qquad\qquad\quad=49-8\times5$

$\qquad\qquad\quad=9$

이때 $x<2y$, 즉 $x-2y<0$이므로

$x-2y=-3$

12 $xy+yz+zx=3$에서

$xy+yz=3-zx,$

$yz+zx=3-xy,$

$zx+xy=3-yz$

$\therefore (xy+yz)(yz+zx)(zx+xy)$

$\quad=(3-zx)(3-xy)(3-yz)$

$\quad=27-9(xy+yz+zx)+3xyz(x+y+z)-(xyz)^2$

$\quad=27-9\times3+3\times1\times3-1$

$\quad=8$

13 $\dfrac{1}{64}-4pq-\square=\left(\dfrac{1}{8}+A\right)^2$

$\qquad\qquad\qquad\quad=\dfrac{1}{64}+2\times\dfrac{1}{8}\times A+A^2$

$\qquad\qquad\qquad\quad=\dfrac{1}{64}+\dfrac{A}{4}+A^2$

이므로 $-4pq=\dfrac{A}{4}$

$\therefore A=-16pq$

$\therefore \square=-A^2$

$\qquad=-(-16pq)^2$

$\qquad=-256p^2q^2$

14 $\dfrac{1}{4}x^2-\dfrac{1}{3}xy+\dfrac{1}{9}y^2=0$의 양변에 36을 곱하면

$9x^2-12xy+4y^2=0$

$(3x-2y)^2=0$

$\therefore 3x=2y$

즉, $y=\dfrac{3}{2}x$이므로

$\dfrac{3x+y}{2x-3y}=\dfrac{3x+\dfrac{3}{2}x}{2x-3\times\dfrac{3}{2}x}$

$\qquad\quad=\dfrac{\dfrac{9}{2}x}{-\dfrac{5}{2}x}=-\dfrac{9}{5}$

15 $a^4-b^4=(a^2-b^2)(a^2+b^2)$

$\qquad\qquad=(a-b)(a+b)(a^2+b^2)$

이므로 a^4-b^4의 인수가 아닌 것은 ⑤ $(a+b)^2$이다.

16 ㄱ. $\dfrac{4}{9}x^2-\dfrac{2}{3}xy+\dfrac{1}{4}y^2$

$\qquad=\left(\dfrac{2}{3}x\right)^2-2\times\dfrac{2}{3}x\times\dfrac{1}{2}y+\left(\dfrac{1}{2}y\right)^2$

$\qquad=\left(\dfrac{2}{3}x-\dfrac{1}{2}y\right)^2$

ㄴ. $x^2+9y^2-1-6xy=(x^2-6xy+9y^2)-1$

$\qquad\qquad\qquad\qquad=(x-3y)^2-1^2$

$\qquad\qquad\qquad\qquad=(x-3y-1)(x-3y+1)$

ㄷ. $(a+2b)^2-(3a-b)^2$

$\quad=\{(a+2b)-(3a-b)\}\{(a+2b)+(3a-b)\}$

$\quad=(-2a+3b)(4a+b)$

$\quad=-(2a-3b)(4a+b)$

ㄹ. $x-3=t$로 치환하면

(주어진 식)$=2t^2+5t-3$

$\qquad\qquad\quad=(t+3)(2t-1)$

$\qquad\qquad\quad=\{(x-3)+3\}\{2(x-3)-1\}$

$\qquad\qquad\quad=x(2x-7)$

따라서 인수분해가 바르게 된 것은 ㄱ, ㄷ이다.

17 $x^2+2xy+y^2-x-y-2=(x+y)^2-(x+y)-2$

$x+y=t$로 치환하면

(주어진 식)$=t^2-t-2$

$\qquad\qquad =(t-2)(t+1)$

$\qquad\qquad =(x+y-2)(x+y+1)$

따라서 두 일차식의 합은

$(x+y-2)+(x+y+1)=2x+2y-1$

18 두 이차식 x^2-mx+n, $2x^2+3x-m$은 $x-2$를 공통 인수로 갖으므로

$x=2$를 $2x^2+3x-m$에 대입하면

$8+6-m=0$

$\therefore m=14$

$m=14$, $x=2$를 x^2-mx+n에 대입하면

$4-28+n=0$

$\therefore n=24$

$\therefore m-n=14-24=-10$

> **TIP** 다항식 $f(x)$가 $x-a$를 인수로 가지면 $f(a)=0$이다.
> 다항식 $f(x)$가 $x-a$를 인수로 가지면 적당한 다항식 $Q(x)$가 존재하여
> $f(x)=(x-a)Q(x)$가 성립한다.
> $\therefore f(a)=0$

19 $x^2+6x+k=x^2+(a+b)x+ab$

이므로 $a+b=6$인 자연수 $(a,\ b)$는

$(1,\ 5),\ (2,\ 4),\ (3,\ 3),\ (4,\ 2),\ (5,\ 1)$

이때 $k=ab$이므로 $k=5,\ 8,\ 9$

따라서 k의 최솟값은 5이다.

20 약속에 따라 식을 변형하면

(주어진 식)$=(x^2+2yz)+(y^2+2zx)+(z^2+2xy)$

$\qquad\qquad =x^2+y^2+z^2+2(xy+yz+zx)$

$\qquad\qquad =(x+y+z)^2$

21 $\dfrac{2-a-a^2}{-a^2+10a-9}\div\dfrac{a^2+12a+27}{81-a^2}\times\dfrac{6-a-a^2}{(a+2)^2}$

$=\dfrac{-(a^2+a-2)}{-(a^2-10a+9)}\times\dfrac{-(a^2-81)}{a^2+12a+27}\times\dfrac{-(a^2+a-6)}{(a+2)^2}$

$=\dfrac{(a+2)(a-1)}{(a-1)(a-9)}\times\dfrac{(a-9)(a+9)}{(a+3)(a+9)}\times\dfrac{(a-2)(a+3)}{(a+2)^2}$

$=\dfrac{a-2}{a+2}=\dfrac{\sqrt{5}-2}{\sqrt{5}+2}=\dfrac{(\sqrt{5}-2)^2}{(\sqrt{5}+2)(\sqrt{5}-2)}=9-4\sqrt{5}$

22 $a^4-2a^2+5-\dfrac{4}{a^2}+\dfrac{4}{a^4}$

$=\left(a^4+\dfrac{4}{a^4}\right)-2\left(a^2+\dfrac{2}{a^2}\right)+5$

$=\left\{\left(a^2+\dfrac{2}{a^2}\right)^2-4\right\}-2\left(a^2+\dfrac{2}{a^2}\right)+5$

$=\left(a^2+\dfrac{2}{a^2}\right)^2-2\left(a^2+\dfrac{2}{a^2}\right)+1$

이므로 $a^2+\dfrac{2}{a^2}=A$로 치환하면

(주어진 식)$=A^2-2A+1=(A-1)^2=\left(a^2+\dfrac{2}{a^2}-1\right)^2$

23 $x^3-(2m-1)x^2-(1+2m-m^2)x-1+m^2$

$=x^3-2mx^2+x^2-x-2mx+m^2x-1+m^2$

$=(x+1)m^2-2(x^2+x)m+(x^3+x^2-x-1)$

$=(x+1)m^2-2x(x+1)m+\{x^2(x+1)-(x+1)\}$

$=(x+1)m^2-2x(x+1)m+(x+1)^2(x-1)$

$=(x+1)\{m^2-2xm+(x+1)(x-1)\}$

$=(x+1)(m-x-1)(m-x+1)$

24 처음 이차식을 $3x^2+ax+b$라 하면

A는 x의 계수를 잘못 보았으므로 x^2의 계수와 상수항은 바르게 보았다.

즉, $(x+2)(3x-4)=3x^2+2x-8$에서 $b=-8$

B는 상수항을 잘못 보았으므로 x^2의 계수와 x의 계수는 바르게 보았다.

즉, $(x-1)(3x+1)=3x^2-2x-1$에서 $a=-2$

따라서 처음 이차식은 $3x^2-2x-8$이므로 인수분해하면

$3x^2-2x-8=(x-2)(3x+4)$

1 이차방정식

1STEP 주제별 실력다지기

73~77쪽

1 ②   **2** $x=2$ **3** $a=3,\ b=1$ **4** 1 **5** (1) $x=\pm\sqrt{2}$ (2) 근이 없다.

(3) $x=0$ 또는 $x=2\sqrt{2}$ (4) $x=-\dfrac{2}{3}$ 또는 $x=3$ (5) $x=-\dfrac{1}{3}$ 또는 $x=1$ (6) $x=-\sqrt{2}$ 또는 $x=\sqrt{2}+1$

6 $a=1$ 또는 $b=1$ **7** $a=-2$, 다른 한 근 : 3 **8** $-5,\ -1,\ 1,\ 5$ **9** $\dfrac{4}{3},\ x=\dfrac{-3\pm\sqrt{3}}{3}$

10 $x=\dfrac{\sqrt{3}\pm\sqrt{7}}{2}$ **11** ④   **12** ②   **13** 13 **14** $5,\ 1-\sqrt{6}$ **15** $-\dfrac{3}{4}$

16 $x=\dfrac{1\pm\sqrt{17}}{4}$ **17** (1) 2개 (2) 0개 (3) 1개   **18** 10 **19** 9 **20** -8

21 (1) $m<1$ (2) $m>1$

최상위 05
NOTE 이차방정식의 근의 공식

이차방정식의 좌변이 두 일차식의 곱으로 인수분해되면 다음을 이용하여 해를 구한다.

$$AB=0 \iff A=0 \text{ 또는 } B=0$$

그러나 이차방정식 $x^2-5x+1=0$과 같이 좌변이 쉽게 인수분해되지 않으면 좌변을 완전제곱식으로 변형하여 해를 구할 수 있다.
이를 공식화한 것이 이차방정식의 근의 공식이다.

완전제곱식을 이용하여 $x^2-5x+1=0$의 해를 구하는 과정과 근의 공식을 유도하는 과정을 비교하면 다음과 같다.

[완전제곱식을 이용한 풀이]

x에 대한 이차방정식 $x^2-5x+1=0$에서

$$x^2-5x=-1$$
$$x^2-5x+\left(-\frac{5}{2}\right)^2=-1+\left(-\frac{5}{2}\right)^2$$
$$\left(x-\frac{5}{2}\right)^2=\frac{21}{4}$$
$$x-\frac{5}{2}=\pm\frac{\sqrt{21}}{2}$$
$$\therefore x=\frac{5\pm\sqrt{21}}{2}$$

[근의 공식을 이용한 풀이]

x에 대한 이차방정식 $ax^2+bx+c=0\,(a\neq0)$에서

$$x^2+\frac{b}{a}x=-\frac{c}{a}$$
$$x^2+\frac{b}{a}x+\left(\frac{b}{2a}\right)^2=-\frac{c}{a}+\left(\frac{b}{2a}\right)^2$$
$$\left(x+\frac{b}{2a}\right)^2=\frac{b^2-4ac}{4a^2}$$
$$x+\frac{b}{2a}=\pm\frac{\sqrt{b^2-4ac}}{2a}$$
$$\therefore x=\frac{-b\pm\sqrt{b^2-4ac}}{2a} \quad \cdots\cdots \text{㉠}$$

특히 일차항의 계수가 짝수인 이차방정식 $ax^2+2b'x+c=0$의 근은 b 대신 $2b'$을 위의 공식 ㉠에 대입하면 된다. 즉

$$x=\frac{-2b'\pm\sqrt{(2b')^2-4ac}}{2a}=\frac{-2b'\pm2\sqrt{b'^2-ac}}{2a}=\frac{-b'\pm\sqrt{b'^2-ac}}{a}$$

1 ㄱ. $2x^2-2x^2+2x=0$, $2x=0$: 일차방정식

ㄴ. $x^2-2x-1=0$: 이차방정식

ㄷ. $x^3-x^2-1=0$: 삼차방정식

ㄹ. $x^2+1=2x^2-4x$, $x^2-4x-1=0$: 이차방정식

ㅁ. $3x^3-3x^2+x-3x^2=0$, $3x^3-6x^2+x=0$: 삼차방정식

따라서 이차방정식은 ㄴ, ㄹ의 2개이다.

2 $x^2-2x-3=-3x+3$에서 $x^2+x-6=0$

$x^2+x-6=0$의 x에 -1, 0, 1, 2를 차례로 대입하면 2만 주어진 방정식을 만족하므로 해는 $x=2$이다.

3 $x=-1$을 방정식에 대입하면

$2-a+b=0$, $a-b=2$ ······ ㉠

$x=-\dfrac{1}{2}$을 방정식에 대입하면

$\dfrac{1}{2}-\dfrac{1}{2}a+b=0$, $a-2b=1$ ······ ㉡

㉠, ㉡을 연립하여 풀면 $a=3$, $b=1$

4 $x=2$는 두 방정식을 동시에 만족하는 근이므로 $x=2$를 두 방정식에 각각 대입하면

$8+2m-6=0$에서 $m=-1$

$4-6-n=0$에서 $n=-2$

$\therefore m-n=-1-(-2)=1$

5 (1) 주어진 식을 정리하면

$2x^2=4$, $x^2=2$

$\therefore x=\pm\sqrt{2}$

(2) $x^2=-4$ $\therefore$ 근이 없다.

(3) $2x(x-2\sqrt{2})=0$

$\therefore x=0$ 또는 $x=2\sqrt{2}$

(4) $3x^2-7x-6=0$, $(3x+2)(x-3)=0$

$\therefore x=-\dfrac{2}{3}$ 또는 $x=3$

(5) 양변에 6을 곱하면

$3x^2-2x-1=0$, $(3x+1)(x-1)=0$

$\therefore x=-\dfrac{1}{3}$ 또는 $x=1$

(6) 양변에 $\sqrt{2}+1$을 곱하면

$x^2-x-\sqrt{2}(\sqrt{2}+1)=0$

$(x+\sqrt{2})(x-\sqrt{2}-1)=0$

$\therefore x=-\sqrt{2}$ 또는 $x=\sqrt{2}+1$

6 $ab-a-b+1=0$에서

$a(b-1)-(b-1)=0$

$(a-1)(b-1)=0$

$\therefore a=1$ 또는 $b=1$

7 $x^2+ax-3=0$에 $x=-1$을 대입하면

$1-a-3=0$ $\therefore a=-2$

따라서 주어진 이차방정식은 $x^2-2x-3=0$이므로

$(x-3)(x+1)=0$

$\therefore x=3$ 또는 $x=-1$

따라서 다른 한 근은 3이다.

8 $x^2+ax-6=0$을 X자형 분리법으로 인수분해하면 가능한 경우는

$(x-1)(x+6)=0$, $(x+1)(x-6)=0$,

$(x-2)(x+3)=0$, $(x+2)(x-3)=0$

의 4가지이다.

$\therefore a=\pm5$ 또는 $a=\pm1$

9 $3x^2+6x+2=0$의 양변을 3으로 나누면

$x^2+2x+\dfrac{2}{3}=0$

상수항을 우변으로 이항하면

$x^2+2x=-\dfrac{2}{3}$

양변에 1을 더하면

$x^2+2x+1=\dfrac{1}{3}$ $\therefore (x+1)^2=\dfrac{1}{3}$

따라서 $A=1$, $B=\dfrac{1}{3}$이므로 $A+B=\dfrac{4}{3}$이고,

$x+1=\pm\sqrt{\dfrac{1}{3}}$이므로

$x=-1\pm\dfrac{\sqrt{3}}{3}=\dfrac{-3\pm\sqrt{3}}{3}$

10 근의 공식에 의해

$x=\dfrac{-(-\sqrt{3})\pm\sqrt{(-\sqrt{3})^2-4\times1\times(-1)}}{2\times1}$

$\therefore x=\dfrac{\sqrt{3}\pm\sqrt{7}}{2}$

11 $x=\dfrac{-(-1)\pm\sqrt{(-1)^2-2\times(-1)}}{2}=\dfrac{1\pm\sqrt{3}}{2}$

이므로 $A=1$, $B=3$

$\therefore A+B=4$

12 $x-y=X$라 하면

$X(X-5)-3=0$이므로

$X^2-5X-3=0$에서 $X=\dfrac{5\pm\sqrt{37}}{2}$

그런데 $x>y$에서 $x-y>0$이므로 $X>0$

$\therefore x-y=\dfrac{5+\sqrt{37}}{2}$

13 $x=\dfrac{1\pm\sqrt{1+3a}}{a}=\dfrac{1\pm\sqrt{b}}{3}$이므로

$a=3$, $1+3a=b$ $\quad\therefore a=3$, $b=10$

$\therefore a+b=13$

14 주어진 방정식에 $x=1+\sqrt{6}$을 대입하면

$(1+\sqrt{6})^2-2(1+\sqrt{6})-a=0$

$7+2\sqrt{6}-2-2\sqrt{6}-a=0$

$5-a=0$ $\quad\therefore a=5$

$x^2-2x-5=0$에서 근의 공식을 이용하면 $x=1\pm\sqrt{6}$

따라서 다른 한 근은 $1-\sqrt{6}$

15 p, q를 각각 주어진 방정식에 대입하면

$2p^2-2p-1=0$ $\quad\therefore p^2-p=\dfrac{1}{2}$

$2q^2-2q-1=0$ $\quad\therefore q^2-q=\dfrac{1}{2}$

$\therefore$ (주어진 식) $=\left(\dfrac{1}{2}-1\right)\left(\dfrac{1}{2}+1\right)=-\dfrac{3}{4}$

16 주어진 기호에 따라 식을 변형하면

$\{(x+1)-(2x-1)\}\triangle\{(3x+1)-(x-1)\}=0$

$(-x+2)\triangle(2x+2)=0$

$(-x+2)(2x+2)-(-x+2)-(2x+2)+2=0$

$-2x^2+2x+4+x-2-2x-2+2=0$

$2x^2-x-2=0$

$\therefore x=\dfrac{1\pm\sqrt{17}}{4}$

17 (1) $D=(-3)^2-4\times\sqrt{2}\times(-4)=9+16\sqrt{2}>0$

$\therefore$ 서로 다른 두 개의 실근, 즉 2개

(2) $D=(-3)^2-4\times1\times4=-7<0$

$\therefore$ 근이 없다. 즉, 0개

(3) 양변을 9로 나누면 $x^2-4x+4=0$

$D=(-4)^2-4\times1\times4=0$

$\therefore$ 중근, 즉 1개

18 주어진 이차방정식을 정리하면

$x^2+2x+k-9=0$

중근을 가지려면

$D=2^2-4\times1\times(k-9)=0$, $4-4k+36=0$

$4k=40$ $\quad\therefore k=10$

> **다른 풀이**
>
> $\dfrac{D}{4}=1^2-(k-9)=0$
>
> $1-k+9=0$ $\quad\therefore k=10$

> **TIP** 이차방정식의 근의 판별
> 일차항의 계수가 짝수인 이차방정식 $ax^2+2b'x+c=0$의 판별식을 구하면
> $$D=(2b')^2-4ac=4(b'^2-ac)$$
> 이므로 b'^2-ac의 부호로도 근을 판별할 수 있다.
> 이 식을 $\dfrac{D}{4}$로 나타내고, 일차항의 계수가 짝수인 경우에는 주로
> $$\dfrac{D}{4}=b'^2-ac$$
> 의 부호를 이용하여 이차방정식의 근을 판별한다.

19 주어진 방정식의 근이 중근 $x=3$이므로

$3(x-3)^2=0$, 즉 $3x^2-18x+27=0$

따라서 $3x^2+ax+b=0$과 계수를 비교하면

$a=-18$, $b=27$

$\therefore a+b=-18+27=9$

20 $x^2-(k+2)x+4=0$이 중근을 가지므로

$D=\{-(k+2)\}^2-4\times1\times4=0$

$k^2+4k-12=0$, $(k+6)(k-2)=0$

$\therefore k=-6$ 또는 $k=2$

따라서 -6, 2가 $x^2+ax+b=0$의 두 근이므로 x에 -6, 2를 각각 대입하면

$36-6a+b=0$ $\quad\therefore -6a+b=-36$ $\quad\cdots\cdots$ ㉠

$4+2a+b=0$ $\quad\therefore 2a+b=-4$ $\quad\cdots\cdots$ ㉡

㉠, ㉡을 연립하여 풀면

$a=4$, $b=-12$

$\therefore a+b=4-12=-8$

21 (1) $D=(-2)^2-4\times1\times m>0$이므로

$4-4m>0$ $\quad\therefore m<1$

(2) $D=(-2)^2-4\times1\times m<0$이므로

$4-4m<0$ $\quad\therefore m>1$

> **다른 풀이**
>
> (1) $\dfrac{D}{4}=(-1)^2-m>0$ $\quad\therefore m<1$
>
> (2) $\dfrac{D}{4}=(-1)^2-m<0$ $\quad\therefore m>1$

2^{STEP} 실력 높이기

1 $11+8\sqrt{2}$　　**2** ⑤　　**3** $x=\dfrac{5\pm\sqrt{33}}{4}$　　**4** $\dfrac{2+3\sqrt{2}}{2}$　　**5** $x=\sqrt{2}$ 또는 $x=\sqrt{2}-1$

6 10　　**7** $-\dfrac{8}{9}$　　**8** $x=2\pm\sqrt{7}$ 또는 $x=1$ 또는 $x=3$　　**9** $x=-2$ 또는 $x=2$

10 $x=-2$ 또는 $x=6$　　**11** $x=-3,\ x=1$　　**12** $-3,\ 0,\ 3$　　**13** $2k^2+4$　　**14** $\dfrac{33}{2}$

15 $a=-4,\ b=-2$　　**16** 서로 다른 2개　　**17** $a=-4,\ b=5$　　**18** $a=c$인 이등변삼각형　　**19** -1

문제 풀이

1 주어진 방정식에 $x=1+\sqrt{2}$를 대입하면
$3(1+\sqrt{2})^2+2(1+\sqrt{2})-a=0$
$3(3+2\sqrt{2})+2+2\sqrt{2}-a=0$
$9+6\sqrt{2}+2+2\sqrt{2}-a=0$
$11+8\sqrt{2}-a=0$　　$\therefore a=11+8\sqrt{2}$

2　① $(x-2)^2=0$　　$\therefore x=2$ (중근)
② $(x-2)(x+6)=0$　　$\therefore x=2$ 또는 $x=-6$
③ $(x+6)(x-5)=0$　　$\therefore x=-6$ 또는 $x=5$
④ $(2x+1)(x-1)=0$　　$\therefore x=-\dfrac{1}{2}$ 또는 $x=1$
⑤ 근의 공식을 이용하면 $x=2\pm\sqrt{3}$
따라서 ⑤는 유리수인 해를 갖지 않는다.

3 서술형
표현 단계 $2x^2-5x-1=0$의 양변을 2로 나누면
$$x^2-\frac{5}{2}x-\frac{1}{2}=0$$
변형 단계 $-\dfrac{1}{2}$을 우변으로 이항하면
$$x^2-\frac{5}{2}x=\frac{1}{2}$$
풀이 단계 완전제곱식을 만들기 위해 양변에 x의 계수의 $\dfrac{1}{2}$의
제곱인 $\left\{\left(-\dfrac{5}{2}\right)\times\dfrac{1}{2}\right\}^2=\dfrac{25}{16}$를 각각 더하면
$$x^2-\frac{5}{2}x+\frac{25}{16}=\frac{1}{2}+\frac{25}{16}$$
$$\left(x-\frac{5}{4}\right)^2=\frac{33}{16},\ x-\frac{5}{4}=\pm\frac{\sqrt{33}}{4}$$
$$\therefore x=\frac{5\pm\sqrt{33}}{4}$$

4 $x^2-2\sqrt{2}x+2=0$에서
$(x-\sqrt{2})^2=0$　　$\therefore x=\sqrt{2}$ (중근)
즉 $a=\sqrt{2}$이고, $1<\sqrt{2}<2$이므로
$n=1,\ m=\sqrt{2}-1$
$\therefore a+\dfrac{1}{n-m}=\sqrt{2}+\dfrac{1}{2-\sqrt{2}}$
$$=\sqrt{2}+\frac{2+\sqrt{2}}{2}$$
$$=\frac{2+3\sqrt{2}}{2}$$

5 주어진 식의 양변에 $\sqrt{2}-1$을 곱하면
$x^2+(1-2\sqrt{2})x+\sqrt{2}(\sqrt{2}-1)=0$
$(x-\sqrt{2})(x-\sqrt{2}+1)=0$
$\therefore x=\sqrt{2}$ 또는 $x=\sqrt{2}-1$

> **TIP** 인수분해, 완전제곱식, 근의 공식을 바로 적용하여 풀기에는 주어진 방정식의 꼴이 복잡하다. 이와 같이 x^2의 계수가 무리수인 이차방정식은 양변에 적당한 무리수를 곱하여 x^2의 계수를 유리화하여 풀면 계산이 좀 더 간단해진다.

6 $a\neq0$이므로 $a^2-3a+1=0$의 양변을 a로 나누면
$a-3+\dfrac{1}{a}=0$　　$\therefore a+\dfrac{1}{a}=3$
$\therefore$ (주어진 식) $=\left(a^2+\dfrac{1}{a^2}\right)+\left(a+\dfrac{1}{a}\right)$
$$=\left(a+\frac{1}{a}\right)^2-2+\left(a+\frac{1}{a}\right)$$
$$=3^2-2+3=10$$

7 서술형
표현 단계 $3x^2-6x-2=0$의 두 근이 $a,\ \beta$이므로
　$a,\ \beta$를 각각 대입하면
　$3a^2-6a-2=0$
　$3\beta^2-6\beta-2=0$
변형 단계 즉 $a^2-2a=\dfrac{2}{3},\ \beta^2-2\beta=\dfrac{2}{3}$이므로
$$a^2-2a-1=\frac{2}{3}-1=-\frac{1}{3}$$
$$\beta^2-2\beta+2=\frac{2}{3}+2=\frac{8}{3}$$
풀이 단계 $\therefore (a^2-2a-1)(\beta^2-2\beta+2)=\left(-\dfrac{1}{3}\right)\times\dfrac{8}{3}$
$$=-\frac{8}{9}$$

8 $|x^2-4x|=3 \iff x^2-4x=3$ 또는 $x^2-4x=-3$

(i) $x^2-4x=3$, 즉 $x^2-4x-3=0$일 때

$x=2\pm\sqrt{7}$

(ii) $x^2-4x=-3$, 즉 $x^2-4x+3=0$일 때

$(x-1)(x-3)=0$

$\therefore x=1$ 또는 $x=3$

(i), (ii)에서 $x=2\pm\sqrt{7}$ 또는 $x=1$ 또는 $x=3$

9 서술형

표현 단계 $x^2=|x|^2$이므로

$2|x|^2-3|x|-2=0$

변형 단계 $2|x|^2-3|x|-2=0$의 좌변을 인수분해하면

풀이 단계 $(2|x|+1)(|x|-2)=0$

$\therefore |x|=-\dfrac{1}{2}$ 또는 $|x|=2$

확인 단계 그런데 $|x|\geq0$이므로 $|x|\neq-\dfrac{1}{2}$

따라서 $|x|=2$에서 $x=\pm2$

10 $f(x)$가 이차식이므로 $f(x)=ax^2+bx+c(a\neq0)$로 놓으면

㈎에서 $f(0)=1$이므로 $c=1$

㈏에서

$f(x+2)-f(x)$

$=a(x+2)^2+b(x+2)+c-(ax^2+bx+c)$

$=ax^2+4ax+4a+bx+2b+c-ax^2-bx-c$

$=4ax+4a+2b$

$4ax+4a+2b=4x-2$이므로

$4a=4$ $\therefore a=1$

$4a+2b=-2$, $4+2b=-2$ $\therefore b=-3$

따라서 $f(x)=x^2-3x+1$이므로

$x^2-3x+1=x+13$, $x^2-4x-12=0$

$(x+2)(x-6)=0$

$\therefore x=-2$ 또는 $x=6$

11 서술형

표현 단계 $x=2$는 두 이차방정식의 공통인 근이므로

$x=2$를 두 방정식에 각각 대입한다.

풀이 단계 $x=2$를 $x^2-ax-6=0$에 대입하면

$4-2a-6=0$ $\therefore a=-1$

$x=2$를 $x^2-3x-b=0$에 대입하면

$4-6-b=0$ $\therefore b=-2$

$x^2-ax-6=0$에서

$x^2+x-6=0$이므로

$(x+3)(x-2)=0$

$\therefore x=-3$ 또는 $x=2$

$x^2-3x-b=0$에서

$x^2-3x+2=0$이므로

$(x-1)(x-2)=0$

$\therefore x=1$ 또는 $x=2$

확인 단계 따라서 두 이차방정식의 나머지 근은 각각

$x=-3$, $x=1$이다.

12 서술형

표현 단계 정수해를 가지려면 상수항에서 16이 1×16,

2×8, 4×4로 인수분해되어야 한다.

변형 단계 즉 주어진 이차방정식 $x^2+2ax-16=0$을 다음과

같이 변형하면

$(x-1)(x+16)=0$에서

$2a=15$ $\therefore a=\dfrac{15}{2}$

$(x+1)(x-16)=0$에서

$2a=-15$ $\therefore a=-\dfrac{15}{2}$

$(x-2)(x+8)=0$에서

$2a=6$ $\therefore a=3$

$(x+2)(x-8)=0$에서

$2a=-6$ $\therefore a=-3$

$(x-4)(x+4)=0$에서

$2a=0$ $\therefore a=0$

확인 단계 따라서 정수 a의 값은 -3, 0, 3이다.

13 주어진 이차방정식의 x에 α, β를 각각 대입하면

$\alpha^2-k\alpha-1=0$, $\beta^2-k\beta-1=0$

$\alpha\neq0$, $\beta\neq0$이므로 양변을 각각 α, β로 나누면

$\alpha-\dfrac{1}{\alpha}=k$, $\beta-\dfrac{1}{\beta}=k$

또한, $\alpha<0$, $\beta>0$이므로

$\alpha+\dfrac{1}{\alpha}=-\sqrt{\left(\alpha-\dfrac{1}{\alpha}\right)^2+4}=-\sqrt{k^2+4}$

$\beta+\dfrac{1}{\beta}=\sqrt{\left(\beta-\dfrac{1}{\beta}\right)^2+4}=\sqrt{k^2+4}$

$\alpha^2+\alpha+\dfrac{1}{\alpha}+\dfrac{1}{\alpha^2}=\left(\alpha^2+\dfrac{1}{\alpha^2}\right)+\alpha+\dfrac{1}{\alpha}$

$=\left(\alpha-\dfrac{1}{\alpha}\right)^2+2+\alpha+\dfrac{1}{\alpha}$

$=k^2+2-\sqrt{k^2+4}$

$\beta^2+\beta+\dfrac{1}{\beta}+\dfrac{1}{\beta^2}=\left(\beta^2+\dfrac{1}{\beta^2}\right)+\beta+\dfrac{1}{\beta}$

$=\left(\beta-\dfrac{1}{\beta}\right)^2+2+\beta+\dfrac{1}{\beta}$

$=k^2+2+\sqrt{k^2+4}$

$\therefore$ (주어진 식)$=k^2+2-\sqrt{k^2+4}+k^2+2+\sqrt{k^2+4}$

$=2k^2+4$

다른 풀이

주어진 이차방정식의 두 근이 α, β이므로

$(x-\alpha)(x-\beta)=x^2-(\alpha+\beta)x+\alpha\beta=0$

즉 $x^2-(\alpha+\beta)x+\alpha\beta=x^2-kx-1$이고

$\alpha+\beta=k$, $\alpha\beta=-1$이다.

따라서 곱셈 공식의 변형에 의해 주어진 식을 변형하면

$$(주어진 식)=(\alpha^2+\beta^2)+(\alpha+\beta)+\left(\frac{1}{\alpha}+\frac{1}{\beta}\right)+\left(\frac{1}{\alpha^2}+\frac{1}{\beta^2}\right)$$
$$=(\alpha+\beta)^2-2\alpha\beta+(\alpha+\beta)+\frac{\alpha+\beta}{\alpha\beta}$$
$$+\frac{(\alpha+\beta)^2-2\alpha\beta}{(\alpha\beta)^2}$$
$$=k^2+2+k+\frac{k}{-1}+\frac{k^2+2}{1}$$
$$=2k^2+4$$

14 $x=-\dfrac{3}{2}$을 주어진 이차방정식에 대입하면

$4\times\left(-\dfrac{9}{2}\right)^2=\beta^2$, $\beta^2=81$

$\therefore \beta=9$ ($\because \beta>0$)

따라서 $4(x-3)^2=81$이므로

$(x-3)^2=\dfrac{81}{4}$, $x-3=\pm\dfrac{9}{2}$

$\therefore x=\dfrac{15}{2}$ 또는 $x=-\dfrac{3}{2}$

$\therefore \alpha=\dfrac{15}{2}$

$\therefore \alpha+\beta=\dfrac{15}{2}+9=\dfrac{33}{2}$

15 서술형

표현 단계 $2x^2+ax+b=0$에 $x=1-\sqrt{2}$를 대입하면

변형 단계 $2(1-\sqrt{2})^2+a(1-\sqrt{2})+b=0$

$2(3-2\sqrt{2})+a-a\sqrt{2}+b=0$

$(a+b+6)-(a+4)\sqrt{2}=0$에서 a, b가 유리수이
므로

$a+b+6=0$, $a+4=0$

풀이 단계 $a=-4$이므로 $a+b+6=0$에 대입하면

$-4+b+6=0$ $\therefore b=-2$

확인 단계 $\therefore a=-4$, $b=-2$

16 $x^2-2ax+b^2+1=0$이 실근을 가지므로

$\dfrac{D}{4}=(-a)^2-1\times(b^2+1)=a^2-b^2-1\geq0$

$\therefore a^2\geq b^2+1$ ...... ㉠

또한 $x^2+4ax+2b=0$에서

$\dfrac{D'}{4}=(2a)^2-1\times2b=4a^2-2b$

㉠에 의해

$4a^2-2b\geq4(b^2+1)-2b=4\left(b-\dfrac{1}{4}\right)^2+\dfrac{15}{4}>0$

이므로 서로 다른 2개의 실근을 갖는다.

17 $x^2+ax+b-1=0$이 중근 $x=2$를 가지므로

$(x-2)^2=0$, 즉 $x^2-4x+4=0$

따라서 $a=-4$, $b-1=4$이므로

$a=-4$, $b=5$

18 서술형

표현 단계 주어진 이차방정식이 중근을 가지므로

$$\frac{D}{4}=\{-(a+b)\}^2-(b^2+2ab+c^2)=0에서$$

풀이 단계 $a^2+2ab+b^2-b^2-2ab-c^2=0$

$a^2-c^2=0$, $(a+c)(a-c)=0$

그런데 a, b, c는 삼각형의 세 변의 길이이므로

$a+c\neq0$

$\therefore a-c=0$

확인 단계 따라서 $a=c$이므로 세 변의 길이가 a, b, c인 삼각
형은 $a=c$인 이등변삼각형이다.

19 $D=(2k-1)^2-4k^2\geq0$에서

$-4k+1\geq0$ $\therefore k\leq\dfrac{1}{4}$

이때 이차방정식이므로 $k\neq0$

$\therefore k<0$ 또는 $0<k\leq\dfrac{1}{4}$

따라서 정수 k의 최댓값은 -1이다.

3 STEP 최고 실력 완성하기

1 $-1 \leq x < 0$ 또는 $2 \leq x < 3$　　**2** $x=-2$ 또는 $x=\sqrt{2}$　　**3** 161　　**4** $x=1, y=3$

5 정삼각형　　**6** $(2, 1), (4, 4), (6, 9)$　　**7** $x=\dfrac{-5\pm\sqrt{7}}{2}$ 또는 $x=1$ 또는 $x=-6$　　**8** $\dfrac{4}{3}$ 또는 $\dfrac{14}{3}$

9 $x=1, y=-2$　　**10** $a=0, b\neq0$ 또는 $a\neq0$, b^2-4ac가 0 또는 제곱수　　**11** $(2x-3)(3x-4)$

문제 풀이

1 주어진 방정식은 $([x]+1)([x]-2)=0$

$\therefore [x]=-1$ 또는 $[x]=2$

(i) $[x]=-1$일 때, $-1 \leq x < 0$

(ii) $[x]=2$일 때, $2 \leq x < 3$

(i), (ii)에 의해

$-1 \leq x < 0$ 또는 $2 \leq x < 3$

> **TIP** 실수 x에 대하여 x보다 크지 않은 최대의 정수를 $[x]$로 나타내고, 이를 가우스 기호라 한다. 만일 x가 정수 n이면 n보다 크지 않은 최대의 정수는 n이므로 $[x]=n$이다. 또 x가 정수가 아니면 $[x]$는 수직선 위에서 x를 나타내는 점을 기준으로 왼쪽 첫 번째 정수이므로 x가 두 정수 n과 $n+1$ 사이의 실수이면 $[x]=n$이다. 따라서 정수 n에 대하여 다음이 성립한다.
>
> $n \leq x < n+1 \Longleftrightarrow [x]=n$

2 $\sqrt{x^2}=|x|$이므로 주어진 방정식은

$x^2+|x|=|x-1|+3$

(i) $x<0$일 때

　$x^2-x=-x+1+3$

　$x^2=4$　　$\therefore x=-2 \ (\because x<0)$

(ii) $0 \leq x < 1$일 때

　$x^2+x=-x+1+3$

　$x^2+2x-4=0, \ x=-1\pm\sqrt{5}$

　$\therefore$ 근이 없다. $(\because 0 \leq x < 1)$

(iii) $x \geq 1$일 때

　$x^2+x=x-1+3$

　$x^2=2$　　$\therefore x=\sqrt{2} \ (\because x \geq 1)$

(i), (ii), (iii)에 의해 $x=-2$ 또는 $x=\sqrt{2}$

3 $\alpha \neq 0$이므로 $\alpha^2-5\alpha+1=0$의 양변을 α로 나누면

$\alpha+\dfrac{1}{\alpha}=5$

$\therefore$ (주어진 식)

$=\left(\alpha^3+\dfrac{1}{\alpha^3}\right)+2\left(\alpha^2+\dfrac{1}{\alpha^2}\right)+\left(\alpha+\dfrac{1}{\alpha}\right)$

$=\left(\alpha+\dfrac{1}{\alpha}\right)^3-3\left(\alpha+\dfrac{1}{\alpha}\right)+2\left\{\left(\alpha+\dfrac{1}{\alpha}\right)^2-2\right\}+\left(\alpha+\dfrac{1}{\alpha}\right)$

$=\left(\alpha+\dfrac{1}{\alpha}\right)^3+2\left(\alpha+\dfrac{1}{\alpha}\right)^2-2\left(\alpha+\dfrac{1}{\alpha}\right)-4$

$=125+50-10-4=161$

4 $x+y=m, \ x-y=n$이라 하면

$m^2-2m-8=0, \ (m+2)(m-4)=0$

$\therefore m=4 \ (\because m>0)$

$n^2+4n+4=0, \ (n+2)^2=0$

$\therefore n=-2$

따라서 $x+y=4, \ x-y=-2$이므로

두 식을 연립하여 풀면

$x=1, \ y=3$

5 $x^2-(a+b)x+ab+x^2-(b+c)x+bc$
$\qquad\qquad\qquad +x^2-(c+a)x+ca=0$

$3x^2-2(a+b+c)x+ab+bc+ca=0$

이 이차방정식이 중근을 가지므로

$\dfrac{D}{4}=(a+b+c)^2-3(ab+bc+ca)=0$

$a^2+b^2+c^2-ab-bc-ca=0$

양변에 2를 곱하면

$2a^2+2b^2+2c^2-2ab-2bc-2ca=0$

$(a-b)^2+(b-c)^2+(c-a)^2=0$

$a-b=b-c=c-a=0$

$\therefore a=b=c$

따라서 세 변의 길이가 같은 정삼각형이다.

6 $x=a-\sqrt{b}$를 주어진 이차방정식에 대입하면

$(a-\sqrt{b})^2-a(a-\sqrt{b})+b=0$

$a^2-2a\sqrt{b}+b-a^2+a\sqrt{b}+b=0, \ a\sqrt{b}=2b$

$\therefore a=2\sqrt{b}$

그런데 a가 자연수이면 b는 제곱수이므로

$b=1$일 때, $a=2$

$b=4$일 때, $a=4$

$b=9$일 때, $a=6$

$\therefore (a, b)=(2, 1), (4, 4), (6, 9)$

7 $2(x^2+5x)^2-3(x^2+5x)-54=0$이므로 주어진 방정식을 $x^2+5x=t$로 치환하면

$2t^2-3t-54=0, \ (2t+9)(t-6)=0$

$\therefore t=-\dfrac{9}{2}$ 또는 $t=6$

(i) $t=-\dfrac{9}{2}$일 때, $x^2+5x=-\dfrac{9}{2}$

$2x^2+10x+9=0$ $\therefore x=\dfrac{-5\pm\sqrt{7}}{2}$

(ii) $t=6$일 때, $x^2+5x=6$

$x^2+5x-6=0$, $(x-1)(x+6)=0$

$\therefore x=1$ 또는 $x=-6$

(i), (ii)에 의해

$x=\dfrac{-5\pm\sqrt{7}}{2}$ 또는 $x=1$ 또는 $x=-6$

8 $a^2-6ab+8b^2=0$에서

$(a-2b)(a-4b)=0$ $\therefore a=2b$ 또는 $a=4b$

(i) $a=2b$일 때

(주어진 식) $=\dfrac{4\times 4b^2-8b^2}{3\times 2b\times b}=\dfrac{8b^2}{6b^2}=\dfrac{4}{3}$

(ii) $a=4b$일 때

(주어진 식) $=\dfrac{4\times 16b^2-8b^2}{3\times 4b\times b}=\dfrac{56b^2}{12b^2}=\dfrac{14}{3}$

(i), (ii)에 의해 구하는 값은 $\dfrac{4}{3}$ 또는 $\dfrac{14}{3}$이다.

9 x에 대하여 내림차순으로 정리하면

$5x^2+2(2y-1)x+2y^2+4y+5=0$ $\cdots\cdots$ ㉠

㉠에서 x가 실수이므로

$\dfrac{D}{4}=(2y-1)^2-5(2y^2+4y+5)\geq 0$

$-6y^2-24y-24\geq 0$

$y^2+4y+4\leq 0$, $(y+2)^2\leq 0$

y는 실수이므로 $(y+2)^2<0$일 수 없다.

즉 $y+2=0$ $\therefore y=-2$

이것을 ㉠에 대입하면

$5x^2-10x+5=0$, $x^2-2x+1=0$

$(x-1)^2=0$ $\therefore x=1$

10 (i) $a=0$일 때, 주어진 방정식은 $bx+c=0$

$b\neq 0$이면 $x=-\dfrac{c}{b}$ (유리수)

$b=0$일 때, $\begin{cases} c\neq 0\text{이면 근이 없다.} \\ c=0\text{이면 근이 무수히 많다. (항등식)} \end{cases}$

(ii) $a\neq 0$일 때 $x=\dfrac{-b\pm\sqrt{b^2-4ac}}{2a}$가 유리수가 되려면

b^2-4ac가 0 또는 제곱수이어야 한다.

(i), (ii)에 의해 $a=0$, $b\neq 0$ 또는 $a\neq 0$, b^2-4ac가 0 또는

제곱수이어야 한다.

11 근의 공식을 이용하여 이차방정식 $6x^2-17x+12=0$

의 두 근을 구하면

$x=\dfrac{-(-17)\pm\sqrt{(-17)^2-4\times 6\times 12}}{2\times 6}$

$=\dfrac{17\pm\sqrt{1}}{12}$

$\therefore x=\dfrac{3}{2}$ 또는 $x=\dfrac{4}{3}$

즉 $6x^2-17x+12=a\left(x-\dfrac{3}{2}\right)\left(x-\dfrac{4}{3}\right)$이고

x^2의 계수가 6이므로 $a=6$

따라서 $6x^2-17x+12$는

$6\left(x-\dfrac{3}{2}\right)\left(x-\dfrac{4}{3}\right)=(2x-3)(3x-4)$로 인수분해된다.

2 이차방정식의 활용

87~92쪽

1 STEP 주제별 실력다지기

1 -45

2 (1) $-\dfrac{4}{3}$ (2) 22 (3) $\dfrac{100}{9}$ (4) -103

3 68

4 -12

5 $\sqrt{57}$

6 (1) $x^2-6x+1=0$ (2) $x^2-x-2=0$ (3) $x^2+6x+1=0$

7 $-\dfrac{5}{2}$

8 -3

9 $a=\pm\sqrt{3},\ b=1$

10 $x^2-23x+126=0$ **11** $-1\leq a<0$

12 $-\dfrac{1}{8}\leq a<0$

13 $a>0$

14 -2

15 $a=1$ 또는 $a=3$

16 (1) $x=\pm3$ (2) $x=1\pm\sqrt{6}$ 또는 $x=1\pm\sqrt{2}$

17 7

18 6

19 $x=4,\ y=16$ 또는 $x=16,\ y=4$

20 $(10,\ 1),\ (18,\ 15),\ (50,\ 49)$

21 $(3+\sqrt{5})$ cm

22 28 cm²

23 20분

24 $(8-4\sqrt{2})$ cm

최상위 06 NOTE 이차방정식의 근과 계수의 관계

이차방정식의 근과 계수의 관계를 이용하면 두 근을 직접 구하지 않아도 두 근의 합, 곱, 차를 구할 수 있다. 이차방정식의 근과 계수의 관계를 다음 두 가지 방법으로 얻을 수 있다.

[방법 1] 이차방정식 $ax^2+bx+c=0$의 두 근을

$$\alpha=\frac{-b+\sqrt{b^2-4ac}}{2a},\ \beta=\frac{-b-\sqrt{b^2-4ac}}{2a}$$ 라 하면

$$\alpha+\beta=\frac{-b+\sqrt{b^2-4ac}}{2a}+\frac{-b-\sqrt{b^2-4ac}}{2a}=-\frac{b}{a}$$

$$\alpha\beta=\frac{-b+\sqrt{b^2-4ac}}{2a}\times\frac{-b-\sqrt{b^2-4ac}}{2a}$$

$$=\frac{b^2-(b^2-4ac)}{4a^2}=\frac{c}{a}$$

$$|\alpha-\beta|=\left|\frac{-b+\sqrt{b^2-4ac}}{2a}-\frac{-b-\sqrt{b^2-4ac}}{2a}\right|$$

$$=\frac{\sqrt{b^2-4ac}}{|a|}$$ (단, $a,\ \alpha,\ \beta$는 실수)

[방법 2] 이차방정식 $ax^2+bx+c=0$의 두 근을 $\alpha,\ \beta$라 하고 $ax^2+bx+c=a(x-\alpha)(x-\beta)$이고, $a\neq0$이므로 양변을 a로 나누면

$$x^2+\frac{b}{a}x+\frac{c}{a}=(x-\alpha)(x-\beta)$$

$$\therefore\ x^2+\frac{b}{a}x+\frac{c}{a}=x^2-(\alpha+\beta)x+\alpha\beta$$

양변의 계수를 비교하면 $\alpha+\beta=-\dfrac{b}{a},\ ab=\dfrac{c}{a}$

$$|\alpha-\beta|=\sqrt{(\alpha-\beta)^2}=\sqrt{(\alpha+\beta)^2-4\alpha\beta}$$

$$=\sqrt{\left(-\frac{b}{a}\right)^2-4\times\frac{c}{a}}=\frac{\sqrt{b^2-4ac}}{|a|}$$

(단, $a,\ \alpha,\ \beta$는 실수)

1 $x^2-3x-6=0$의 두 근을 α, β라 하면

$\alpha+\beta=3$, $\alpha\beta=-6$

이므로 $3x^2+ax+b=0$의 두 근은 $x=3$ 또는 $x=-6$이다.

근과 계수의 관계에서

$3+(-6)=-\dfrac{a}{3}$, $3\times(-6)=\dfrac{b}{3}$

$\therefore a=9$, $b=-54$

$\therefore a+b=-45$

2 $x^2-4x-3=0$의 두 근이 α, β이므로

$\alpha+\beta=4$, $\alpha\beta=-3$

(1) $\dfrac{1}{\alpha}+\dfrac{1}{\beta}=\dfrac{\alpha+\beta}{\alpha\beta}=-\dfrac{4}{3}$

(2) $\alpha^2+\beta^2=(\alpha+\beta)^2-2\alpha\beta=4^2+6=22$

(3) $\dfrac{\beta}{\alpha^2}+\dfrac{\alpha}{\beta^2}=\dfrac{\alpha^3+\beta^3}{\alpha^2\beta^2}$

$\qquad=\dfrac{(\alpha+\beta)^3-3\alpha\beta(\alpha+\beta)}{(\alpha\beta)^2}$

$\qquad=\dfrac{4^3-3\times(-3)\times 4}{(-3)^2}=\dfrac{100}{9}$

(4) $(\alpha-3\beta+1)(\beta-3\alpha+1)$

$=\alpha\beta-3\alpha^2+\alpha-3\beta^2+9\alpha\beta+\beta-3\alpha+1$

$=-3(\alpha^2+\beta^2)-2(\alpha+\beta)+10\alpha\beta+1$

$=-3\times 22-2\times 4+10\times(-3)+1$

$=-103$

3 $\alpha+\beta=6$, $\alpha\beta=-8$이므로

$(\alpha-\beta)^2=(\alpha+\beta)^2-4\alpha\beta$

$\qquad=6^2-4\times(-8)$

$\qquad=36+32=68$

4 두 근을 α, β라 하면 $\alpha+\beta=1$, $\alpha\beta=\dfrac{k}{2}$이므로

$|\alpha-\beta|=\sqrt{(\alpha+\beta)^2-4\alpha\beta}=5$에서

$\sqrt{1-2k}=5$, $1-2k=25$

$\therefore k=-12$

다른 풀이

두 근의 차가 5이므로 두 근을 α, $\alpha+5$라 하면

(두 근의 합)$=\alpha+(\alpha+5)=1$에서

$2\alpha=-4$ $\quad\therefore \alpha=-2$

(두 근의 곱)$=\alpha(\alpha+5)=\dfrac{k}{2}$에서

$\dfrac{k}{2}=-6$ $\quad\therefore k=-12$

5 이차방정식의 근과 계수의 관계에서

$\dfrac{1}{2}+\dfrac{1}{3}=-m$, $\dfrac{1}{2}\times\dfrac{1}{3}=n$

$\therefore m=-\dfrac{5}{6}$, $n=\dfrac{1}{6}$

따라서 $\dfrac{m}{5}x^2+3nx+2=0$은

$-\dfrac{1}{6}x^2+\dfrac{1}{2}x+2=0$에서

$x^2-3x-12=0$ $\qquad\cdots\cdots$ ㉠

㉠의 두 근을 α, β라 하면

$\alpha+\beta=3$, $\alpha\beta=-12$이므로 두 근의 차는

$|\alpha-\beta|=\sqrt{(\alpha+\beta)^2-4\alpha\beta}$

$\qquad=\sqrt{9+48}=\sqrt{57}$

6 $\alpha+\beta=2$, $\alpha\beta=-1$이므로

(1) $x^2-(\alpha^2+\beta^2)x+\alpha^2\beta^2=0$에서

$\alpha^2+\beta^2=(\alpha+\beta)^2-2\alpha\beta$

$\qquad=2^2-2\times(-1)=6$

$\alpha^2\beta^2=(\alpha\beta)^2=1$

$\therefore x^2-6x+1=0$

(2) $x^2-(\alpha+\beta+\alpha\beta)x+(\alpha+\beta)\alpha\beta=0$에서

$\alpha+\beta+\alpha\beta=2-1=1$

$(\alpha+\beta)\alpha\beta=2\times(-1)=-2$

$\therefore x^2-x-2=0$

(3) $x^2-\left(\dfrac{\beta}{\alpha}+\dfrac{\alpha}{\beta}\right)x+\dfrac{\beta}{\alpha}\times\dfrac{\alpha}{\beta}=0$에서

$\dfrac{\beta}{\alpha}+\dfrac{\alpha}{\beta}=\dfrac{\alpha^2+\beta^2}{\alpha\beta}=\dfrac{6}{-1}=-6$

$\dfrac{\beta}{\alpha}\times\dfrac{\alpha}{\beta}=1$

$\therefore x^2+6x+1=0$

7 $2x^2+3x-3=0$의 두 근을 α, β라 하면

$\alpha+\beta=-\dfrac{3}{2}$, $\alpha\beta=-\dfrac{3}{2}$

따라서 $x^2+ax+b=0$의 두 근이 $\alpha+1$, $\beta+1$이므로

$\alpha+\beta+2=-a$에서

$-\dfrac{3}{2}+2=-a$ $\quad\therefore a=-\dfrac{1}{2}$

$(\alpha+1)(\beta+1)=b$에서

$b=\alpha\beta+\alpha+\beta+1$

$\quad=-\dfrac{3}{2}-\dfrac{3}{2}+1=-2$

$\therefore a+b=-\dfrac{1}{2}-2=-\dfrac{5}{2}$

8 계수가 유리수인 이차방정식의 한 근이 $1+\sqrt{2}$이면 다른 한 근은 $1-\sqrt{2}$이므로

근과 계수의 관계에 의해
$-a=(1+\sqrt{2})+(1-\sqrt{2})=2$
$b=(1+\sqrt{2})(1-\sqrt{2})=-1$
따라서 $a=-2$, $b=-1$이므로 $a+b=-3$

> **TIP** 이차방정식 $ax^2+bx+c=0$에서 a, b, c가 유리수이면
> $x=\dfrac{-b}{2a}+\dfrac{1}{2a}\sqrt{b^2-4ac}$ 또는 $x=\dfrac{-b}{2a}-\dfrac{1}{2a}\sqrt{b^2-4ac}$
> 　　　유리수　　　　　　　　　　유리수
> 따라서 한 근이 $p+q\sqrt{m}$(p, q는 유리수, $\sqrt{m}$은 무리수)이면 다른 한 근은 $p-q\sqrt{m}$이다.

9 $\alpha+\beta=-a$, $\alpha\beta=b$이고 $\alpha^2+\beta^2=1$, $\alpha^2\beta^2=1$이므로
$\begin{aligned}\alpha^2+\beta^2&=(\alpha+\beta)^2-2\alpha\beta\\&=a^2-2b=1 \quad\cdots\cdots\ \bigcirc\end{aligned}$
$(\alpha\beta)^2=b^2=1$　　$\therefore\ b=\pm1$
(i) $b=1$일 때, $\bigcirc$에서 $a^2=3$
　　$\therefore\ a=\pm\sqrt{3}$
(ii) $b=-1$일 때, $\bigcirc$에서 $a^2=-1$ (부적합)
따라서 (i), (ii)에 의해 $a=\pm\sqrt{3}$, $b=1$

10 $p+q=9$에서 p, q가 모두 소수이므로
$p=2$, $q=7$ 또는 $p=7$, $q=2$
$\therefore\ pq=14$
따라서 9, 14를 두 근으로 하는 이차방정식은
$x^2-(9+14)x+9\times14=0$
$\therefore\ x^2-23x+126=0$

11 주어진 이차방정식의 두 근을 α, β라 하면
(i) $D=4+4a\geq0$　　$\therefore\ a\geq-1$
(ii) $\alpha+\beta=2>0$
(iii) $\alpha\beta=-a>0$　　$\therefore\ a<0$
(i), (ii), (iii)에 의해 $-1\leq a<0$

12 주어진 이차방정식의 두 근을 α, β라 하면
(i) $D=1+8a\geq0$　　$\therefore\ a\geq-\dfrac{1}{8}$
(ii) $\alpha+\beta=-\dfrac{1}{2}<0$
(iii) $\alpha\beta=-\dfrac{a}{2}>0$　　$\therefore\ a<0$
(i), (ii), (iii)에 의해 $-\dfrac{1}{8}\leq a<0$

13 주어진 이차방정식의 두 근을 α, β라 하면
$\alpha\beta=-\dfrac{a}{2}<0$　　$\therefore\ a>0$

14 주어진 이차방정식의 두 근을 α, β라 하면
$\alpha+\beta=3$에서 $\alpha=1$, $\beta=2$ 또는 $\alpha=2$, $\beta=1$이므로
$\alpha\beta=a+4=2$　　$\therefore\ a=-2$

15 두 근의 곱은 $-3<0$이므로 두 근은 절댓값은 같고 부호가 서로 다르다.
따라서 (두 근의 합)$=0$이므로
(두 근의 합)$=(a-1)(a-3)=0$에서
$a=1$ 또는 $a=3$

16 (1) $2|x|^2-|x|-15=0$이므로
$\quad(2|x|+5)(|x|-3)=0$
$\quad|x|=3\ (\because\ |x|\geq0)$
$\quad\therefore\ x=\pm3$
(2) $x^2-2x-3=2$ 또는 $x^2-2x-3=-2$
$\quad$(i) $x^2-2x-3=2$에서
$\qquad x^2-2x-5=0$　　$\therefore\ x=1\pm\sqrt{6}$
$\quad$(ii) $x^2-2x-3=-2$에서
$\qquad x^2-2x-1=0$　　$\therefore\ x=1\pm\sqrt{2}$
$\quad$(i), (ii)에 의해 $x=1\pm\sqrt{6}$ 또는 $x=1\pm\sqrt{2}$

17 두 근을 α, $\alpha+5$로 놓으면 근과 계수의 관계에 의해
$\alpha+(\alpha+5)=7$　　$\therefore\ \alpha=1$
$\alpha(\alpha+5)=k-1$, $k-1=6$
$\therefore\ k=7$

18 두 근을 2α, 3α로 놓으면 근과 계수의 관계에 의해
$2\alpha+3\alpha=5$　　$\therefore\ \alpha=1$
$2\alpha\times3\alpha=2\times3=m$　　$\therefore\ m=6$

19 $xy-3x-3y=4$에서
$x(y-3)-3(y-3)-9=4$
$(x-3)(y-3)=13$이므로
$x-3=1$, $y-3=13$ 또는 $x-3=13$, $y-3=1$
$\therefore\ x=4$, $y=16$ 또는 $x=16$, $y=4$

20 $\sqrt{m^2-99}=n$의 양변을 제곱하면
$m^2-99=n^2$, $m^2-n^2=99$
$\therefore\ (m+n)(m-n)=99$
그런데 $m+n>0$이고, $m+n>m-n$이므로
$(m+n,\ m-n)=(99,\ 1),\ (33,\ 3),\ (11,\ 9)$
(i) $m+n=99$, $m-n=1$일 때, 두 식을 연립하여 풀면
$\quad(m,\ n)=(50,\ 49)$

(ii) $m+n=33$, $m-n=3$일 때, 두 식을 연립하여 풀면
$(m, n)=(18, 15)$

(iii) $m+n=11$, $m-n=9$일 때, 두 식을 연립하여 풀면
$(m, n)=(10, 1)$

따라서 순서쌍 (m, n)은 $(10, 1)$, $(18, 15)$, $(50, 49)$

21 처음 정사각형의 한 변의 길이를 x cm로 놓으면 각 변의 길이를 2 cm씩 늘린 정사각형의 넓이는 $(x+2)^2$ cm²이고, 각 변의 길이를 2 cm씩 줄인 정사각형의 넓이는 $(x-2)^2$ cm²이다.
$(x+2)^2=5(x-2)^2$이므로
$x^2+4x+4=5x^2-20x+20$
$4x^2-24x+16=0$, $x^2-6x+4=0$
$\therefore x=3+\sqrt{5}\ (\because x>2)$
따라서 처음 정사각형의 한 변의 길이는 $(3+\sqrt{5})$ cm이다.

22 가장 작은 정사각형의 한 변의 길이를 x cm로 놓으면 중간 크기의 정사각형의 넓이는 $(x+2)^2$ cm²이고, 가장 큰 정사각형의 넓이는 $(x+4)^2$ cm²이다.
$(x+4)^2=(x+2)^2+x^2$이므로
$x^2-4x-12=0$, $(x-6)(x+2)=0$
$\therefore x=6\ (\because x>0)$

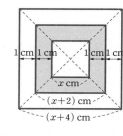

따라서 구하는 넓이는
$(x+2)^2-x^2=64-36=28(\text{cm}^2)$

23 원의 둘레의 길이를 l m라 하면 한 바퀴를 돌 때에는
$t=14$일 때이므로
$l=14^2+14=210\,(\text{m})$
따라서 두 바퀴째까지 도는 데 걸리는 시간을 x분으로 놓으면 $x^2+x=420$이므로
$x^2+x-420=0$, $(x-20)(x+21)=0$
$\therefore x=20\ (\because x>0)$
따라서 걸리는 시간은 20분이다.

24 큰 정삼각형의 한 변의 길이를 x cm라 하면 작은 정삼각형의 한 변의 길이는 $\dfrac{12-3x}{3}=4-x(\text{cm})$이다.

두 정삼각형은 항상 닮은 도형이므로 길이의 비의 제곱은 넓이의 비이다.
따라서 $(4-x)^2 : x^2=1 : 2$에서
$2x^2-16x+32=x^2$, $x^2-16x+32=0$
$\therefore x=8\pm4\sqrt{2}$
이때 $4-x>0$, $4-x<x$이므로 $2<x<4$
따라서 큰 정삼각형의 한 변의 길이는 $(8-4\sqrt{2})$ cm이다.

2 STEP 실력 높이기

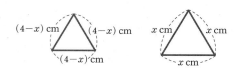

93~98쪽

1 14	**2** 1, 0	**3** $p=-25$, $q=156$	**4** ②	**5** 24	**6** $x=\dfrac{5\pm\sqrt{17}}{2}$
7 6	**8** $a=0$, $b=-\dfrac{1}{2}$	**9** $a=c$	**10** $x^2-4\sqrt{3}x+8=0$	**11** $m=1$ 또는 $m=\dfrac{25}{9}$	
12 $x=\dfrac{-7\pm\sqrt{73}}{2}$	**13** 6, 7	**14** 2	**15** $0<a<\dfrac{3}{2}$	**16** $x^2+43x+42=0$	**17** $x^2+\dfrac{22}{5}x+\dfrac{1}{5}=0$
18 $x=2$ 또는 $x=-1$	**19** $x=\dfrac{-1\pm\sqrt{13}}{2}$	**20** $\dfrac{9}{4}$	**21** 4	**22** $-2+2\sqrt{5}$	**23** 960 m

문제 풀이

1 주어진 이차방정식에 α, β를 대입하면
$\alpha^2-4\alpha+1=0$ $\therefore \alpha^2-3\alpha+1=\alpha$
$\beta^2-4\beta+1=0$ $\therefore \beta^2-3\beta+1=\beta$
또 근과 계수의 관계에서 $\alpha+\beta=4$, $\alpha\beta=1$

$\therefore$ (주어진 식)$=\dfrac{\beta}{\alpha}+\dfrac{\alpha}{\beta}=\dfrac{\alpha^2+\beta^2}{\alpha\beta}$
$=\dfrac{(\alpha+\beta)^2-2\alpha\beta}{\alpha\beta}=\dfrac{4^2-2\times1}{1}=14$

52 Ⅲ 이차방정식

2 이차방정식 $f(x)=0$의 두 근을 α, β라 하면
$f(\alpha)=0$, $f(\beta)=0$이고
$\alpha+\beta=4$, $\alpha\beta=3$
또한 이차방정식 $f(2x+1)=0$에서 $2x+1=\alpha$ 또는
$2x+1=\beta$를 만족하는 x가 $f(2x+1)=0$의 근이다.
$2x+1=\alpha$에서 $x=\dfrac{\alpha-1}{2}$
$2x+1=\beta$에서 $x=\dfrac{\beta-1}{2}$
따라서 이차방정식 $f(2x+1)=0$의 두 근은 $\dfrac{\alpha-1}{2}$, $\dfrac{\beta-1}{2}$
이므로
(i) 두 근의 합은
$$\dfrac{\alpha-1}{2}+\dfrac{\beta-1}{2}=\dfrac{\alpha+\beta-2}{2}$$
$$=\dfrac{4-2}{2}=1$$
(ii) 두 근의 곱은
$$\dfrac{\alpha-1}{2}\times\dfrac{\beta-1}{2}=\dfrac{\alpha\beta-(\alpha+\beta)+1}{4}$$
$$=\dfrac{3-4+1}{4}=0$$

3 두 근을 α, $\alpha+1$ $(\alpha>0)$이라 하면
$(\alpha+1)^2-\alpha^2=25$에서
$2\alpha+1=25$ $\therefore \alpha=12$
즉 두 근은 12, 13이므로 근과 계수의 관계에서
$12+13=-p$, $12\times13=q$
$\therefore p=-25$, $q=156$

4 $ax^2+bx+c=0$의 두 근을 α, β라 하면
$\alpha>0$, $\beta>0$에서 $\alpha+\beta=-\dfrac{b}{a}>0$, $\alpha\beta=\dfrac{c}{a}>0$
$\therefore ab<0$, $ac>0$
즉 a, b는 서로 다른 부호이고 a, c는 서로 같은 부호이므로 b, c는 서로 다른 부호이다.
따라서 $bx^2+cx+a=0$의 두 근을 γ, δ라 하면
$\gamma+\delta=-\dfrac{c}{b}>0$, $\gamma\delta=\dfrac{a}{b}<0$
이므로 $\gamma\delta<0$에서 두 근의 부호는 서로 다르고,
$\gamma+\delta>0$에서 양의 근이 음의 근보다 절댓값이 크다.

5 연속된 두 홀수를 $2\alpha-1$, $2\alpha+1$로 놓으면
$(2\alpha-1)(2\alpha+1)=143$이므로
$4\alpha^2-1=143$, $\alpha^2=36$
$\therefore \alpha=6$ $(\because \alpha>0)$
따라서 두 홀수는 11, 13이므로 합은
$11+13=24$

6 은정이가 구한 두 근이 $2+\sqrt{2}$, $2-\sqrt{2}$이므로 은정이가 푼 이차방정식은
$x^2-\{(2+\sqrt{2})+(2-\sqrt{2})\}x+(2+\sqrt{2})(2-\sqrt{2})=0$
$\therefore x^2-4x+2=0$
현정이가 구한 두 근이 6, -1이므로 현정이가 푼 이차방정식은
$x^2-(6-1)x+6\times(-1)=0$
$\therefore x^2-5x-6=0$
이때 은정이는 상수항 2를, 현정이는 일차항의 계수 -5를 옳게 보았으므로
$a=-5$, $b=2$
따라서 원래의 이차방정식은 $x^2-5x+2=0$이므로
$x=\dfrac{5\pm\sqrt{17}}{2}$

> **TIP** 이차항의 계수가 a인 이차방정식에서
> ① 일차항의 계수를 잘못 보고 풀었을 때 두 근이 α, β이면
> $\Rightarrow a\{x^2-(\alpha+\beta)x+\alpha\beta\}=0$
> ② 상수항을 잘못 보고 풀었을 때 두 근이 p, q이면
> $\Rightarrow a\{x^2-(p+q)x+pq\}=0$
> 따라서 ①, ②에 의해 처음 이차방정식은 $\Rightarrow a\{x^2-(p+q)x+\alpha\beta\}=0$

7 두 근이 α, β이고 $\alpha+\beta=2$, $\alpha\beta=-1$이므로 x^2의 계수가 1인 이차방정식은
$x^2-2x-1=0$
근이 α이므로 대입하면
$\alpha^2-2\alpha-1=0$
$\alpha\neq0$이므로 양변을 α로 나누면
$\alpha-\dfrac{1}{\alpha}=2$
$\therefore \alpha^2+\dfrac{1}{\alpha^2}=\left(\alpha-\dfrac{1}{\alpha}\right)^2+2=6$

8 서술형
<u>표현 단계</u> $x^2+ax+b=0$의 두 근을 α, β라 하면 이차방정식의 근과 계수의 관계에 의해 $\alpha+\beta=-a$, $\alpha\beta=b$이고
구하는 이차방정식의 두 근은 $\alpha+\dfrac{1}{\beta}$, $\beta+\dfrac{1}{\alpha}$이므로
<u>변형 단계</u> 두 근의 합은
$$\left(\alpha+\dfrac{1}{\beta}\right)+\left(\beta+\dfrac{1}{\alpha}\right)=\alpha+\beta+\dfrac{\alpha+\beta}{\alpha\beta}$$
$$=-a-\dfrac{a}{b}=-\dfrac{ab+a}{b}$$
두 근의 곱은
$$\left(\alpha+\dfrac{1}{\beta}\right)\left(\beta+\dfrac{1}{\alpha}\right)=ab+\dfrac{1}{\alpha\beta}+2=b+\dfrac{1}{b}+2$$
따라서 구하는 이차방정식은
$$x^2+\dfrac{a+ab}{b}x+\left(b+\dfrac{1}{b}+2\right)=0$$

<u>풀이 단계</u> 이 이차방정식이 $x^2+ax+b=0$과 같으므로

$a=\dfrac{a+ab}{b}$에서 $ab=a+ab$ $\therefore a=0$

$b=b+\dfrac{1}{b}+2$에서 $\dfrac{1}{b}=-2$ $\therefore b=-\dfrac{1}{2}$

<u>확인 단계</u> $\therefore a=0,\ b=-\dfrac{1}{2}$

9

$ax^2+bx+c=0$의 두 근이 $\alpha,\ \beta$이므로

$\alpha+\beta=-\dfrac{b}{a},\ \alpha\beta=\dfrac{c}{a}$ $\cdots\cdots$ ㉠

또 $ax^2+bx+c=0$의 두 근이 $\dfrac{1}{\alpha},\ \dfrac{1}{\beta}$이므로

$\dfrac{1}{\alpha}+\dfrac{1}{\beta}=-\dfrac{b}{a},\ \dfrac{1}{\alpha\beta}=\dfrac{c}{a}$ $\cdots\cdots$ ㉡

㉠, ㉡에서

$\dfrac{1}{\alpha}+\dfrac{1}{\beta}=\dfrac{\alpha+\beta}{\alpha\beta}=-\dfrac{b}{c}=-\dfrac{b}{a}$

$\therefore a=c\ (\because b\neq 0)$ $\cdots\cdots$ ㉢

또 ㉠, ㉡에서

$\dfrac{1}{\alpha\beta}=\dfrac{a}{c}=\dfrac{c}{a}$이므로

$a^2=c^2,\ (a-c)(a+c)=0$

$\therefore a=c$ 또는 $a=-c$ $\cdots\cdots$ ㉣

따라서 ㉢, ㉣에서 $a=c$

10

$\alpha+\beta=4,\ \alpha\beta=-8$이므로

$(|\alpha|+|\beta|)^2=\alpha^2+\beta^2+2|\alpha\beta|$

$\qquad\qquad\quad=(\alpha+\beta)^2-2\alpha\beta+2|\alpha\beta|$

$\qquad\qquad\quad=16+16+16=48$

$\therefore |\alpha|+|\beta|=4\sqrt{3}\ (\because |\alpha|+|\beta|>0)$

$|\alpha|\times|\beta|=|\alpha\beta|=8$

따라서 구하는 이차방정식은

$x^2-4\sqrt{3}x+8=0$

11 서술형

<u>표현 단계</u> $m>0$이므로 두 근의 곱은 $-\dfrac{24}{m}<0$이 된다.

따라서 주어진 이차방정식은 서로 부호가 다른 두 근을 갖는다.

<u>변형 단계</u> 두 근의 절댓값의 비가 $3:2$이므로 한 근을 3α라 하면 다른 한 근은 -2α가 된다.

이차방정식의 근과 계수의 관계에 의해

(두 근의 합)$=3\alpha+(-2\alpha)=-\dfrac{3m-5}{m}$

$\therefore \alpha=-\dfrac{3m-5}{m}$ $\cdots\cdots$ ㉠

(두 근의 곱)$=3\alpha\times(-2\alpha)=-\dfrac{24}{m}$

$-6\alpha^2=-\dfrac{24}{m}$ $\therefore \alpha^2=\dfrac{4}{m}$ $\cdots\cdots$ ㉡

<u>풀이 단계</u> ㉠, ㉡에서 $\dfrac{(3m-5)^2}{m^2}=\dfrac{4}{m}$

$(3m-5)^2=4m,\ 9m^2-34m+25=0$

$(m-1)(9m-25)=0$

$\therefore m=1$ 또는 $m=\dfrac{25}{9}$

12

계수가 유리수인 이차방정식의 한 근이 $3+\sqrt{2}$이면 다른 한 근은 $3-\sqrt{2}$이므로

근과 계수의 관계에 의해

$-a=(3+\sqrt{2})+(3-\sqrt{2})=6$

$b=(3+\sqrt{2})(3-\sqrt{2})=7$

따라서 $a=-6,\ b=7$이므로 이차방정식

$x^2+7x-6=0$의 근은 $x=\dfrac{-7\pm\sqrt{73}}{2}$

13 서술형

<u>표현 단계</u> $x^2+ax+b=0$의 두 실근을 $\alpha,\ \beta$라 하면

$4.5\leq\alpha<5.5,\ 2.5\leq\beta<3.5$

<u>변형 단계</u> 즉 $\begin{cases}7\leq\alpha+\beta<9\\11.25\leq\alpha\beta<19.25\end{cases}$ $\cdots\cdots$ ㉠

이차방정식의 근과 계수의 관계에 의해

$\alpha+\beta=-a,\ \alpha\beta=b$이므로 ㉠에서

$\begin{cases}7\leq-a<9\\11.25\leq b<19.25\end{cases}\Rightarrow\begin{cases}-9<a\leq-7\\11.25\leq b<19.25\end{cases}$

이때 $a,\ b$가 정수이므로 $a=-8,\ -7$

$b=12,\ 13,\ 14,\ 15,\ 16,\ 17,\ 18,\ 19$ $\cdots\cdots$ ㉡

<u>풀이 단계</u> 그런데 주어진 이차방정식이 서로 다른 두 실근을 가지므로 판별식 $D=a^2-4b>0$

즉 $b<\dfrac{a^2}{4}$ $\cdots\cdots$ ㉢

㉡에서 ㉢을 만족하는 a와 b의 값을 순서쌍 $(a,\ b)$로 나타내면

$(-7,\ 12),\ (-8,\ 12),\ (-8,\ 13),\ (-8,\ 14),$

$(-8,\ 15)$이고, 이 중에서 $x^2+ax+b=0$에 대입하여 구한 두 실근을 소수 첫째 자리에서 반올림하였을 때, 각각 $5,\ 3$이 되는 순서쌍은 $(-8,\ 14),$ $(-8,\ 15)$이다.

<u>확인 단계</u> 따라서 $a+b$의 값을 모두 구하면 $6,\ 7$이다.

14

주어진 이차방정식의 두 근을 $\alpha,\ \beta$라 하면

한 근만 0이므로 $\alpha+\beta\neq 0,\ \alpha\beta=0$

(i) $\alpha+\beta=2k\neq 0$ $\therefore k\neq 0$

(ii) $\alpha\beta=k^2-2k=k(k-2)=0$

$\therefore k=0$ 또는 $k=2$

따라서 (i), (ii)에 의해 $k=2$

15 주어진 이차방정식의 두 근을 α, β라 하면

$\alpha+\beta<0$, $\alpha\beta<0$이다.

$\alpha+\beta=-a<0$에서 $a>0$

$\alpha\beta=2a-3<0$에서 $a<\dfrac{3}{2}$

$\therefore 0<a<\dfrac{3}{2}$

16 근과 계수의 관계에 의해

$\dfrac{3}{2}+2=-\dfrac{p}{2}$, $\dfrac{3}{2}\times 2=\dfrac{q}{2}$

$\therefore p=-7$, $q=6$

따라서 $p+q=-1$, $pq=-42$를 두 근으로 하고 x^2의 계수가 1인 이차방정식은

$x^2-(-1-42)x+(-1)\times(-42)=0$

$\therefore x^2+43x+42=0$

17 $\alpha+\beta=3$, $\alpha\beta=-5$이므로

$\dfrac{\beta+1}{\alpha}+\dfrac{\alpha+1}{\beta}=\dfrac{\alpha^2+\beta^2+\alpha+\beta}{\alpha\beta}$

$\qquad=\dfrac{(\alpha+\beta)^2-2\alpha\beta+(\alpha+\beta)}{\alpha\beta}$

$\qquad=\dfrac{9+10+3}{-5}=-\dfrac{22}{5}$

$\dfrac{\beta+1}{\alpha}\times\dfrac{\alpha+1}{\beta}=\dfrac{\alpha\beta+\alpha+\beta+1}{\alpha\beta}$

$\qquad=\dfrac{-5+3+1}{-5}=\dfrac{1}{5}$

따라서 구하는 이차방정식은

$x^2-\left(-\dfrac{22}{5}\right)x+\dfrac{1}{5}=0$ $\qquad\therefore x^2+\dfrac{22}{5}x+\dfrac{1}{5}=0$

18 이차방정식 $ax^2+bx+c=0$ $\quad\cdots\cdots$ ㉠

의 두 근을 α, β라 하면

$\alpha+\beta=-\dfrac{b}{a}$, $\alpha\beta=\dfrac{c}{a}$

그런데 이차방정식 $ax^2-bx+c=0$의 두 근이 $-\dfrac{b}{a}$, $\dfrac{c}{a}$이

므로 근과 계수의 관계에 의해

$(두 근의 합)=-\dfrac{b}{a}+\dfrac{c}{a}=\dfrac{b}{a}$ $\qquad\cdots\cdots$ ㉡

$(두 근의 곱)=\left(-\dfrac{b}{a}\right)\times\dfrac{c}{a}=\dfrac{c}{a}$ $\qquad\cdots\cdots$ ㉢

㉢에서 $ac\neq 0$이므로 $-\dfrac{b}{a}=1$에서 $b=-a$

㉡에서 $c=2b=-2a$

$b=-a$, $c=-2a$를 ㉠에 대입하면

$ax^2-ax-2a=0$

$a\neq 0$이므로

$x^2-x-2=0$, $(x-2)(x+1)=0$

$\therefore x=2$ 또는 $x=-1$

19 (i) $x\geq 2$일 때, 주어진 이차방정식은

$x^2-(x-2)=1$, $x^2-x+1=0$

이때 $D=(-1)^2-4\times 1\times 1=-3<0$이므로 근이 없다.

(ii) $x<2$일 때, 주어진 이차방정식은

$x^2+(x-2)=1$, $x^2+x-3=0$

$\therefore x=\dfrac{-1\pm\sqrt{13}}{2}$

따라서 (i), (ii)에 의해 $x=\dfrac{-1\pm\sqrt{13}}{2}$

TIP 절댓값 기호를 포함한 방정식은 절댓값 기호 안의 식의 값이 0이 되는 x의 값에 주목해야 한다. 절댓값 기호 안의 식의 값이 0이 되는 x의 값을 경계로 x의 값의 범위를 나누어 절댓값 기호를 없앤 후 해를 구한다. 이때 구한 해가 각 범위에 적합한지를 반드시 확인해야 한다.

---

20 잘라낸 직각이등변삼각

형의 빗변의 길이가

$(9-2x)$ cm이므로 직각을

낀 두 변의 길이는

$\dfrac{9-2x}{\sqrt{2}}$ cm이다.

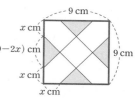

따라서 잘라낸 부분의 넓이 S는

$S=\left\{\dfrac{1}{2}\times\left(\dfrac{9-2x}{\sqrt{2}}\right)^2\right\}\times 4=(9-2x)^2$

잘라낸 부분의 넓이는 처음 정사각형의 넓이의

$1-\dfrac{3}{4}=\dfrac{1}{4}$이므로

$(9-2x)^2=81\times\dfrac{1}{4}$, $4x^2-36x+81=\dfrac{81}{4}$

$16x^2-144x+243=0$, $(4x-9)(4x-27)=0$

$\therefore x=\dfrac{9}{4}$ $\left(\because 0<x<\dfrac{9}{2}\right)$

21 $(길의 넓이)=15x+x(15-x)=-x^2+30x$

이므로

$(꽃밭의 넓이)=15^2-(-x^2+30x)$

$\qquad\qquad=x^2-30x+225$

따라서 $x^2-30x+225=121$에서

$x^2-30x+104=0$, $(x-4)(x-26)=0$

$\therefore x=4$ $(\because 0<x<15)$

22 오른쪽 그림에서

$\overline{DE}=(4-x)$ cm,

$\overline{CD}=x$ cm이므로

$\overline{DC}:\overline{ED}=\overline{AD}:\overline{AB}$

$x:(4-x)=4:x$

$x^2=4(4-x)$, $x^2+4x-16=0$

$\therefore x=-2+2\sqrt{5}$ $(\because 0<x<4)$

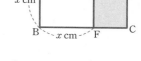

23 서술형

표현 단계 트랙의 둘레의 길이를 $2x$ m라 하면 첫 번째 만났을 때의 갑, 을 두 사람의 이동 거리는 각각 $(x-200)$ m, 200 m이고, 두 번째 만났을 때의 갑, 을 두 사람의 이동 거리는 각각 $(2x-120)$ m, $(x+120)$ m이다.

변형 단계 두 사람의 속력이 일정하므로 같은 시간 동안 움직인 거리의 비는 일정하다.

즉 $\dfrac{x-200}{200}=\dfrac{2x-120}{x+120}$

풀이 단계 $(x-200)(x+120)=200(2x-120)$

$x^2-80x-24000=400x-24000$

$x^2-480x=0,\ x(x-480)=0$

$\therefore x=0$ 또는 $x=480$

그런데 $x>0$이므로 $x=480$

확인 단계 따라서 트랙의 둘레의 길이는 $2\times 480=960\,(\mathrm{m})$

---

3 STEP 최고 실력 완성하기

99~100쪽

| 1 | 3 | 2 | 3 | 3 | 9 | 4 | $p=3, q=2$ | 5 | $\dfrac{11}{12}$ | 6 | -1 |
| 7 | 324 | 8 | $\dfrac{3+\sqrt{11}}{2}$ | 9 | 80분 | 10 | $-2<a<-1$ | | | | |

문제 풀이

1 주어진 식을 변형하면

$(x^2-2ax+a^2)+2(x-a)-3b+3=0$

$(x-a)^2+2(x-a)-3(b-1)=0$ ······ ㉠

$x+1=a+b$이므로 $x-a=b-1$을 ㉠에 대입하면

$(b-1)^2+2(b-1)-3(b-1)=0$

$(b-1)^2-(b-1)=0,\ (b-1)(b-2)=0$

$\therefore b=1$ 또는 $b=2$

따라서 b의 값들의 합은 $1+2=3$

2 $x^2+x+1=0$의 양변에 $x-1$을 곱하면

$(x-1)(x^2+x+1)=0$

$x^3-1=0$ $\quad\therefore x^3=1$

$\therefore \alpha^3=\beta^3=1$

즉 $\alpha^{10}=(\alpha^3)^3\alpha=\alpha,\ \beta^{10}=(\beta^3)^3\beta=\beta$

$\alpha^5=\alpha^3\times\alpha^2=\alpha^2,\ \beta^5=\beta^3\times\beta^2=\beta^2$이고

$\alpha+\beta=-1,\ \alpha\beta=1$이므로

$(\text{주어진 식})=\alpha+\beta+\alpha^2+\beta^2+5$

$\qquad\qquad\quad =(\alpha+\beta)+(\alpha+\beta)^2-2\alpha\beta+5$

$\qquad\qquad\quad =-1+(-1)^2-2+5=3$

3 두 근을 m, n이라 하면

$m+n=-1$이므로 $m=-1-n$

$mn=-a$에서 $a=n(n+1)$

그런데 $1\le a\le 100$인 자연수이므로

$a=1\times 2,\ 2\times 3,\ \cdots,\ 9\times 10$의 9개이다.

4 두 근을 $\alpha, \alpha+1$이라 하면 근과 계수의 관계에 의해

$\alpha+(\alpha+1)=-p,\ \alpha(\alpha+1)=q$

q가 소수이므로 $\alpha=\pm 1$ 또는 $\alpha+1=\pm 1$

이 중에서 $\alpha(\alpha+1)$이 소수가 되는 것은

$\alpha=1$ 또는 $\alpha=-2$인 경우이다.

(i) $\alpha=1$일 때 $p=-3,\ q=2$

(ii) $\alpha=-2$일 때 $p=3,\ q=2$

(i), (ii)에서 $p=3,\ q=2$

5 $(x+y)(x-y)=5\times 7\times 11$에서

$x+y>0,\ x+y>x-y$이므로

(i) $x+y=385,\ x-y=1$일 때, $x=193,\ y=192$

(ii) $x+y=77,\ x-y=5$일 때, $x=41,\ y=36$

(iii) $x+y=55,\ x-y=7$일 때, $x=31,\ y=24$

(iv) $x+y=35,\ x-y=11$일 때,

$\quad x=23,\ y=12$

$\therefore a=193+41+31+23=288$

$\quad b=192+36+24+12=264$

$\therefore \dfrac{b}{a}=\dfrac{264}{288}=\dfrac{11}{12}$

> **TIP** x, y가 정수(또는 자연수)일 때, 미지수 x, y를 포함하는 부정방정식은 다음과 같은 방법으로 해를 구하는 경우가 많다.
> (i) 부정방정식 $xy+ax+by=m$ (a, b, m은 정수) 꼴로 주어지는 경우 $(x+b)(y+a)=k$ (k는 정수) 꼴로 변형한다.
> (ii) 약수와 배수의 성질을 이용하여 해를 구한다.

6 $x+y=1$, $xy=1$이므로 근과 계수의 관계에 의해
x, y가 이차방정식 $t^2-t+1=0$의 두 근이라 하면
$x^2-x+1=0$이므로 $(x+1)(x^2-x+1)=0$
$x^3+1=0$ ∴ $x^3=-1$
마찬가지로 $y^3=-1$
∴ $x^{104}+y^{98}=(x^3)^{34}x^2+(y^3)^{32}y^2$
$\qquad\qquad\quad=x^2+y^2=(x+y)^2-2xy$
$\qquad\qquad\quad=1^2-2\times1=-1$

7 세 자리의 양의 정수를 $100a+10b+c$라 하면
$\begin{cases} a\times(10b+c)=(10b+c)+48 & \cdots\cdots\ \text{㉠} \\ 10b+c=8a & \cdots\cdots\ \text{㉡} \end{cases}$
㉡을 ㉠에 대입하면
$8a^2=8a+48$, $a^2-a-6=0$
$(a+2)(a-3)=0$
∴ $a=-2$ 또는 $a=3$
그런데 $a>0$이므로 $a=3$이고 ㉡에서 $10b+c=24$이므로
$b=2$, $c=4$
따라서 구하는 정수는 324이다.

8 $x^2+y^2=10$에서 $x^2=10-y^2$
$0\le y<1$이므로 $0\le y^2<1$, $-1<-y^2\le0$
$9<10-y^2\le10$, $9<x^2\le10$ ∴ $3<x\le\sqrt{10}$
즉 x의 정수 부분은 3이므로 소수 부분은 $y=x-3$
$x^2+y^2=10$에 $y=x-3$을 대입하면
$x^2+(x-3)^2=10$, $2x^2-6x-1=0$
∴ $x=\dfrac{3+\sqrt{11}}{2}$ ($\because x>0$)

9 버스와 열차가 동시에 달린 시간을 t라 하면
버스가 달린 거리는 at, 열차가 달린 거리는 bt^2이다.
버스와 열차는 20분 후와 30분 후에 각각 만나므로
$\begin{cases} 20a=400b+6 \\ 30a=900b+6 \end{cases}$
∴ $a=\dfrac{1}{2}$, $b=\dfrac{1}{100}$
즉 x분 동안 버스가 달린 거리는 $\dfrac{1}{2}x$ km, 열차가 달린 거리는 $\dfrac{1}{100}x^2$ km이고, 열차가 6 km 앞에서 출발하므로
$\dfrac{1}{100}x^2+6=\dfrac{1}{2}x+30$
$x^2-50x-2400=0$, $(x-80)(x+30)=0$
∴ $x=80$ ($\because x>0$)
따라서 출발한 지 80분 후에 열차가 버스보다 30 km 앞서 달리게 된다.

10 주어진 방정식을 $x^2=t$로 치환하면
$t^2+2at+a+2=0$ $\cdots\cdots$ ㉠
㉠의 근을 α, β라 하면 $t=\alpha$ 또는 $t=\beta$, 즉 $x^2=\alpha$ 또는 $x^2=\beta$이므로 서로 다른 네 실근을 가지려면
$\alpha\ne\beta$, $\alpha>0$, $\beta>0$이어야 한다. 즉
(i) $\alpha+\beta=-2a>0$ ∴ $a<0$
(ii) $\alpha\beta=a+2>0$ ∴ $a>-2$
(iii) $\alpha\ne\beta$, 즉 $\dfrac{D}{4}=a^2-(a+2)>0$이므로
$\quad a^2-a-2>0$, $(a-2)(a+1)>0$
$\quad$ ∴ $a<-1$ 또는 $a>2$
(i), (ii), (iii)에서 $-2<a<-1$

Ⅲ 단원 종합 문제

1 ② **2** $\dfrac{13}{16}$, $x=\dfrac{5\pm\sqrt{33}}{4}$ **3** 5 **4** $a=3$, $b=0$

5 $x=-1$ 또는 $x=0$ 또는 $x=3$ 또는 $x=4$ **6** $-\dfrac{1}{4}$ **7** $x=2$ **8** 서로 다른 2개 **9** $x=\dfrac{13\pm\sqrt{193}}{2}$

10 8 **11** $x=-1\pm\sqrt{2}$ **12** $6x^2+3x-1=0$ **13** $m=-4$, $n=2$ **14** -6 **15** ②

16 $2\sqrt{15}$ **17** $m=-1$ 또는 $m=7$ **18** 14 **19** $-\dfrac{1}{2}$ **20** ①

21 $-3\le x<-2$ **22** 2 **23** 21 **24** 3 **25** 50 cm²

1 ① $x=2\pm\sqrt{2}$

② $(2x-1)(x+1)=0$

$\therefore x=\dfrac{1}{2}$ 또는 $x=-1$

③ $x=\dfrac{2\pm\sqrt{7}}{3}$

④ $\dfrac{D}{4}=2^2-1\times5=-1<0$이므로 실수의 범위에서 근이 없다.

⑤ $x=\dfrac{1\pm\sqrt{11}}{5}$

따라서 유리수의 범위에서 해를 갖는 것은 ②이다.

2 $2x^2-5x-1=0$의 양변에 $\dfrac{1}{2}$을 곱하면

$x^2-\dfrac{5}{2}x-\dfrac{1}{2}=0,\ x^2-\dfrac{5}{2}x=\dfrac{1}{2}$

$x^2-\dfrac{5}{2}x+\dfrac{25}{16}=\dfrac{1}{2}+\dfrac{25}{16}$

$\left(x-\dfrac{5}{4}\right)^2=\dfrac{33}{16}$

$\therefore A=-\dfrac{5}{4},\ B=\dfrac{33}{16}$

$\therefore A+B=\dfrac{13}{16}$

또한 주어진 방정식의 근은

$x=\dfrac{5\pm\sqrt{33}}{4}$

3 근의 공식을 이용하면

$x=\dfrac{-1\pm\sqrt{1-3a}}{a}=\dfrac{1\pm\sqrt{b}}{2}$

이므로 $a=-2,\ b=1-3a$에서 $b=7$

$\therefore a+b=5$

4 주어진 방정식은 $|x|^2-|x|-6=0$이므로

$(|x|-3)(|x|+2)=0$

$\therefore |x|=3\ (\because |x|>0)$

$\therefore x=\pm3$

따라서 $ax^2+bx-27=0$은

$a(x+3)(x-3)=0,\ a(x^2-9)=0,\ ax^2-9a=0$

이므로 $-9a=-27,\ b=0$

$\therefore a=3,\ b=0$

5 $(x^2-3x)^2-4(x^2-3x)=0$이므로

$x^2-3x=t$로 치환하면

$t^2-4t=0,\ t(t-4)=0$

$\therefore t=0$ 또는 $t=4$

(i) $t=0$일 때, $x^2-3x=0$이므로

$x(x-3)=0$ $\therefore x=0$ 또는 $x=3$

(ii) $t=4$일 때, $x^2-3x-4=0$

$(x-4)(x+1)=0$ $\therefore x=4$ 또는 $x=-1$

따라서 (i), (ii)에서 $x=-1,\ 0,\ 3,\ 4$

6 $x^2-4mx+m=0$이 중근을 가지려면

$\dfrac{D}{4}=(-2m)^2-m=0$

$4m^2-m=0,\ m(4m-1)=0$

$\therefore m=0$ 또는 $m=\dfrac{1}{4}$

따라서 이차방정식 $x^2+ax+b=0$의 두 근이 $0,\ \dfrac{1}{4}$이므로

$x\left(x-\dfrac{1}{4}\right)=0,\ x^2-\dfrac{1}{4}x=0$에서

$a=-\dfrac{1}{4},\ b=0$

$\therefore a+b=-\dfrac{1}{4}$

7 $2x+1=A$라 하면

$A^2-7A+10=(A-2)(A-5)=0$에서 $A=2$ 또는 $A=5$

$2x+1=2,\ 2x+1=5$에서 $x=\dfrac{1}{2}$ 또는 $x=2$

$x+3=B$라 하면 $3B^2-14B-5=(3B+1)(B-5)=0$에서

$B=-\dfrac{1}{3}$ 또는 $B=5$이므로

$x+3=-\dfrac{1}{3},\ x+3=5$에서

$x=-\dfrac{10}{3}$ 또는 $x=2$

그러므로 두 이차방정식의 공통인 해는 $x=2$이다.

8 $x^2-ax+b=0$이 근을 가지므로

$D=(-a)^2-4b=a^2-4b\geq0$

$x^2+(a-2)x+b-a=0$에서

$D=(a-2)^2-4(b-a)=a^2-4a+4-4b+4a$

$\quad=a^2-4b+4$

그런데 $a^2-4b\geq0$이므로 $a^2-4b+4\geq4$

따라서 주어진 이차방정식은 서로 다른 두 개의 근을 갖는다.

9 $(x+1)(x-2)=-2x+4$에서

$x^2+x-6=0$

이차방정식의 근과 계수의 관계에 의해

$\alpha+\beta=-1,\ \alpha\beta=-6$이므로

$\alpha^2+\beta^2=(\alpha+\beta)^2-2\alpha\beta$

$\quad\quad\quad=(-1)^2-2\times(-6)$

$\quad\quad\quad=13$

따라서 이차방정식 $x^2-13x-6=0$을 풀면
$$x=\frac{13\pm\sqrt{193}}{2}$$

다른 풀이

$x^2+x-6=(x-2)(x+3)=0$에서

$\alpha=2$, $\beta=-3$이라 하고 주어진 이차방정식에 대입하면

$x^2-13x-6=0$ $\qquad\therefore x=\frac{13\pm\sqrt{193}}{2}$

10 α가 이차방정식 $x^2-2x-2=0$의 근이므로

$\alpha^2-2\alpha-2=0$

$\alpha\neq0$이므로 양변을 α로 나누면

$\alpha-2-\dfrac{2}{\alpha}=0$ $\qquad\therefore \alpha-\dfrac{2}{\alpha}=2$

$\therefore \alpha^2+\dfrac{4}{\alpha^2}=\left(\alpha-\dfrac{2}{\alpha}\right)^2+4$

$\qquad\qquad =2^2+4=8$

11 이차방정식 $ax^2+bx+c=0$의 두 근의 합이 2, 곱이 -1이므로 근과 계수의 관계에 의해

$-\dfrac{b}{a}=2$, 즉 $b=-2a$ $\qquad$…… ㉠

$\dfrac{c}{a}=-1$, 즉 $c=-a$ $\qquad$…… ㉡

㉠, ㉡을 이차방정식 $cx^2+bx+a=0$에 대입하면

$-ax^2-2ax+a=0$

$a\neq0$이므로 양변을 $-a$로 나누면

$x^2+2x-1=0$

$\therefore x=\dfrac{-1\pm\sqrt{1^2-1\times(-1)}}{1}=-1\pm\sqrt{2}$

12 이차방정식의 근과 계수의 관계에 의해

$\alpha+\beta=3$, $\alpha\beta=-6$이므로

$\dfrac{1}{\alpha}+\dfrac{1}{\beta}=\dfrac{\alpha+\beta}{\alpha\beta}=\dfrac{3}{-6}=-\dfrac{1}{2}$

$\dfrac{1}{\alpha}\times\dfrac{1}{\beta}=\dfrac{1}{\alpha\beta}=-\dfrac{1}{6}$

따라서 구하는 이차방정식의 두 근의 합이 $-\dfrac{1}{2}$, 곱이

$-\dfrac{1}{6}$이고 x^2의 계수가 6이므로

$6\left(x^2+\dfrac{1}{2}x-\dfrac{1}{6}\right)=0$ $\qquad\therefore 6x^2+3x-1=0$

13 계수가 유리수인 이차방정식의 한 근이 $2+\sqrt{2}$이면 다른 한 근은 $2-\sqrt{2}$이므로

근과 계수의 관계에 의해

$(2+\sqrt{2})+(2-\sqrt{2})=-m$, $-m=4$

$(2+\sqrt{2})(2-\sqrt{2})=n$

$\therefore m=-4$, $n=2$

14 두 근을 α, β라 하면

$\alpha+\beta=-\dfrac{a-1}{2}$, $\alpha\beta=-\dfrac{a}{2}$

두 근의 차 $|\alpha-\beta|=\sqrt{2}$이므로

$(\alpha-\beta)^2=(\alpha+\beta)^2-4\alpha\beta$

$\qquad\qquad =\left(-\dfrac{a-1}{2}\right)^2-4\times\left(-\dfrac{a}{2}\right)$

$\qquad\qquad =\dfrac{(a-1)^2}{4}+2a=\dfrac{a^2+6a+1}{4}=2$

따라서 $a^2+6a+1=8$에서 $a^2+6a-7=0$이므로

근과 계수의 관계에 의해 a의 값들의 합은 -6이다.

15 이차방정식 $3x^2+mx+n=0$의 두 근이 2, $\dfrac{1}{3}$이므로

근과 계수의 관계의 의해

(두 근의 합)$=-\dfrac{m}{3}=2+\dfrac{1}{3}=\dfrac{7}{3}$ $\qquad\therefore m=-7$

(두 근의 곱)$=\dfrac{n}{3}=2\times\dfrac{1}{3}=\dfrac{2}{3}$ $\qquad\therefore n=2$

따라서 $-7x^2-2x+3=0$의 두 근의 합은

$-\dfrac{-2}{-7}=-\dfrac{2}{7}$

16 이차방정식 $x^2-7x+1=0$의 두 근이 α, β이므로 근과 계수의 관계에 의해

$\alpha+\beta=7$, $\alpha\beta=1$

$\sqrt{\alpha^2+\alpha}+\sqrt{\beta^2+\beta}$를 제곱하면

$(\sqrt{\alpha^2+\alpha}+\sqrt{\beta^2+\beta})^2$

$=\alpha^2+\alpha+2\sqrt{(\alpha^2+\alpha)(\beta^2+\beta)}+\beta^2+\beta$

$=\alpha^2+\beta^2+\alpha+\beta+2\sqrt{\alpha^2\beta^2+\alpha^2\beta+\alpha\beta^2+\alpha\beta}$

$=\alpha^2+\beta^2+\alpha+\beta+2\sqrt{\alpha^2\beta^2+\alpha\beta(\alpha+\beta)+\alpha\beta}$

$=(\alpha+\beta)^2-2\alpha\beta+(\alpha+\beta)+2\sqrt{(\alpha\beta)^2+\alpha\beta(\alpha+\beta)+\alpha\beta}$

$=7^2-2\times1+7+2\sqrt{1^2+1\times7+1}$

$=49-2+7+2\sqrt{9}=54+6=60$

$\sqrt{\alpha^2+\alpha}+\sqrt{\beta^2+\beta}>0$이므로

$\sqrt{\alpha^2+\alpha}+\sqrt{\beta^2+\beta}=\sqrt{60}=2\sqrt{15}$

17 두 근을 α, β (α, β는 정수)라 하면

$\alpha+\beta=1-m$, $\alpha\beta=m+1$

두 식을 더하여 m을 소거하면

$\alpha\beta+\alpha+\beta=2$에서

$\alpha(\beta+1)+(\beta+1)=3$, $(\alpha+1)(\beta+1)=3$

이고 $m=\alpha\beta-1$

(i) $\alpha+1=1$, $\beta+1=3$일 때

$\quad \alpha=0$, $\beta=2$이므로 $m=-1$

(ii) $\alpha+1=3$, $\beta+1=1$일 때

$\quad \alpha=2$, $\beta=0$이므로 $m=-1$

(iii) $\alpha+1=-1$, $\beta+1=-3$일 때
$\alpha=-2$, $\beta=-4$이므로 $m=8-1=7$

(iv) $\alpha+1=-3$, $\beta+1=-1$일 때
$\alpha=-4$, $\beta=-2$이므로 $m=8-1=7$

(i)~(iv)에서 $m=-1$ 또는 $m=7$

18 이차방정식 $5x^2-x-10=0$에서 근과 계수의 관계에 의해

(두 근의 합)$=-\dfrac{-1}{5}=\dfrac{1}{5}$

(두 근의 곱)$=\dfrac{-10}{5}=-2$

따라서 이차방정식 $10x^2+ax+b=0$의 두 근이 $\dfrac{1}{5}$, -2이므로 근과 계수의 관계에 의해

(두 근의 합)$=-\dfrac{a}{10}=\dfrac{1}{5}+(-2)=-\dfrac{9}{5}$

$\therefore a=18$

(두 근의 곱)$=\dfrac{b}{10}=\dfrac{1}{5}\times(-2)=-\dfrac{2}{5}$

$\therefore b=-4$

$\therefore a+b=18+(-4)=14$

19 이차방정식 $2x^2-5x+1=0$의 두 근을 α, β라 하면 근과 계수의 관계에 의해

$\alpha+\beta=\dfrac{5}{2}$, $\alpha\beta=\dfrac{1}{2}$

이때 이차방정식 $x^2+ax+b=0$의 두 근이 $\alpha+1$, $\beta+1$이므로 근과 계수의 관계에 의해

(두 근의 합)$=-a=(\alpha+1)+(\beta+1)=\alpha+\beta+2$
$=\dfrac{5}{2}+2=\dfrac{9}{2}$

$\therefore a=-\dfrac{9}{2}$

(두 근의 곱)$=b=(\alpha+1)(\beta+1)=\alpha\beta+\alpha+\beta+1$
$=\dfrac{1}{2}+\dfrac{5}{2}+1=4$

$\therefore a+b=-\dfrac{9}{2}+4=-\dfrac{1}{2}$

20 주어진 식을 인수분해하면
$([x]+2)([x]-3)=0$

따라서 $[x]=-2$ 또는 $[x]=3$이므로
$-2\le x<-1$ 또는 $3\le x<4$

21 $2[x]^2+[x]-15=0$, $(2[x]-5)([x]+3)=0$

$\therefore [x]=\dfrac{5}{2}$ 또는 $[x]=-3$

그런데 $[x]$는 정수이어야 하므로 $[x]=-3$

따라서 주어진 조건에 의해 $-3\le x<(-3)+1$이므로
$-3\le x<-2$

22 $\sqrt{2+\sqrt{2+\sqrt{2+\cdots}}}=x$라 하면

$\sqrt{2+\underbrace{\sqrt{2+\sqrt{2+\cdots}}}_{x}}=x$이므로 $x=\sqrt{2+x}$

양변을 각각 제곱하면
$x^2=2+x$, $x^2-x-2=0$, $(x-2)(x+1)=0$

$\therefore x=2$ 또는 $x=-1$

그런데 $x>0$이므로 $x=2$

23 $x=-3$이 공통인 근이므로 두 이차방정식
$x^2+ax-6=0$, $x^2-2ax+b=0$에 각각 대입하면

$(-3)^2+a\times(-3)-6=0$에서
$-3a+3=0$ $\therefore a=1$

$(-3)^2-2a\times(-3)+b=0$에서
$6a+b=-9$ ······ ㉠

$a=1$을 ㉠에 대입하면 $b=-15$

따라서 두 이차방정식의 근은
$x^2+x-6=0$, $(x+3)(x-2)=0$에서
$x=2$ 또는 $x=-3$
$x^2-2x-15=0$, $(x+3)(x-5)=0$에서
$x=-3$ 또는 $x=5$

이때 $a=1$, $b=-15$, $c=5$이므로
$a-b+c=1-(-15)+5=21$

24 도로를 제외한 땅의 넓이는
$(30-x)(24-x)=567$, $x^2-54x+720=567$

$x^2-54x+153=0$, $(x-51)(x-3)=0$

$\therefore x=3$ ($\because 0<x<24$)

> **TIP** 직사각형 모양의 땅에 폭이 일정한 길을 내는 경우의 넓이의 활용 문제는 가로, 세로의 길이가 각각 같은 다음의 세 직사각형에서 색칠한 부분의 넓이는 모두 같음을 이용한다.
>
>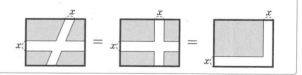

25 $\overline{AE}=x$ cm라 하면 $\overline{EB}=(15-x)$ cm

$\triangle ADE$는 직각이등변삼각형이므로

$\triangle ADE=\dfrac{1}{2}\times x\times x=\dfrac{1}{2}x^2$

$\square DFBE=(15-x)\times x=15x-x^2$

$\triangle ADE : \square DFBE=1 : 4$이므로

$\dfrac{1}{2}x^2 : (15x-x^2)=1 : 4$

$15x-x^2=2x^2$, $3x^2-15x=0$, $3x(x-5)=0$

$\therefore x=5$ ($\because x\ne 0$)

$\therefore \square DFBE=10\times 5=50(\text{cm}^2)$

V 이차함수

1 이차함수의 그래프

1STEP 주제별 실력다지기

107~113쪽

1 ㉣	2 ③	3 ⑤	4 ㄱ, ㄹ	5 $\frac{9}{4}$	6 $y=-(x-4)^2$
7 3	8 ㄴ, ㄹ	9 ⑤	10 2	11 $a=-12$, $b=13$	12 15
13 ④	14 ③	15 ②	16 제3사분면	17 ⑤	18 ③

19 ① 20 (1) $y=-\frac{1}{2}(x+4)^2+2$ (2) $y=\frac{1}{3}x^2-\frac{2}{3}x-1$

21 (1) $y=-4(x+3)^2+11$ (2) $y=-2x^2+5x-6$ (3) $y=-x^2-x+6$ 22 $(1,\ -4)$ 23 -4

24 $-\frac{1}{2}$ 25 21   26 $y=x^2+8x+14$ 27 -7

최상위07 NOTE

이차함수 $y=ax^2+bx+c$의 그래프가 주어졌을 때, 계수의 부호는 다음과 같이 정할 수 있다.

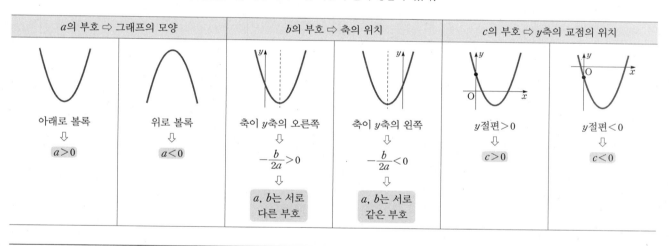

a의 부호 ⇨ 그래프의 모양		b의 부호 ⇨ 축의 위치		c의 부호 ⇨ y축의 교점의 위치	
아래로 볼록 ⇩ $a>0$	위로 볼록 ⇩ $a<0$	축이 y축의 오른쪽 ⇩ $-\dfrac{b}{2a}>0$ ⇩ a, b는 서로 다른 부호	축이 y축의 왼쪽 ⇩ $-\dfrac{b}{2a}<0$ ⇩ a, b는 서로 같은 부호	y절편>0 ⇩ $c>0$	y절편<0 ⇩ $c<0$

1 $a<0$이므로 위로 볼록한 포물선이고 $|a|<1$이므로 $y=-x^2$의 그래프보다 폭이 더 넓다.

따라서 구하는 $y=ax^2$의 그래프는 ㉣이다.

2 주어진 $y=ax+b$의 그래프에서 (기울기)<0, (y절편)<0이므로 $a<0$, $b<0$이다.

따라서 $y=ax^2+b$의 그래프는 위로 볼록하고 꼭짓점의 좌표가 $(0,\ b)(b<0)$인 포물선이므로 ③이다.

3 이차함수 $y=ax^2+b$의 그래프가 모든 사분면을 지나는 경우는 다음 그림과 같다.

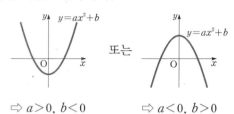

$$\Rightarrow a>0,\ b<0 \qquad\qquad \Rightarrow a<0,\ b>0$$

$\therefore ab<0$

> **TIP** 점 $(a,\ b)$가 어느 사분면 위에 있는가에 따라 a, b의 부호는 다음과 같다.
>
> | 제1사분면 | 제2사분면 | 제3사분면 | 제4사분면 |
> |---|---|---|---|
> | $a>0,\ b>0$ | $a<0,\ b>0$ | $a<0,\ b<0$ | $a>0,\ b<0$ |

4 꼭짓점이 x축 위에 있으려면 $y=a(x-p)^2$의 꼴로 변형할 수 있어야 한다.

ㄱ. $y=x^2-4x+4=(x-2)^2$

ㄴ. $y=-x^2-6x+9=-(x+3)^2+18$

ㄷ. $y=4x^2+2x+1=4\left(x+\dfrac{1}{4}\right)^2+\dfrac{3}{4}$

ㄹ. $y=-4x^2+4x-1=-4\left(x-\dfrac{1}{2}\right)^2$

따라서 ㄱ, ㄹ의 꼭짓점이 x축 위에 있다.

5 $y=x^2+3x+m=\left(x+\dfrac{3}{2}\right)^2+m-\dfrac{9}{4}$의 그래프가

x축과 접하기 위해서는

$m-\dfrac{9}{4}=0 \qquad \therefore m=\dfrac{9}{4}$

6 축의 방정식은 $x=4$이고 x축에 접하므로 이 포물선을 그래프로 하는 이차함수의 식은 $y=a(x-4)^2$이다.

점 $(2,\ -4)$를 지나므로 $x=2$, $y=-4$를 대입하면

$-4=a(2-4)^2 \qquad \therefore a=-1$

$\therefore y=-(x-4)^2$

7 이차함수 $y=ax^2+bx+c$의 그래프가 $y=-x^2+4$의 그래프와 폭이 같으므로 $a=-1$ 또는 $a=1$이다.

또한 꼭짓점의 좌표가 $(1,\ 3)$이므로 $y=ax^2+bx+c$는 다음과 같이 두 가지로 나타낼 수 있다.

$y=-(x-1)^2+3=-x^2+2x+2$

$y=(x-1)^2+3=x^2-2x+4$

$\therefore a+b+c=3$

8 그래프가 위로 볼록하므로 $a<0$이고 꼭짓점 $(p,\ q)$가 제1사분면 위에 존재하므로 $p>0$, $q>0$이다.

ㄱ. $p+q>0$ ㄴ. $a-p-q<0$

ㄷ. $a-pq<0$ ㄹ. $apq<0$

따라서 옳은 것은 ㄴ, ㄹ이다.

9 $y=-2x^2+4x-5$
$\qquad =-2(x-1)^2-3$

이므로 그래프는 오른쪽 그림과 같다.

⑤ $x<1$일 때, x의 값이 증가하면 y의 값도 증가한다.

10 x^2의 계수가 a이고 그래프의 꼭짓점의 좌표가 $(3,\ -1)$인 이차함수의 식은

$y=a(x-3)^2-1=ax^2-6ax+9a-1$

이므로 주어진 이차함수의 식과 비교하면

$a^2+5a+3=9a-1$, $a^2-4a+4=0$

$(a-2)^2=0 \qquad \therefore a=2$

다른 풀이

$y=ax^2-6ax+a^2+5a+3$

$\quad =a(x^2-6x)+a^2+5a+3$

$\quad =a(x-3)^2+a^2-4a+3$

이므로 꼭짓점의 좌표는 $(3,\ a^2-4a+3)$이다.

따라서 $a^2-4a+3=-1$에서

$a^2-4a+4=0$, $(a-2)^2=0$

$\therefore a=2$

11 $y=-2x^2+8x-7=-2(x-2)^2+1$에서 꼭짓점의 좌표가 $(2,\ 1)$이다.

따라서 $y=3x^2+ax+b$의 그래프의 꼭짓점의 좌표가 $(2,\ 1)$이므로 $y=3(x-2)^2+1=3x^2-12x+13$

$\therefore a=-12$, $b=13$

12 $y=x^2+6x+a=(x+3)^2+a-9$이므로 꼭짓점의 좌표는 $(-3,\ a-9)$이다.

이 꼭짓점이 직선 $y=-2x$ 위에 있으므로

$a-9=-2\times(-3)$ $\therefore a=15$

13 주어진 그림에서 $y=ax^2+bx+c$의 그래프는 위로 볼록하므로 $a<0$, y절편이 양수이므로 $c>0$, 축이 y축의 왼쪽에 있으므로 $ab>0$, 즉 $b<0$이다.

① $ac<0$ ② $bc<0$ ③ $abc>0$

④ $x=-1$일 때, $y=a-b+c>0$이다.

⑤ $x=1$일 때, $y=a+b+c=0$이다.

따라서 옳은 것은 ④이다.

> **TIP** 주어진 그래프의 모양을 보고 $a<0$, $b<0$, $c>0$임을 알 수 있지만, 이것으로부터 $a-b+c$, $a+b+c$의 부호는 알 수 없다. 이와 같이 함수의 계수로 이루어진 식의 부호는 그 식이 어떤 수를 함수 $f(x)=ax^2+bx+c$의 x에 대입한 것과 같아지는지를 파악하고, 그래프에서 그 함숫값의 부호를 조사한다.

14 제2사분면을 제외한 모든 사분면을 지나는 그래프는 오른쪽 그림과 같으므로 위로 볼록하고 꼭짓점은 제1사분면 위에 존재하고 y절편은 0 또는 음수이면 된다.

③ $y=-x^2+4x-3=-(x-2)^2+1$

에서 꼭짓점의 좌표는 $(2,\ 1)$이고, y절편은 -3이다.

④ $y=-x^2-4x-3=-(x+2)^2+1$

에서 꼭짓점의 좌표가 $(-2,\ 1)$이다.

15 주어진 그림에서 $y=ax^2+bx+c$의 그래프는 위로 볼록하고 y절편이 양수이므로 $a<0$, $c>0$이고, 축이 y축의 오른쪽에 있으므로 $ab<0$, 즉 $b>0$이다.

따라서 $y=cx^2+bx+a$의 그래프는 아래로 볼록하고, y절편은 음수이다.

또한 $bc>0$이므로 축이 y축의 왼쪽에 있다.

따라서 그래프는 오른쪽 그림과 같다.

16 $y=ax^2+bx+c$에서 $a>0$이므로 아래로 볼록하고, $b>0$에서 $ab>0$이므로 축이 y축의 왼쪽에 있다.

또 $c<0$이므로 y절편은 음수이다.

따라서 그래프는 오른쪽 그림과 같으므로 꼭짓점은 제3사분면 위에 있다.

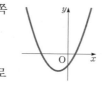

17 주어진 그림에서 $y=ax^2+bx+c$의 그래프는 위로 볼록하므로 $a<0$이고, 축이 y축의 오른쪽에 있으므로

$ab<0$ $\therefore b>0$

또 y절편이 양수이므로 $c>0$이다.

---

④ $x=1$일 때 $y=a+b+c>0$이다.

⑤ $b^2>0$이고 $ac<0$이므로 $b^2-4ac>0$

따라서 옳지 않은 것은 ⑤이다.

다른 풀이

$y=ax^2+bx+c$에 $y=0$을 대입하면

$0=ax^2+bx+c$

이때 이 이차방정식의 두 근이 이차함수의 그래프의 x절편이고, 주어진 그래프에서 x축과 서로 다른 두 점에서 만나므로 이차방정식의 근의 개수는 2개이다.

따라서 판별식 $D=b^2-4ac>0$

18 모든 사분면을 지나는 $y=ax^2+bx+c$의 그래프는 다음 그림과 같다.

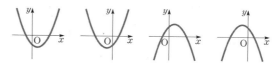

즉 b의 부호에 관계없이 $a>0$, $c<0$ 또는 $a<0$, $c>0$인 경우에 그래프가 모든 사분면을 지난다. $\therefore ac<0$

19 주어진 그림에서 $y=ax^2+bx+c$의 그래프는 위로 볼록하므로 $a<0$이고, 축이 y축의 오른쪽에 있으므로

$ab<0$ $\therefore b>0$

또 y절편이 양수이므로 $c>0$이다.

① $x=1$일 때, $y=a+b+c>0$

② $x=-1$일 때, $y=a-b+c<0$

③ 축의 방정식 $x=-\dfrac{b}{2a}<1$이고, $2a<0$이므로

$b<-2a$ $\therefore 2a+b<0$

④ $a<0$, $b>0$, $c>0$이므로 $abc<0$

⑤ $x=-2$일 때, $y=4a-2b+c<0$

따라서 식의 부호가 나머지 넷과 다른 것은 ①이다.

20 ⑴ 꼭짓점의 좌표가 $(-4,\ 2)$이므로

$y=a(x+4)^2+2$ ······ ㉠

㉠에 점 $(0,\ -6)$을 대입하면

$-6=16a+2$ $\therefore a=-\dfrac{1}{2}$

$\therefore y=-\dfrac{1}{2}(x+4)^2+2$

⑵ x절편이 -1, 3이므로

$y=a(x+1)(x-3)$ ······ ㉠

㉠에 점 $(0,\ -1)$을 대입하면

$-1=-3a$ $\therefore a=\dfrac{1}{3}$

$\therefore y=\dfrac{1}{3}(x+1)(x-3)=\dfrac{1}{3}x^2-\dfrac{2}{3}x-1$

21 (1) 축의 방정식이 $x=-3$이므로
$y=a(x+3)^2+q$로 놓고 $\cdots\cdots$ ㉠
㉠에 점 $(-2, 7)$, $(-5, -5)$의 좌표를 대입하면
$a+q=7$ $\cdots\cdots$ ㉡
$4a+q=-5$ $\cdots\cdots$ ㉢
㉢−㉡을 하면 $3a=-12$ $\quad\therefore a=-4$
$a=-4$를 ㉡에 대입하면 $-4+q=7$ $\quad\therefore q=11$
$\therefore y=-4(x+3)^2+11$

(2) 이차함수의 식을 $y=ax^2+bx+c$로 놓고
점 $(1, -3)$, $(2, -4)$, $(0, -6)$의 좌표를 대입하면
$a+b+c=-3$ $\cdots\cdots$ ㉠
$4a+2b+c=-4$ $\cdots\cdots$ ㉡
$c=-6$ $\cdots\cdots$ ㉢
㉢을 ㉠, ㉡에 대입하면
$a+b-6=-3$에서 $a+b=3$ $\cdots\cdots$ ㉣
$4a+2b-6=-4$에서 $4a+2b=2$
$2a+b=1$ $\cdots\cdots$ ㉤
㉤−㉣을 하면 $a=-2$
$a=-2$를 ㉣에 대입하면 $-2+b=3$ $\quad\therefore b=5$
$\therefore y=-2x^2+5x-6$

(3) x절편이 -3, 2이므로 $y=a(x+3)(x-2)$이고 점
$(0, 6)$의 좌표를 대입하면
$6=-6a$ $\quad\therefore a=-1$
$\therefore y=-(x+3)(x-2)=-x^2-x+6$

22 점 $(-1, 0)$을 지나므로 $y=x^2+ax-3$에 대입하면
$0=1-a-3$ $\quad\therefore a=-2$
$\therefore y=x^2-2x-3=(x-1)^2-4$
따라서 꼭짓점의 좌표는 $(1, -4)$이다.

23 주어진 이차함수의 그래프는 축 $x=1$에 대하여 대칭
이므로 점 $(3, 0)$의 직선 $x=1$에 대한 대칭점 $(-1, 0)$을
지난다.
따라서 x절편이 -1, 3이므로 $y=a(x+1)(x-3)$이고 점
$(0, -3)$을 지나므로 대입하면
$-3=-3a$ $\quad\therefore a=1$
$\therefore y=(x+1)(x-3)=x^2-2x-3$
$\therefore a+b+c=1+(-2)+(-3)=-4$

다른 풀이
축의 방정식이 $x=1$이므로 구하는 이차함수의 식을
$y=a(x-1)^2+q$로 놓는다.
이때 두 점 $(3, 0)$, $(0, -3)$을 지나므로 각각 대입하면
$4a+q=0$ $\cdots\cdots$ ㉠
$a+q=-3$ $\cdots\cdots$ ㉡

㉠−㉡을 하면 $3a=3$ $\quad\therefore a=1$
$a=1$을 ㉡에 대입하면 $q=-4$
따라서 이차함수의 식은 $y=(x-1)^2-4=x^2-2x-3$
이므로 $a+b+c=1+(-2)+(-3)=-4$

24 $y=px^2$의 그래프를 x축의 방향으로 2만큼 평행이동한
그래프의 식은 $y=p(x-2)^2$이다.
즉, $y=px^2-4px+4p$와 $y=-\dfrac{1}{2}x^2+2x-2$가 일치하므로
$p=-\dfrac{1}{2}$

참고
이차함수의 그래프를 평행이동하여도 그래프의 폭과 모양
은 변하지 않으므로 이차항의 계수는 변하지 않는다.

25 $y=x^2-2x+3=(x-1)^2+2$이므로 꼭짓점의 좌표는
$(1, 2)$이다.
또 $y=x^2+4x-1=(x+2)^2-5$이므로 꼭짓점의 좌표는
$(-2, -5)$이다.
즉 꼭짓점 $(1, 2)$를 x축의 방향으로 a만큼, y축의 방향으
로 b만큼 평행이동한 점 $(1+a, 2+b)$가 점 $(-2, -5)$와
일치하면 되므로
$1+a=-2, 2+b=-5$
$\therefore a=-3, b=-7$ $\quad\therefore ab=21$

26 $y=x^2-4x+3=(x-2)^2-1$의 그래프를 x축의 방향
으로 2만큼, y축의 방향으로 -1만큼 평행이동하면
$y+1=(x-2-2)^2-1$
$\therefore y=x^2-8x+14$
또 $y=x^2-8x+14$의 그래프를 y축에 대하여 대칭이동하면
$y=(-x)^2-8\times(-x)+14$
$\therefore y=x^2+8x+14$

27 $y=a(x-1)^2$의 그래프를 x축에 대하여 대칭이동하면
$-y=a(x-1)^2$, $y=-a(x-1)^2$
또 이 그래프를 x축의 방향으로 1만큼, y축의 방향으로
$-q$만큼 평행이동하면
$y+q=-a(x-1-1)^2$
$y=-a(x-2)^2-q$
$\therefore y=-ax^2+4ax-4a-q$
이 그래프가 $y=2x^2+px+5$의 그래프와 일치하므로
$-a=2$, $4a=p$, $-4a-q=5$에서
$a=-2$, $p=-8$, $q=3$
$\therefore a+p+q=-7$

1 ④	2 $y=2x^2+8x+9$	3 $1:6$	4 $a=-1, b=-5$	5 $y=5(x-1)^2-2$	6 $y=x^2-x-2$
7 6	8 2	9 4	10 2	11 P(4, 8)	12 $\frac{1}{9}$
13 $\frac{4}{25}\leq a\leq\frac{4}{9}$	14 16	15 $2\sqrt{3}$	16 P(4, 10)	17 5	18 제1사분면
19 $a>0, b<0$	20 풀이 참조	21 ㄱ, ㄷ	22 ⑤	23 $(2, -2)$	

문제 풀이

1 $y=2x^2-4x-6=2(x-1)^2-8$

이므로 E(1, -8)

두 점 A와 B는 x절편이므로 $y=0$을 대입하면

$2x^2-4x-6=0$에서 $x^2-2x-3=0$

$(x+1)(x-3)=0$

$\therefore x=-1$ 또는 $x=3$

$\therefore$ A(-1, 0), B(3, 0)

y절편이 -6이므로 C(0, -6)

축이 $x=1$이고 점 C와 D는 $x=1$에 대하여 대칭이므로 점 D의 x좌표는 2이다.

$y=2x^2-4x-6$에 $x=2$를 대입하면 $y=-6$

$\therefore$ D(2, -6)

2 서술형

표현 단계 x 대신 $x+2$, y 대신 $y-3$을 각각 대입하면

변형 단계 $y-3=2\{(x+2)^2-3\}+4$

$\qquad\qquad =2(x^2+4x+1)+4$

$\qquad\qquad =2x^2+8x+6$

확인 단계 $\therefore y=2x^2+8x+9$

3 $y=ax^2-bx+3$

$\qquad =a\left(x-\dfrac{b}{2a}\right)^2-\dfrac{b^2}{4a}+3$

에서 축의 방정식이 $x=\dfrac{b}{2a}$이므로

$\dfrac{b}{2a}=3$, $b=6a$

$\therefore a:b=1:6$

4 서술형

표현 단계 주어진 식을 완전제곱의 꼴로 변형하면

변형 단계 $y=x^2+2ax-4$

$\qquad\qquad =x^2+2ax+a^2-a^2-4$

$\qquad\qquad =(x+a)^2-a^2-4$

즉 꼭짓점의 좌표는 $(-a, -a^2-4)$이다.

풀이 단계 $(-a, -a^2-4)=(1, b)$에서

$\qquad\qquad -a=1, -a^2-4=b$

확인 단계 $\therefore a=-1, b=-5$

5 꼭짓점의 좌표가 (1, -2)이므로

임의의 실수 a에 대하여

$y=a(x-1)^2-2$

로 나타낼 수 있고, 점 (0, 3)을 지나므로

$x=0$, $y=3$을 대입하면

$3=a-2$에서 $a=5$

따라서 구하는 이차함수의 식은

$y=5(x-1)^2-2$

6 x축과의 교점의 좌표가 (-1, 0), (2, 0)이므로

임의의 실수 a에 대하여

$y=a(x+1)(x-2)$

로 나타낼 수 있고, 점 (0, -2)를 지나므로

$x=0$, $y=-2$를 대입하면

$-2=-2a$에서 $a=1$

따라서 구하는 이차함수의 식은

$y=(x+1)(x-2)$

$\qquad =x^2-x-2$

7 서술형

표현 단계 세 점의 좌표를 주어진 식에 각각 대입하면

변형 단계 $4a-2b+c=3$ $\qquad\cdots\cdots$ ㉠

$\qquad\qquad c=3$ $\qquad\qquad\cdots\cdots$ ㉡

$\qquad\qquad a+b+c=0$ $\qquad\cdots\cdots$ ㉢

풀이 단계 ㉡을 ㉠, ㉢에 각각 대입하면

$\begin{cases} 4a-2b=0 \\ a+b=-3 \end{cases}$

위의 연립방정식을 풀면 $a=-1$, $b=-2$

확인 단계 $\therefore abc=(-1)\times(-2)\times3=6$

8 주어진 그래프에서 일차함수의 식은 $y=x-2$이고, y축에 대하여 대칭인 그래프의 식은 $y=-x-2$이므로
$a=-1$, $b=-2$
따라서 $y=ax^2+bx=-x^2-2x=-(x+1)^2+1$이므로 꼭짓점의 좌표는 $(m,\ n)=(-1,\ 1)$이다.
$\therefore m^2+n^2=(-1)^2+1^2=2$

9 서술형
표현 단계 $y=-2x^2$의 그래프를 x축의 방향으로 m만큼, y축의 방향으로 n만큼 평행이동하므로 x대신 $x-m$, y대신 $y-n$을 각각 대입하면
$y-n=-2(x-m)^2$
이고, 이 그래프를 원점에 대하여 대칭이동하므로 x대신 $-x$, y대신 $-y$를 각각 대입하면
$-y-n=-2(-x-m)^2$
변형 단계 즉 $y=2(x+m)^2-n$
$\qquad =2(x^2+2mx+m^2)-n$
$\qquad =2x^2+4mx+2m^2-n$
풀이 단계 $y=2x^2+4x-1$과 계수를 비교하면
$4m=4$에서 $m=1$
$2m^2-n=-1$에서 $n=3$
확인 단계 $\therefore m+n=1+3=4$

10 $y=-x^2-2x+3=-(x+1)^2+4$이므로 $C(-1,\ 4)$
$y=0$을 대입하면 $-x^2-2x+3=0$에서
$x^2+2x-3=0$, $(x+3)(x-1)=0$
$\therefore x=-3$ 또는 $x=1$
$\therefore A(-3,\ 0)$, $B(1,\ 0)$
또한 y절편이 3이므로 $D(0,\ 3)$
삼각형의 넓이를 구하면
$\triangle ABC=\dfrac{1}{2}\times 4\times 4=8$
$\triangle ABD=\dfrac{1}{2}\times 4\times 3=6$
따라서 두 삼각형의 넓이의 차는
$8-6=2$

11 점 P의 좌표를 $P\left(a,\ \dfrac{a^2}{2}\right)$이라 하면
$\triangle POA=\dfrac{1}{2}\times 8\times\dfrac{a^2}{2}=32$
$a^2=16$ $\quad\therefore a=4\ (\because a>0)$
$\therefore P(4,\ 8)$

12 점 A의 x좌표가 2이므로 $A(2,\ 4)$
$\overline{AB}=2\overline{AC}$이므로 점 B의 x좌표는 6이고

$y=kx^2$에 $x=6$을 대입하면 $B(6,\ 36k)$
이때 점 A와 B의 y좌표는 같으므로
$4=36k$ $\quad\therefore k=\dfrac{1}{9}$

13 $y=ax^2+2ax+a-2$
$\qquad =a(x^2+2x+1)-2$
$\qquad =a(x+1)^2-2$
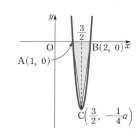
이므로 오른쪽 그림과 같이 포물선의 꼭짓점의 좌표가 $(-1,\ -2)$로 일정하다.
㉠과 같이 점 $(2,\ 2)$를 지날 때
$2=9a-2$ $\quad\therefore a=\dfrac{4}{9}$
㉡과 같이 점 $(4,\ 2)$를 지날 때
$2=25a-2$ $\quad\therefore a=\dfrac{4}{25}$
$\therefore \dfrac{4}{25}\leq a\leq\dfrac{4}{9}$

14 $y=a(x^2-3x+2)=a(x-1)(x-2)$
이므로 x절편은 1, 2이다.
또, $y=a(x^2-3x+2)=a\left(x-\dfrac{3}{2}\right)^2-\dfrac{1}{4}a$
이므로 꼭짓점은 $C\left(\dfrac{3}{2},\ -\dfrac{1}{4}a\right)$이다.
오른쪽 그림에서
$\triangle ABC=\dfrac{1}{2}\times 1\times\dfrac{1}{4}a$
$\qquad =\dfrac{1}{8}a$
이므로 $\dfrac{1}{8}a=2$
$\therefore a=16$

15 x축을 자르는 선분의 길이가 2이고 축이 $x=2$이므로 오른쪽 그림과 같이 그래프를 그리면 삼각형의 넓이는
$\dfrac{1}{2}\times 2\times p=2\sqrt{3}$
$\therefore p=2\sqrt{3}$
따라서 꼭짓점의 좌표가 $(2,\ -2\sqrt{3})$이므로
$y=ax^2+bx+c=a(x-2)^2-2\sqrt{3}$ $\quad\cdots\cdots$ ㉠
㉠에 점 $(1,\ 0)$의 좌표를 대입하면
$0=a-2\sqrt{3}$
$\therefore a=2\sqrt{3}$

16 두 이차함수의 그래프의 꼭짓점의 좌표를 각각 구하면
$y=x^2-4x+8=(x-2)^2+4$
에서 $(2, 4)$
$y=-x^2+12x-20=-(x-6)^2+16$
에서 $(6, 16)$
두 이차함수의 그래프가 점 $P(a, b)$에 대하여 대칭이면 두 꼭짓점도 점 P에 대하여 대칭이므로
점 P는 두 꼭짓점의 중점이다. 즉
$\dfrac{2+6}{2}=a$, $\dfrac{4+16}{2}=b$
$\therefore a=4$, $b=10$
$\therefore P(4, 10)$

17 $y=-x^2-2x+8=-(x+1)^2+9$
이므로 $A(-1, 9)$
$y=0$을 대입하면
$-x^2-2x+8=0$에서 $x^2+2x-8=0$
$(x+4)(x-2)=0$ $\quad \therefore x=-4$ 또는 $x=2$
$\therefore B(-4, 0)$, $C(2, 0)$
직선 l이 $\triangle ABC$의 넓이를 이등분하려면 $\overline{AC}$의 중점
$\left(\dfrac{-1+2}{2}, \dfrac{9+0}{2}\right)=\left(\dfrac{1}{2}, \dfrac{9}{2}\right)$를 지나면 된다.
따라서 점 $B(-4, 0)$과 점 $\left(\dfrac{1}{2}, \dfrac{9}{2}\right)$를 지나는 직선 l의 방정식은
$y=\dfrac{\frac{9}{2}-0}{\frac{1}{2}+4}(x+4)=x+4$
$\therefore a=1$, $b=4$ $\quad \therefore a+b=5$

18 부등식 $a(x-2)-b<0$, 즉 $ax<2a+b$의 해가
$x>-1$이므로 $a<0$이고, $x>\dfrac{2a+b}{a}$에서
$\dfrac{2a+b}{a}=-1$, $2a+b=-a$
$\therefore b=-3a$
$y=ax^2-bx+a$
$=ax^2+3ax+a$
$=a\left(x^2+3x+\dfrac{9}{4}-\dfrac{9}{4}\right)+a$
$=a\left(x+\dfrac{3}{2}\right)^2-\dfrac{5}{4}a$
에서 꼭짓점의 좌표는 $\left(-\dfrac{3}{2}, -\dfrac{5}{4}a\right)$이고, $a<0$이므로 그래프의 모양은 오른쪽 그림과 같이 그릴 수 있다.
따라서 제1사분면은 지나지 않는다.

19 $y=ax^2+2abx=a(x+b)^2-ab^2$

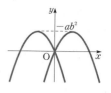

(i) $a<0$이면 위로 볼록하고 꼭짓점의 y좌표인 $-ab^2 \geq 0$이므로 오른쪽 그림과 같이 꼭짓점이 제4사분면 위에 있을 수 없다.

(ii) $a>0$이면 $-ab^2 \leq 0$

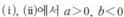

오른쪽 그림에서 꼭짓점이 제4사분면 위에 있을 때, 축이 y축의 오른쪽에 있으므로 $x=-b>0$
$\therefore b<0$

(i), (ii)에서 $a>0$, $b<0$

다른 풀이
$y=ax^2+2abx=a(x+b)^2-ab^2$
이므로 꼭짓점의 좌표는 $(-b, -ab^2)$
이때 꼭짓점이 제4사분면 위에 있으므로
$-b>0$, $-ab^2<0$
즉 $b<0$이고, $b^2>0$이므로 $-ab^2<0$에서 $-a<0$
$\therefore a>0$

20 서술형
표현 단계 $y=x^2-2ax+b$를 완전제곱의 꼴로 변형하면
변형 단계 $y=(x^2-2ax+a^2-a^2)+b$
$\qquad =(x-a)^2-a^2+b$
즉 꼭짓점의 좌표는 $(a, -a^2+b)$이다.
이차함수 $y=x^2-2ax+b$의 그래프가 점 $(1, 4)$를 지나므로 $x=1$, $y=4$를 대입하면
$4=1-2a+b$
$\therefore b=2a+3$ $\qquad \cdots\cdots$ ㉠
또한 꼭짓점이 직선 $y=-2x+7$ 위에 있으므로
$x=a$, $y=-a^2+b$를 대입하면
$-a^2+b=-2a+7$ $\qquad \cdots\cdots$ ㉡
풀이 단계 ㉠을 ㉡에 대입하면
$-a^2+(2a+3)=-2a+7$
$a^2-4a+4=0$, $(a-2)^2=0$ $\quad \therefore a=2$
$a=2$를 ㉠에 대입하면
$b=2\times2+3=7$
$\therefore y=ax^2+4x-b$
$\qquad =2x^2+4x-7$
$\qquad =2(x^2+2x+1-1)-7$
$\qquad =2(x+1)^2-9$
확인 단계 따라서 구하는 이차함수의 그래프는 꼭짓점의 좌표가 $(-1, -9)$이고 y절편이 -7이므로 오른쪽 그림과 같다.

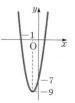

21 x절편이 -2, 1이므로

$y=ax^2+bx+c$

$\quad=a(x+2)(x-1)$

$\quad=ax^2+ax-2a$

$\therefore b=a,\ c=-2a$

ㄱ. 아래로 볼록하므로 $a>0$

　　축이 y축의 왼쪽에 있으므로 $ab>0$　　$\therefore b>0$

ㄴ. $x=-1$일 때, $y=a-b+c<0$

ㄷ. $a+2b+3c=a+2a-6a=-3a<0$

따라서 옳은 것은 ㄱ, ㄷ이다.

22 ㈎ $\dfrac{b}{2a}=-1$이므로 축의 방정식은

$\quad x=-\dfrac{b}{2a}=1$

㈏ y의 값의 범위가 $y\le q$이므로 이차함수의 그래프는 위로 볼록한 포물선이다.　　$\therefore a<0$

㈐ 점 $\left(\dfrac{5}{3},\,0\right)$을 지나므로 x절편이 $\dfrac{5}{3}$이고 축을 중심으로 대칭이므로 다른 x절편의 좌표는 $\left(\dfrac{1}{3},\,0\right)$이다.

조건 Ⅰ, Ⅱ, Ⅲ을 이용하여 그래프를 그리면 오른쪽 그림과 같다.

② $c<0$

③ 다른 한 x절편은 $\dfrac{1}{3}$이다.

④ 꼭짓점은 제1사분면 위에 있다.

⑤ 그래프는 제2사분면을 지나지 않는다.

따라서 옳은 것은 ⑤이다.

23 선분 AB의 길이가 4이므로 축의 방정식은 $x=2$이다.

$\therefore y=x^2+ax+b=(x-2)^2+q$

또 점 $(0,\,2)$를 지나므로

$2=4+q$　　$\therefore q=-2$

따라서 꼭짓점의 좌표는 $(2,\,-2)$이다.

3^{STEP} 최고 실력 완성하기

120~122쪽

1 $\dfrac{9}{2}$	**2** $\dfrac{14}{3}$	**3** $-\dfrac{2}{3}$	**4** 12	**5** 24	**6** $2\sqrt{2}$
7 $-\dfrac{3}{4}$	**8** -4	**9** $\dfrac{2}{3}$	**10** $12-8\sqrt{2}$	**11** ㈎ $-$(2), ㈏ $-$(1), ㈐ $-$(4), ㈑ $-$(3)	

12 서치라이트(탐조등), 자동차의 헤드라이트, 랜턴 등

문제 풀이

1 오른쪽 그림과 같이 점 R의 x좌표를 t라 하면 점 Q의 x좌표는 $-t$이므로 $\overline{\text{QR}}=2t$가 된다.

또 $\overline{\text{QR}}=\overline{\text{RS}}$이므로

점 S의 x좌표는 $3t$가 된다.

$\therefore \text{R}(t,\,at^2),\ \text{S}\left(3t,\,\dfrac{9}{2}t^2\right)$

이때 점 R과 점 S의 y좌표는 같으므로

$at^2=\dfrac{9}{2}t^2$　　$\therefore a=\dfrac{9}{2}$

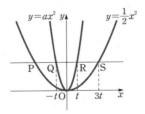

2 $y=-\dfrac{1}{2}x^2+ax+4$에 $x=0$을 대입하면 $y=4$

$\therefore \text{B}(0,\,4)$

$y=-\dfrac{1}{2}x^2+ax+4$의 그래프가 점 $(6,\,0)$을 지나므로

$0=-18+6a+4$

$6a=14$　　$\therefore a=\dfrac{7}{3}$

$y=-\dfrac{1}{2}x^2+\dfrac{7}{3}x+4$

$\quad=-\dfrac{1}{2}\left(x^2-\dfrac{14}{3}x+\dfrac{49}{9}-\dfrac{49}{9}\right)+4$

$\quad=-\dfrac{1}{2}\left(x-\dfrac{7}{3}\right)^2+\dfrac{49}{18}+4$

$\quad=-\dfrac{1}{2}\left(x-\dfrac{7}{3}\right)^2+\dfrac{121}{18}$

$\therefore \text{A}\left(\dfrac{7}{3},\,\dfrac{121}{18}\right)$

$\therefore \triangle\text{ABO}=\dfrac{1}{2}\times4\times\dfrac{7}{3}=\dfrac{14}{3}$

3 □ABCD가 평행사변형이므로 $\overline{BC}=\overline{AD}=6$이고 $\overline{AD}//\overline{BC}$이므로 $\overline{BC}\perp(y$축$)$이다.

또한 주어진 그래프는 y축에 대하여 대칭이므로 점 C의 x좌표는 3이다.

따라서 C$(3, -6)$이므로 $y=ax^2$에 대입하면

$-6=9a$ $\quad\therefore a=-\dfrac{2}{3}$

4 $y=-x^2+2x+3=-(x-1)^2+4$

에서 A$(1, 4)$

$y=-x^2+8x-12=-(x-4)^2+4$

에서 B$(4, 4)$

오른쪽 그림에서 그래프의 폭이 같으므로 어두운 부분의 넓이는 서로 같다.

따라서 구하는 넓이는

□ACDB$=(4-1)\times 4$
$\qquad\qquad =3\times 4=12$

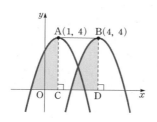

5 $y=-2x+k$의 x절편이 $\dfrac{k}{2}$이고, $\overline{AP}:\overline{PB}=2:1$이므로 점 P의 x좌표는 $\dfrac{k}{2}\times\dfrac{1}{2+1}=\dfrac{k}{6}$

점 P$\left(\dfrac{k}{6}, \dfrac{k^2}{36}\right)$은 직선 $y=-2x+k$ 위의 점이므로

$\dfrac{k^2}{36}=-\dfrac{2k}{6}+k$

$k^2=-12k+36k$, $k(k-24)=0$

$\therefore k=24 \ (\because k\neq 0)$

6 $y=x^2-ax+1$의 그래프의 x절편을 α, β라 하면 $x^2-ax+1=0$의 두 근이 α, β이므로

$\alpha+\beta=a$, $\alpha\beta=1$

$\overline{AB}=|\beta-\alpha|=\sqrt{(\alpha+\beta)^2-4\alpha\beta}$
$\qquad\qquad\qquad =\sqrt{a^2-4}$

오른쪽 그림에서

$\triangle ABC=\dfrac{1}{2}\times\sqrt{a^2-4}\times 1=1$

이므로

$\sqrt{a^2-4}=2$, $a^2-4=4$, $a^2=8$

$\therefore a=2\sqrt{2} \ (\because a>0)$

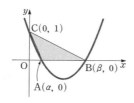

7 이차함수 $y=ax^2+bx+ab+1$의 그래프를 그려 보면 오른쪽 그림과 같다.

따라서 $a>0$이고 x축과 두 점 $(1, 0)$, $(3, 0)$에서 만나므로

$y=a(x-1)(x-3)$

$=a(x^2-4x+3)$

$=ax^2-4ax+3a$ $\quad\cdots\cdots$ ㉠

㉠과 $y=ax^2+bx+ab+1$이 같은 식이므로

$b=-4a$, $ab+1=3a$에서

$a\times(-4a)+1=3a$, $4a^2+3a-1=0$

$(4a-1)(a+1)=0$ $\quad\therefore a=\dfrac{1}{4} \ (\because a>0)$

따라서 $a=\dfrac{1}{4}$, $b=-1$이므로

$a+b=-\dfrac{3}{4}$

8 교점이 원점에 대하여 대칭이면 교점의 x좌표의 합이 0이므로

$2x^2+ax-6=-x^2-4x+3$

즉, $3x^2+(a+4)x-9=0$에서 두 근의 합이 0이므로

$-\dfrac{(a+4)}{3}=0$ $\quad\therefore a=-4$

9 $y=(x-2)^2$에서 $x=0$이면 $y=4$이므로 A$(0, 4)$이고, 축의 방정식이 $x=2$이므로 B$(4, 4)$이다.

직선 $y=x+a$가 선분 AB와 만나므로

(ⅰ) 직선 $y=x+a$가 점 A$(0, 4)$를 지날 때,

$\quad 4=0+a$ $\quad\therefore a=4$

(ⅱ) 직선 $y=x+a$가 점 B$(4, 4)$를 지날 때,

$\quad 4=4+a$ $\quad\therefore a=0$

(ⅰ), (ⅱ)에서 a의 값의 범위는 $0\leq a\leq 4$

따라서 $a=1$, 2, 3, 4일 때, 직선 $y=x+a$가 선분 AB와 만나므로 구하는 확률은

$\dfrac{4}{6}=\dfrac{2}{3}$

10 $y=-x^2+2x=-(x-1)^2+1$

이므로 그래프는 오른쪽 그림과 같다.

A$(a, 0)$(단, $0<a<1$)으로 놓으면 B$(2-a, 0)$이므로

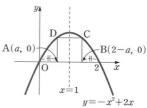

$\overline{AB}=(2-a)-a=2-2a$이고

D$(a, -a^2+2a)$

그런데 □ABCD가 정사각형이므로 $\overline{AB}=\overline{AD}$에서

$2-2a=-a^2+2a$, $a^2-4a+2=0$

$\therefore a=2-\sqrt{2} \ (\because 0<a<1)$

따라서 정사각형의 한 변의 길이는

$2-2a=2-2(2-\sqrt{2})=2\sqrt{2}-2$

$\therefore$ □ABCD$=(2\sqrt{2}-2)^2=12-8\sqrt{2}$

2 이차함수의 활용

124~127쪽

1^{STEP} 주제별 실력다지기

1 7 **2** ㄴ, ㄷ **3** -240 **4** $-16 \leq y \leq 8$ **5** (1) ㄷ, ㅂ (2) ㄱ, ㄹ (3) ㄴ, ㅁ

6 (1) $m > -5$ (2) -5 (3) $m < -5$ **7** $k < -7$ **8** $y = \dfrac{3}{2}x + \dfrac{5}{2}$ **9** -2 **10** $y \leq 9$

11 -3 **12** ④ **13** $a < 0$, $b > 0$, $a^2 - 4b > 0$ **14** $\dfrac{3}{4}$ **15** $8\sqrt{5}$ cm

16 208 m **17** 20000원 **18** 562500원

최상위 NOTE 08

이차함수 $y = ax^2 + bx + c$의 그래프와 x축의 교점의 개수는 이차방정식 $ax^2 + bx + c$의 실근의 개수와 같다. 이때 이차방정식 $ax^2 + bx + c = 0$
의 판별식을 D라 하면 D의 부호에 따라 이차함수 $y = ax^2 + bx + c$의 그래프와 이차방정식 $ax^2 + bx + c = 0$의 근 사이에는 다음과 같은 관계
가 성립한다.

		$D > 0$	$D = 0$	$D < 0$
$ax^2 + bx + c = 0$의 근		서로 다른 두 실근	중근	근이 없다.
$y = ax^2 + bx + c$의 그래프와 x축의 교점의 개수		2	1	0
$y = ax^2 + bx + c$ 의 그래프	$a > 0$			
	$a < 0$			

1
$y=4x^2-8x+a$
　　$=4(x^2-2x+1)+a-4$
　　$=4(x-1)^2+a-4$
따라서 오른쪽 그림과 같이 $y\geq a-4$이므로
$a-4=3$　　∴ $a=7$

$(1,\ a-4)$

2 이차항의 계수가 -1이고, 꼭짓점의 좌표가 $(2,\ 2)$이므로
$y=-(x-2)^2+2=-x^2+4x-2$
이 이차함수의 그래프를 그리면 오른쪽 그림과 같다.

ㄱ. 그래프는 제2사분면을 지나지 않는다.

ㄷ. $a=4$, $b=-2$이므로 $a+b=2$
따라서 옳은 것은 ㄴ, ㄷ이다.

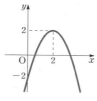

> **TIP** 꼭짓점의 좌표, 축의 방정식, x축과의 두 교점 중 어떤 조건이 주어졌느냐에 따라 이차함수의 식을 놓는 방법이 달라진다. 이 문제에서는 이차함수의 그래프의 축의 방정식이 $x=2$이므로 이차함수의 식을 $y=a(x-2)^2+b$로 놓는다.

3 x축과의 교점의 좌표가 $(-5,\ 0)$, $(-1,\ 0)$이고, 이차항의 계수가 a이므로
$y=a(x+5)(x+1)=ax^2+6ax+5a$
에서 $b=6a$, $c=5a$
또 $y=ax^2+6ax+5a=a(x+3)^2-4a$
꼭짓점의 좌표는 $(-3,\ -4a)$이고, $y\leq 8$이므로
$-4a=8$　　∴ $a=-2$
따라서 $a=-2$, $b=-12$, $c=-10$이므로
$abc=-240$

4 $y=-x^2-4x+5=-(x+2)^2+9$
이므로 꼭짓점의 좌표는 $(-2,\ 9)$이다.
이때 꼭짓점의 x좌표가 $-1\leq x\leq 3$의 범위 안에 있지 않으므로
$f(-1)=-1+4+5=8$
$f(3)=-9-12+5=-16$
따라서 y의 값의 범위는 $-16\leq y\leq 8$

5 ㄱ. x축과 접하므로 한 점에서 만난다.

ㄴ. x축과 만나지 않는다.

ㄷ. $\dfrac{D}{4}=2^2-(-1)\times 0>0$
　　이므로 x축과 두 점에서 만난다.

ㄹ. $\dfrac{D}{4}=(-2)^2-1\times 4=0$
　　이므로 x축과 한 점에서 만난다.

ㅁ. $D=0^2-4\times\left(-\dfrac{1}{2}\right)\times(-1)<0$
　　이므로 x축과 만나지 않는다.

ㅂ. $\dfrac{D}{4}=1^2-1\times(-1)>0$
　　이므로 x축과 두 점에서 만난다.

6 $x^2-2x-1=2x+m$에서
$x^2-4x-m-1=0$이므로
$\dfrac{D}{4}=(-2)^2-(-m-1)=m+5$

(1) $\dfrac{D}{4}>0$에서 $m+5>0$
　　∴ $m>-5$

(2) $\dfrac{D}{4}=0$에서 $m+5=0$
　　∴ $m=-5$

(3) $\dfrac{D}{4}<0$에서 $m+5<0$
　　∴ $m<-5$

7 x축과의 교점이 없으므로 $2x^2-8x+1-k=0$의 판별식 $\dfrac{D}{4}<0$이다.
$\dfrac{D}{4}=(-4)^2-2(1-k)<0$　　∴ $k<-7$

다른 풀이
$y=2x^2-8x+1-k=2(x-2)^2-7-k$
이므로 꼭짓점의 좌표는 $(2,\ -k-7)$
따라서 그래프가 x축보다 위쪽에만 그려지므로
$-k-7>0$　　∴ $k<-7$

8 $2x^2=3x+5$에서 $x^2=\dfrac{3}{2}x+\dfrac{5}{2}$
따라서 $y=x^2$외에 필요한 다른 일차함수의 식은
$y=\dfrac{3}{2}x+\dfrac{5}{2}$

9 주어진 이차함수의 그래프는 축 $x=-1$에 대하여 대칭이므로 x축과의 두 교점은 $(-3, 0)$, $(1, 0)$이다.
따라서 $ax^2+bx+c=0$의 두 근이 -3, 1이므로 두 근의 합은 $-3+1=-2$

10 $y=-x^2-4x+c$
$\quad\quad =-(x+2)^2+4+c$
이므로 꼭짓점의 x좌표가 -2이고,

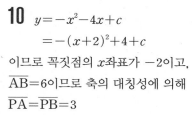

$\overline{AB}=6$이므로 축의 대칭성에 의해
$\overline{PA}=\overline{PB}=3$
$\therefore A(-5, 0), B(1, 0)$
$y=-x^2-4x+c$에 점 $B(1, 0)$을 대입하면
$-1-4+c=0 \quad \therefore c=5$
따라서 $y=-x^2-4x+5=-(x+2)^2+9$에 대하여 대응하는 y의 값이 범위는 $y\leq 9$

다른 풀이
이차항의 계수가 -1이고, x축과의 교점의 x좌표가 -5, 1이므로
$y=-(x+5)(x-1)$
$\quad =-x^2-4x+5$
$\quad =-(x+2)^2+9$
따라서 y의 값이 범위는 $y\leq 9$

11 $y=x^2$, $y=ax+b$의 두 그래프의 교점의 x좌표인 -3, 1은 $x^2=ax+b$의 두 근이다.
따라서 $x^2-ax-b=0$의 두 근은 -3, 1이므로 두 근의 곱은 -3이다.

12 이차항의 계수가 a이고, 두 근이 -1, 2이므로
$a(x+1)(x-2)=0$, $ax^2-ax-2a=0$
$\therefore b=-a, c=-2a$
즉 $y=cx^2+bx+a$
$\quad\quad =-2ax^2-ax+a$
$\quad\quad =-a(2x^2+x-1) \quad \cdots\cdots \text{㉠}$
따라서 ㉠과 x축과의 교점의 x좌표는 이차방정식
$2x^2+x-1=-a(x+1)(2x-1)=0$의 두 근인
$x=-1$ 또는 $x=\dfrac{1}{2}$이다.
또 주어진 조건에서 $a>0$이므로
$c=-2a<0$
따라서 구하는 이차함수의 그래프는 오른쪽 그림과 같다.

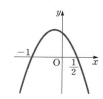

13 $f(x)=x^2+ax+b$
$\quad\quad =\left(x+\dfrac{a}{2}\right)^2-\dfrac{a^2}{4}+b$

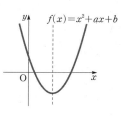

의 그래프와 x축이 x축의 양의 부분에서 만나므로 오른쪽 그림과 같이 축은 y축의 오른쪽에 있고,
(y절편)>0, (꼭짓점의 y좌표)<0이어야 한다.
$-\dfrac{a}{2}>0$, $b>0$, $-\dfrac{a^2}{4}+b<0$
$\therefore a<0, b>0, a^2-4b>0$

다른 풀이
이차방정식 $x^2+ax+b=0$의 두 실근을 각각 α, β라 하면 서로 다른 두 양의 근을 가질 조건은
$D=a^2-4b>0$, $\alpha+\beta=-a>0$, $\alpha\beta=b>0$
$\therefore a<0, b>0, a^2-4b>0$

14 $y=3-\dfrac{3}{2}x$이므로 점 P의 x좌표를 $a(0\leq a\leq 2)$라 하면

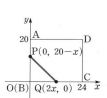

$P\left(a, 3-\dfrac{3}{2}a\right)$, $H(a, 0)$이므로
$\triangle OPH=\dfrac{1}{2}\times a\times\left(3-\dfrac{3}{2}a\right)$
$\quad\quad\quad =-\dfrac{3}{4}a^2+\dfrac{3}{2}a$
$\quad\quad\quad =-\dfrac{3}{4}(a-1)^2+\dfrac{3}{4}$
따라서 $\triangle OPH\leq\dfrac{3}{4}$이므로
구하는 $\triangle OPH$의 최대의 넓이는 $\dfrac{3}{4}$이다.

15 오른쪽 그림과 같이 $\overline{AB}$를 y축, $\overline{BC}$를 x축, 점 B를 원점에 대응시키면 $A(0, 20)$, $B(0, 0)$, $C(24, 0)$이고, x초 후의 점 P, Q의 좌표는 $P(0, 20-x)$, $Q(2x, 0)$이다.

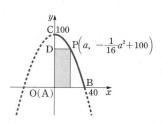

$\overline{PQ}=\sqrt{(2x)^2+(20-x)^2}$
$\quad\quad =\sqrt{5x^2-40x+400}$
$\quad\quad =\sqrt{5(x-4)^2+320}$
이므로 두 점 P, Q 사이의 거리는 $\overline{PQ}\geq\sqrt{320}$이므로 $\overline{PQ}$의 최소 거리는 $\sqrt{320}=8\sqrt{5}$ (cm)이다.

16 좌표평면 위에 나타내면 오른쪽 그림과 같이 꼭짓점이 $C(0, 100)$이고, 점 $B(40, 0)$을 지나는 포물선이 된다.
이때 포물선의 식은

$y=-\dfrac{1}{16}x^2+100 \ (0<x<40)$

이고, 점 P의 x좌표를 a라 하면 $\mathrm{P}\Big(a, -\dfrac{1}{16}a^2+100\Big)$

이므로 상가 밑면의 둘레의 길이 l은

$l=2\Big(a-\dfrac{1}{16}a^2+100\Big)$

$\quad =-\dfrac{1}{8}a^2+2a+200$

$\quad =-\dfrac{1}{8}(a^2-16a)+200$

$\quad =-\dfrac{1}{8}(a-8)^2+208$

따라서 $l\leq208$이므로 구하는 l의 최대 길이는 208 m이다.

17 가격을 x원 올렸다고 하면 $2x$개가 덜 팔리므로 총 판매 금액 P는

$P=(50+x)(300-2x)$

$\quad =-2x^2+200x+15000$

$\quad =-2(x-50)^2+20000$

따라서 $P\leq20000$이므로 구하는 최대 매출액은 20000원이다.

18 가격을 $50x$원 내리면 $2x$개가 더 팔리므로 이익 S는

$S=(20000-50x)(100+2x)-15000(100+2x)$

$\quad =-100x^2+5000x+500000$

$\quad =-100(x^2-50x)+500000$

$\quad =-100(x-25)^2+562500$

따라서 $S\leq562500$이므로 최대 이익은 562500원이다.

2 STEP 실력 높이기

128~132쪽

1 3	2 $a=5, b=-5$	3 $a=-2, b=-4, c=6$	4 $a+b\geq-\dfrac{5}{4}$	5 $-4\leq2x+y^2\leq5$
6 $a>\dfrac{37}{12}$	7 $\mathrm{B}(2, 4)$	8 1	9 -13	10 -4	11 $k<\dfrac{25}{8}$
12 $2<\beta<3$	13 2, 8, 18	14 $a=2, b=-4, c=-7$	15 $\dfrac{b+c}{2}$	16 2
17 2	18 $y=x+4$	19 $b=3, c=2$	20 5일

문제 풀이

1 꼭짓점의 좌표가 $(1, 3)$이고, 이차항의 계수가 1이므로
$y=x^2+2ax+b$
$\quad =(x-1)^2+3$
$\quad =x^2-2x+4$
따라서 $2a=-2, b=4$이므로
$a=-1, b=4$
$\therefore a+b=3$

2 $y=x^2-4x-1=(x-2)^2-5$
이므로 $y\geq-5$이다.
오른쪽 그림과 같이 주어진 조건에 의
해 $f(a)=4$이므로
$a^2-4a-1=4, \ a^2-4a-5=0$
$\therefore a=5 \ (\because a>2)$
따라서 x의 값의 범위는 $1\leq x\leq5$이

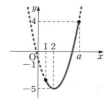

고, y의 값의 범위는
$-5\leq y\leq4$이다.
$\therefore a=5, b=-5$

3 x축과 두 점 $(-3, 0), (1, 0)$에서 만나므로
$y=a(x+3)(x-1)$
이고, 축의 대칭성에 의해 축의 방정식은 $x=-1$이다.
또한 $y\leq8$이므로 꼭짓점의 좌표는 $(-1, 8)$이다.
즉 $8=a\times2\times(-2)$ $\quad \therefore a=-2$
따라서 $y=-2(x+3)(x-1)=-2x^2-4x+6$
$\therefore a=-2, b=-4, c=6$

4 점 $\mathrm{P}(a, b)$는 $y=x^2-4x+1$의 그래프 위의 점이므로
$b=a^2-4a+1$

$$\therefore a+b=a^2-3a+1$$
$$=\left(a-\frac{3}{2}\right)^2-\frac{5}{4}$$

따라서 $a+b\geq -\frac{5}{4}$이다.

5 $y^2=4-x^2$이고 $4-x^2\geq 0$이므로

$x^2-4\leq 0$ $\therefore -2\leq x\leq 2$

$2x+y^2=2x+4-x^2$
$$=-x^2+2x+4$$
$$=-(x-1)^2+5\ (-2\leq x\leq 2)$$

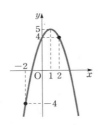

오른쪽 그림에서 $-4\leq 2+y^2\leq 5$

6 이차함수 $y=3x^2-5x+a-1$의 그래프가 x축과 만나지 않으므로 x절편이 존재하지 않는다.

따라서 $3x^2-5x+a-1=0$에서

$D=(-5)^2-4\times 3(a-1)<0$이므로 $37-12a<0$

$$\therefore a>\frac{37}{12}$$

7 서술형

표현 단계 점 $A(-1,\ a)$는 $y=x^2$의 그래프 위의 점이므로 대입하면 $a=1$

$\therefore A(-1,\ 1)$

변형 단계 또한 점 $A(-1,\ 1)$은 직선 $y=x+k$ 위의 점이므로 대입하면 $1=-1+k$에서 $k=2$

풀이 단계 따라서 $y=x^2$의 그래프와 직선 $y=x+2$의 교점의 x좌표는

$x^2=x+2,\ x^2-x-2=0$

$(x-2)(x+1)=0$ $\therefore x=2$ 또는 $x=-1$

즉 $x=2$를 $y=x^2$에 대입하면 $y=4$

확인 단계 $\therefore B(2,\ 4)$

8 $x^2-2ax+a=0$의 두 근을 $\alpha,\ \beta$라 하면 x축과 만나는 두 점은 $(\alpha,\ 0),\ (\beta,\ 0)$이고

$\alpha+\beta=2a,\ \alpha\beta=a$

$|\alpha-\beta|=\sqrt{(\alpha+\beta)^2-4\alpha\beta}$
$$=\sqrt{4a^2-4a}=\sqrt{5}$$

$\therefore 4a^2-4a-5=0$

따라서 근과 계수의 관계에 의해 a의 값들의 합은

$$-\frac{-4}{4}=1$$

9 서술형

표현 단계 축의 방정식이 $x=-1$이고, x축과 만나는 두 점 사이의 거리가 8이므로 주어진 이차함수의 그래프는 오른쪽 그림과 같이 x축과 두 점 $(-5,\ 0),\ (3,\ 0)$에서 만난다.

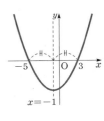

변형 단계 즉 두 점 $(-5,\ 0),\ (3,\ 0)$은 $y=x^2+ax+b$의 그래프 위의 점이므로 각각 대입하면

$$\begin{cases} -5a+b+25=0 \\ 3a+b+9=0 \end{cases}$$

풀이 단계 위의 연립방정식을 풀면 $a=2,\ b=-15$

확인 단계 $\therefore a+b=-13$

다른 풀이

변형 단계 이차항의 계수가 1이고, x축과 두 점 $(-5,\ 0),\ (3,\ 0)$에서 만나므로

$y=(x+5)(x-3)=x^2+2x-15$ $\cdots\cdots$ ㉠

풀이 단계 ㉠과 $y=x^2+ax+b$를 비교해 보면

$a=2,\ b=-15$

확인 단계 $\therefore a+b=-13$

10 $y=ax^2,\ y=-bx-c$의 그래프의 교점의 x좌표는 이차방정식 $ax^2+bx+c=0$의 근이므로 두 근은 $2,\ -1$이다.

따라서 $a(x-2)(x+1)=0$에서 $ax^2-ax-2a=0$

$b=-a,\ c=-2a$

이때 $y=ax^2,\ y=ax+2a$의 교점의 좌표가 $(-1,\ 2)$이므로 $y=ax^2$에 $x=-1,\ y=2$를 대입하면 $a=2$

$\therefore b=-2,\ c=-4$

$\therefore a+b+c=-4$

11 교점이 2개이므로 $2x^2-6x+3=x-k$

즉 $2x^2-7x+3+k=0$의 근이 2개이다.

따라서 $D=(-7)^2-4\times 2(3+k)>0$이므로

$49-24-8k>0$

$$\therefore k<\frac{25}{8}$$

12 $y=ax^2-2ax+b$
$$=a(x^2-2x)+b$$
$$=a(x-1)^2-a+b$$

이므로 축의 방정식은 $x=1$이다.

따라서 $-1<\alpha<0$이므로 축의 대칭성에 의해 $2<\beta<3$이다.

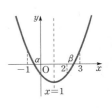

13 x축과의 교점의 x좌표를 구하면

$\frac{1}{2}x^2-k=0$에서

$x^2=2k$ $\therefore x=\pm\sqrt{2k}$

따라서 x축과의 교점의 좌표는

$(\sqrt{2k},\ 0)$, $(-\sqrt{2k},\ 0)$이므로

$\overline{AB}=\sqrt{2k}-(-\sqrt{2k})=2\sqrt{2k}$

이고 k는 자연수이므로 $\sqrt{2k}$가 정수가 되면 된다.

따라서 $2k$는 제곱수가 되어야 하고 k는 20보다 작은 자연수이므로 $k=2,\ 8,\ 18$

14 $y=ax^2+bx+c$

$\qquad =a\left(x+\dfrac{b}{2a}\right)^2-\dfrac{b^2}{4a}+c$

에서 축의 방정식이 $x=-\dfrac{b}{2a}=1$이므로

$b=-2a$

포물선 $y=ax^2-2ax+c$와 직선 $y=2x+1$의 교점의 x좌표가 4, -1이므로 $ax^2-2ax+c=2x+1$, 즉

$ax^2-2(a+1)x+c-1=0$의 두 근이 -1, 4이다.

(i) (두 근의 합)$=\dfrac{2(a+1)}{a}=3$이므로

$\quad 3a=2a+2$ $\therefore a=2,\ b=-4$

(ii) (두 근의 곱)$=\dfrac{c-1}{a}=-4$이므로

$\quad c-1=-4a,\ c-1=-8$ $\therefore c=-7$

$\therefore a=2,\ b=-4,\ c=-7$

15 이차항의 계수가 1이므로

$f(x)=(x-a)(x-b)$

$g(x)=(x-a)(x-c)$

로 놓으면

$f(x)+g(x)=(x-a)(2x-b-c)$

이므로 방정식 $f(x)+g(x)=0$의 두 근은

$x=a$ 또는 $x=\dfrac{b+c}{2}$

따라서 a 이외의 근은 $\dfrac{b+c}{2}$이다.

16 두 식을 연립하면

$x^2+ax=-x^2+b$

$\therefore 2x^2+ax-b=0$ $\qquad\cdots\cdots$ ㉠

이 방정식의 한 근이 $-1+\sqrt3$이고, a, b가 유리수이므로 대입하여 무리수가 서로 같을 조건을 이용한다.

$2(-1+\sqrt3)^2+a(-1+\sqrt3)-b=0$

$(8-a-b)+(a-4)\sqrt3=0$

에서 $8-a-b=0$, $a-4=0$이므로

$a=4,\ b=4$

따라서 ㉠에서

$2x^2+4x-4=0$, $x^2+2x-2=0$

$\therefore x=-1\pm\sqrt3$

$y=-x^2+b=-x^2+4$이므로

$P(-1+\sqrt3,\ 2\sqrt3)$, $Q(-1-\sqrt3,\ -2\sqrt3)$

$\therefore (\overrightarrow{PQ}$의 기울기$)=\dfrac{2\sqrt3-(-2\sqrt3)}{(-1+\sqrt3)-(-1-\sqrt3)}$

$\qquad\qquad\qquad\quad =\dfrac{4\sqrt3}{2\sqrt3}$

$\qquad\qquad\qquad\quad =2$

다른 풀이

㉠에서 이차방정식의 한 근이 $-1+\sqrt3$이고 a, b가 유리수이므로 다른 한 근은 켤레근인 $-1-\sqrt3$이다.

근과 계수의 관계에서

(두 근의 합)$=(-1+\sqrt3)+(-1-\sqrt3)=-\dfrac{a}{2}$

이므로 $-2=-\dfrac{a}{2}$ $\therefore a=4$

(두 근의 곱)$=(-1+\sqrt3)\times(-1-\sqrt3)=-\dfrac{b}{2}$

이므로 $-2=-\dfrac{b}{2}$ $\therefore b=4$

17 $\triangle CAD:\triangle CDB=1:2$에서

$\overline{AC}:\overline{CB}=1:2$이므로

$y=x^2$과 $y=ax+8$의 교점의 x좌표를 $-k$, $2k(k>0)$라 하면 $x^2=ax+8$, 즉 $x^2-ax-8=0$의 두 근이 $-k$, $2k$이므로

(i) (두 근의 합)$=-k+2k=a$에서 $k=a$

(ii) (두 근의 곱)$=-k\times 2k=-8$에서 $k^2=4$

$\quad \therefore k=2\ (\because k>0)$

(i), (ii)에서 $a=2$

18 서술형

표현 단계 $y=-x^2-2x+8$

$\qquad\qquad =-(x^2+2x+1-1)+8$

$\qquad\qquad =-(x+1)^2+9$

이므로 꼭짓점은 $A(-1,\ 9)$

x축과의 교점인 점 B와 C의 좌표는 $y=0$을 대입하면

$-x^2-2x+8=0$에서 $x^2+2x-8=0$

$(x+4)(x-2)=0$ $\therefore x=-4$ 또는 $x=2$

$\therefore B(-4,\ 0)$, $C(2,\ 0)$

변형 단계 직선 l이 $\triangle ABC$의 넓이를 이등분하려면 $\overline{AC}$의

중점 $\left(\dfrac{-1+2}{2},\ \dfrac{9+0}{2}\right)=\left(\dfrac{1}{2},\ \dfrac{9}{2}\right)$를 지나면 된다.

풀이 단계 두 점 $(-4, 0)$, $\left(\dfrac{1}{2}, \dfrac{9}{2}\right)$를 지나는 직선을 그래프로 하는 일차함수의 식을 구하면

$$(\text{기울기})=\dfrac{\dfrac{9}{2}-0}{\dfrac{1}{2}-(-4)}=1$$

즉 $y=x+k$가 점 $(-4, 0)$을 지나므로

$$0=-4+k \qquad \therefore k=4$$

확인 단계 따라서 구하는 일차함수의 식은 $y=x+4$이다.

19 $y=x-1$과 $y=-x^2+bx+c$의 그래프의 교점의 x좌표가 -1, 3이므로 $x-1=-x^2+bx+c$, 즉 $x^2+(1-b)x-1-c=0$의 두 근이 -1, 3이다.
따라서 근과 계수의 관계에서
$(\text{두 근의 합})=-1+3=-(1-b) \qquad \therefore b=3$
$(\text{두 근의 곱})=-1\times3=-1-c \qquad \therefore c=2$

다른 풀이
그래프를 그려 보면 오른쪽 그림과 같고 $y=x-1$에서 $A(-1, -2)$, $B(3, 2)$이다.
$y=-x^2+bx+c$에 점 A, B의 좌표를 각각 대입하면

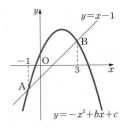

$-b+c=-1$, $3b+c=11$
$\therefore b=3$, $c=2$

20 현재의 사과의 양과 가격을 각각 m, p라 할 때, x일 후의 사과의 양과 가격은 각각 $m\left(1+\dfrac{1}{10}x\right)$, $p\left(1-\dfrac{1}{20}x\right)$이다.
이때 x일 후의 수입을 y원이라 하면

$$\begin{aligned} y&=mp\left(1+\dfrac{1}{10}x\right)\left(1-\dfrac{1}{20}x\right) \\ &=mp\left(1+\dfrac{1}{20}x-\dfrac{1}{200}x^2\right) \\ &=-\dfrac{mp}{200}(x^2-10x-200) \\ &=-\dfrac{mp}{200}(x-5)^2+\dfrac{9}{8}mp \end{aligned}$$

따라서 $y\leq\dfrac{9}{8}mp$이고, 그때의 x의 값은 5이므로 5일 후에 팔면 최대의 수입을 얻을 수 있다.

---

3 STEP 최고 실력 완성하기

133~134쪽

1 $y\leq3$	**2** $(\alpha-\beta)^2\geq7$	**3** $f(m)\leq-3$	**4** 150원, 45000원	**5** $B\left(\dfrac{2}{3}, \dfrac{1}{9}\right)$	**6** $y=x+1$
7 $P(2, 6)$	**8** 2	**9** $2\sqrt{5}$			

문제 풀이

1 a에 관한 이차방정식이 중근을 가지므로
$$\dfrac{D}{4}=4(x-1)^2-4(2x-y)=0$$
$$(x-1)^2-(2x-y)=0$$
$$x^2-2x+1-2x+y=0$$
$$\therefore y=-x^2+4x-1$$
$$=-(x-2)^2+3$$
따라서 $y\leq3$이다.

2 이차방정식 $x^2-2ax+a-2=0$의 두 근이 α, β이므로
$\alpha+\beta=2a$, $\alpha\beta=a-2$

$$\begin{aligned} (\alpha-\beta)^2&=(\alpha+\beta)^2-4\alpha\beta \\ &=(2a)^2-4(a-2) \\ &=4a^2-4a+8 \\ &=4\left(a-\dfrac{1}{2}\right)^2+7 \end{aligned}$$
따라서 $(\alpha-\beta)^2\geq7$이다.

3
$$\begin{aligned} y&=x^2-2mx-8m-19 \\ &=(x^2-2mx+m^2-m^2)-8m-19 \\ &=(x-m)^2-m^2-8m-19 \end{aligned}$$
따라서 $y\geq-m^2-8m-19$이므로

$$f(m) = -m^2 - 8m - 19$$
$$= -(m^2 + 8m + 16 - 16) - 19$$
$$= -(m+4)^2 - 3$$
따라서 $f(m) \leq -3$이다.

4 주어진 조건에 의해 상품 한 개당 판매 가격을 $(100+x)$원으로 정하면 판매 개수는 $(400-2x)$개가 된다.
총 판매 금액을 $f(x)$라 하면
$$f(x) = (100+x)(400-2x)$$
$$= -2x^2 + 200x + 40000$$
$$= -2(x^2 - 100x + 2500 - 2500) + 40000$$
$$= -2(x-50)^2 + 45000$$
이므로 $x=50$일 때, 총 판매 금액은 최대 금액 45000이다.
따라서 총 판매 금액을 최대로 하는 상품 한 개당 판매 가격은 $100+50=150$(원)이고, 총 판매 금액은 45000원이다.

5 점 A의 좌표를 $(a, a^2)(a>0)$이라 하면
점 D의 좌표는 $(a, 4a^2)$이므로
점 C의 y좌표는 $4a^2$이 되고 점 C는 $y=x^2$ 위의 점이므로
$4a^2 = x^2$에서 $x=2a\ (\because a>0)$
따라서 점 C의 좌표는 $(2a, 4a^2)$이 된다.
□ABCD는 정사각형이므로 $\overline{AD} = \overline{CD}$이고
$\overline{AD} = 4a^2 - a^2 = 3a^2$, $\overline{CD} = 2a - a = a$이므로
$$3a^2 = a \qquad \therefore a = \frac{1}{3}$$
따라서 점 $B(2a, a^2)$이므로 $B\left(\dfrac{2}{3}, \dfrac{1}{9}\right)$이다.

6 직선 PQ의 기울기를 m이라 하면
점 $(1, 2)$를 지나므로
$$y - 2 = m(x-1) \qquad \therefore y = mx - m + 2$$
포물선 $y=x^2$, 직선 $y=mx-m+2$의 교점의 x좌표를
α, β라 할 때, α, β는 방정식
$$x^2 = mx - m + 2,\ \text{즉}\ x^2 - mx + m - 2 = 0 \qquad \cdots\cdots \ \bigcirc$$
의 두 근이다.
점 $P(\alpha, \alpha^2)$, $Q(\beta, \beta^2)$이고 직선 PO와 QO의 기울기는 각
각 $\dfrac{\alpha^2}{\alpha} = \alpha$, $\dfrac{\beta^2}{\beta} = \beta$이고, $\overline{PO} \perp \overline{QO}$이므로
$$\alpha\beta = -1 \qquad \cdots\cdots \ \bigcirc$$
$\bigcirc$, $\bigcirc$에서 $\alpha\beta = m-2 = -1$ $\qquad \therefore m=1$
따라서 구하는 직선의 방정식은
$$y = x + 1$$

7 △ABP는 밑변을 $\overline{AB}$로 갖는 삼각
형이므로 높이가 최대가 되는 경우를 찾
는다.

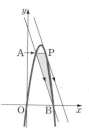

즉 오른쪽 그림과 같이 직선 AB에 평행
하고 포물선에 접하는 직선이 있을 때,
그 접점 P와 직선 AB 사이의 거리가 최
대가 되므로 이 경우에 △ABP의 넓이
가 최대가 된다.
따라서 두 함수 $y=-3x+m$, $y=-3x^2+9x$의 그래프가
접하므로 연립하면 중근을 갖는다.
$-3x+m = -3x^2+9x$에서 $3x^2 - 12x + m = 0$
이 이차방정식이 중근을 가져야 하므로 판별식을 D라 하면
$$\frac{D}{4} = 36 - 3m = 0 \qquad \therefore m = 12$$
그러므로 점 P의 x좌표는 $3x^2 - 12x + 12 = 0$에서
$x^2 - 4x + 4 = 0$, $(x-2)^2 = 0$ $\qquad \therefore x = 2$
$x=2$를 $y=-3x^2+9x$에 대입하면 $y=6$이므로
$P(2, 6)$

8 이차함수의 그래프와 x축과의 교점의 x좌표는
$x^2 + (a-4)x - 1 = 0$의 두 근이다.
$x^2 + (a-4)x - 1 = 0$의 두 근을 α, β라 하면
$\alpha + \beta = -a + 4$, $\alpha\beta = -1$
두 교점 사이의 거리는
$$|\alpha - \beta| = \sqrt{(\alpha+\beta)^2 - 4\alpha\beta}$$
$$= \sqrt{(-a+4)^2 + 4} = \sqrt{(a-4)^2 + 4}$$
따라서 구하는 최소거리는 $\sqrt{4} = 2$이다.

9 오른쪽 그림과 같이
$\overline{OP} = x$라 하면
$\overline{CD} = \overline{PQ} = 10 - x$,
$\overline{BC} = x - (10-x)$
$\quad = 2x - 10$

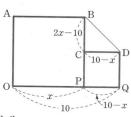

△BCD에서 피타고라스 정리에 의해
$$\overline{BD} = \sqrt{(2x-10)^2 + (10-x)^2}$$
$$= \sqrt{5x^2 - 60x + 200}$$
$$= \sqrt{5(x-6)^2 + 20}\ (0 < x < 10)$$
따라서 $\overline{BD} \geq \sqrt{20} = 2\sqrt{5}$이다.

1 ④	**2** 5	**3** $y=\frac{1}{2}x^2-2x+3$	**4** $x>-3$	**5** -4 또는 3	**6** ③
7 제4사분면	**8** 제3사분면	**9** 풀이 참조	**10** $y=1$	**11** $(-1, 0)$	**12** 3
13 $k<0, 0<k<\frac{1}{3}$	**14** $Q(3-3\sqrt{2}, 0)$	**15** $B(4, 16)$	**16** $-2, 2$	**17** $\frac{2}{3}<a<\frac{3}{2}$	**18** $y=-\frac{3}{2}x+2$
19 -3	**20** $y=-x^2+4x+5$	**21** $a+b\geq2$	**22** $P(2, -2)$	**23** 15	**24** 2750
25 1시간 24분					

문제 풀이

1 이차항의 계수의 절댓값이 클수록 포물선의 폭은 좁아진다.
따라서 이차항의 계수의 절댓값이 가장 작은 것은 ④이다.

2 $y=-x^2+2x=-(x-1)^2+1$
이므로 꼭짓점의 좌표는 $(1, 1)$
$y=-x^2-4x+5=-(x+2)^2+9$이므로
꼭짓점의 좌표는 $(-2, 9)$
따라서 점 $(1, 1)$을 x축의 방향으로 m만큼, y축의 방향으로 n만큼 평행이동한 점의 좌표가 $(-2, 9)$이므로
$m=-3, n=8$ ∴ $m+n=5$

다른 풀이
$y=-(x-1)^2+1$의 그래프를 x축의 방향으로 m만큼, y축의 방향으로 n만큼 평행이동하면
$y=-(x-m-1)^2+1+n$
$y=-x^2+2(m+1)x-(m+1)^2+1+n$
이 식이 $y=-x^2-4x+5$와 같으므로
$2(m+1)=-4, -(m+1)^2+1+n=5$
∴ $m=-3, n=8$ ∴ $m+n=5$

3 x축에 대하여 대칭이므로 y 대신 $-y$를 대입한다.
$-y=-\frac{1}{2}x^2+2x-3$ ∴ $y=\frac{1}{2}x^2-2x+3$

4 $y=-\frac{2}{3}x^2-4x-7=-\frac{2}{3}(x^2+6x)-7$
$\qquad =-\frac{2}{3}(x+3)^2-1$
따라서 꼭짓점의 좌표가 $(-3, -1)$이고, 위로 볼록한 포물선이므로 x의 값이 증가할 때 y의 값이 감소하는 x의 값의 범위는 $x>-3$이다.

5 주어진 이차함수는 꼭짓점의 y의 값이 12이므로
$y=-x^2+2kx+k=-(x^2-2kx+k^2-k^2)+k$
$\quad =-(x-k)^2+k^2+k$

따라서 $k^2+k=12$, $k^2+k-12=0$이므로
$(k+4)(k-3)=0$
∴ $k=-4$ 또는 $k=3$

6 주어진 그래프가 아래로 볼록하므로 $a>0$
축이 y축의 오른쪽에 있으므로
$ab<0$ ∴ $b<0$
또 y절편이 음수이므로 $c<0$
① $ab<0$ ② $bc>0$ ③ $ac<0$
④ $f(1)=a+b+c<0$
⑤ $f(2)=4a+2b+c>0$

7 $a>0$이므로 아래로 볼록하고, a, b의 부호가 다르므로 축은 y축의 오른쪽에 있으며 y절편은 0이다.
따라서 이차함수 $y=ax^2+bx$의 그래프를 그리면 오른쪽 그림과 같으므로 꼭짓점은 제4사분면 위에 위치한다.

8 주어진 그래프가 아래로 볼록하므로 $a>0$
축이 y축의 오른쪽에 있으므로
$ab<0$ ∴ $b<0$
또, y절편이 음수이므로 $c<0$
∴ $\frac{b}{a}<0, \frac{c}{b}>0$
따라서 직선 $y=\frac{b}{a}x+\frac{c}{b}$는 오른쪽 그림과 같으므로 제3사분면을 지나지 않는다.

9 주어진 일차함수의 그래프에서 $a>0$, $b>0$이다.
따라서 $y=ax^2+2abx+ab^2=a(x+b)^2$에서 이차항의 계수 $a>0$이므로 아래로 볼록하고 꼭짓점의 좌표는 $(-b, 0)$이다.
이때 $-b<0$이므로 주어진 이차함수의 그래프는 오른쪽 그림과 같다.

10 $y=x^2-4x+5=(x-2)^2+1$

이므로 꼭짓점의 좌표는 $(2, 1)$이다.

따라서 두 점 $(2, 1)$, $(3, 1)$을 지나는 직선의 방정식은 $y=1$이다.

11 $y=-x^2+2x+a$에 점 $(3, 0)$을 대입하면

$0=-9+6+a$　∴ $a=3$

즉, $y=-x^2+2x+3$의 그래프와 x축과의 교점의 x좌표는

$-x^2+2x+3=0$에서

$x^2-2x-3=0$, $(x-3)(x+1)=0$

∴ $x=3$ 또는 $x=-1$

따라서 다른 한 점의 좌표는 $(-1, 0)$이다.

12 $y=x^2+2x-3=(x+1)^2-4$

이므로 꼭짓점 $C(-1, -4)$

x축과의 교점의 x좌표는 $x^2+2x-3=0$에서

$(x+3)(x-1)=0$

∴ $x=1$ 또는 $x=-3$

즉, $A(-3, 0)$

y절편이 -3이므로 $B(0, -3)$

$\triangle ABC=3\times4-\left(\dfrac{1}{2}\times3\times3+\dfrac{1}{2}\times1\times1+\dfrac{1}{2}\times4\times2\right)$

$=12-9=3$

다른 풀이

$\triangle ABC=\dfrac{1}{2}\begin{vmatrix} -3 & 0 & -1 & -3 \\ 0 & -3 & -4 & 0 \end{vmatrix}$

$=\dfrac{1}{2}|9-15|=3$

참고

세 점 (x_1, y_1), (x_2, y_2), (x_3, y_3)로 이루어진 삼각형의 넓이 S는

$S=\dfrac{1}{2}\begin{vmatrix} x_1 & x_2 & x_3 & x_1 \\ y_1 & y_2 & y_3 & y_1 \end{vmatrix}$

$=\dfrac{1}{2}|\underbrace{(x_1y_1+x_2y_3+x_3y_1)}_{\text{점선 부분의 곱의 합}}-\underbrace{(x_2y_1+x_3y_2+x_1y_3)}_{\text{실선 부분의 곱의 합}}|$

13 $kx^2-2(k-1)x+k+1=0$

이 서로 다른 두 근을 가지려면

$\dfrac{D}{4}=(k-1)^2-k(k+1)>0$

$-3k+1>0$　∴ $k<\dfrac{1}{3}$

그런데 $y=kx^2-2(k-1)x+k+1$은 이차함수이므로 $k\ne0$

∴ $k<0, 0<k<\dfrac{1}{3}$

14 $y=\dfrac{1}{3}x^2-2x+3=\dfrac{1}{3}(x-3)^2$

이므로 꼭짓점 $P(3, 0)$

y절편이 3이므로 $A(0, 3)$

따라서 $\overline{AP}=\sqrt{3^2+3^2}=\sqrt{18}=3\sqrt{2}$이므로

$Q(3-3\sqrt{2}, 0)$

15 두 식을 연립하면 $x^2=ax+8$이고, 이 방정식의 한 근이 -2이므로 대입하면

$4=-2a+8$　∴ $a=2$

$x^2=2x+8$에서 $x^2-2x-8=0$, $(x+2)(x-4)=0$

∴ $x=-2$ 또는 $x=4$

따라서 점 B의 x좌표는 4이고 $y=x^2$에 $x=4$를 대입하면

$y=16$이므로 $B(4, 16)$이다.

16 두 함수 $y=x^2$과 $y=ax$의 그래프의 교점의 x좌표를 구하면

$x^2=ax$에서 $x^2-ax=0$, $x(x-a)=0$

∴ $x=0$ 또는 $x=a$

따라서 두 교점의 좌표는 $(0, 0)$, (a, a^2)이므로

$\overline{AB}=\sqrt{a^2+a^4}=2\sqrt{5}$에서

$a^4+a^2-20=0$, $(a^2-4)(a^2+5)=0$

$a^2=4\ (\because a^2>0)$　∴ $a=\pm2$

17 $y=x^2+4x+3$과 $y=-x-3$의 그래프의 두 교점의 x좌표는 $x^2+4x+3=-x-3$에서

$x^2+5x+6=0$, $(x+2)(x+3)=0$

∴ $x=-2$ 또는 $x=-3$

즉 두 교점의 좌표는 $(-2, -1), (-3, 0)$이고, 직선 $y=ax+2$는 y절편이 2이므로 오른쪽 그림과 같이 두 직선 ㉠과 ㉡ 사이에 있다.

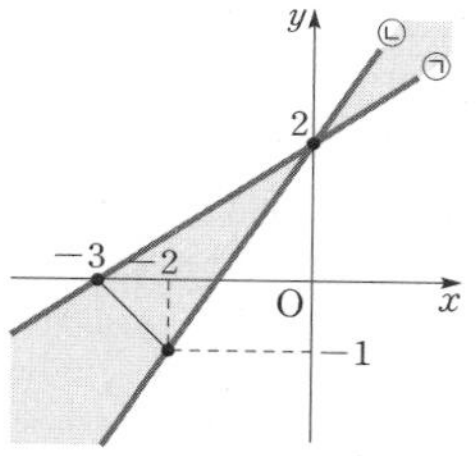

(ⅰ) $(-3, 0)$, $(0, 2)$를 지날 때

(직선 ㉠의 기울기)$=\dfrac{0-2}{-3-0}=\dfrac{2}{3}$

(ⅱ) $(-2, -1)$, $(0, 2)$를 지날 때

(직선 ㉡의 기울기)$=\dfrac{-1-2}{-2-0}=\dfrac{3}{2}$

따라서 (ⅰ), (ⅱ)에서 직선 $y=ax+2$의 기울기인 a의 값의 범위는 $\dfrac{2}{3}<a<\dfrac{3}{2}$

18 $-2x^2=3x-4$에서 양변을 -2로 나누면

$x^2=-\dfrac{3}{2}x+2$이므로

$y=x^2$, $y=-\dfrac{3}{2}x+2$의 그래프가 필요하다.

따라서 구하는 직선의 방정식은 $y=-\dfrac{3}{2}x+2$

19 두 교점은 세 그래프를 모두 지나므로 $y=-x^2+9$와
$y=-2x+6$의 교점을 구하면
$-x^2+9=-2x+6$에서
$x^2-2x-3=0$, $(x+1)(x-3)=0$
$\therefore x=-1$ 또는 $x=3$
즉, 두 교점은 $(-1,\ 8)$, $(3,\ 0)$이므로
$y=ax^2+bx+3$에 각각 대입하면
$a-b+3=8$, $9a+3b+3=0$
즉, $a-b=5$, $3a+b=-1$이므로
두 식을 연립하여 풀면
$a=1$, $b=-4$
$\therefore a+b=-3$

20 x축과 두 점 $(-1,\ 0)$, $(5,\ 0)$에서 만나므로
$y=a(x+1)(x-5)$로 놓으면 대칭축은 $x=2$이므로 꼭짓
점의 좌표는 $(2,\ 9)$이다.
$y=a(x^2-4x-5)=a(x-2)^2-9a$
따라서 $-9a=9$에서 $a=-1$이므로 구하는 포물선의 방정
식은 $y=-x^2+4x+5$

21 점 $P(a,\ b)$가 $y=2x^2+3x+4$의 그래프 위의 점이므
로 $x=a$, $y=b$를 각각 대입하면 $b=2a^2+3a+4$
$\therefore a+b=a+(2a^2+3a+4)=2a^2+4a+4$
$\qquad\qquad =2(a^2+2a+1-1)+4=2(a+1)^2+2$
$\therefore a+b\geq 2$

22 오른쪽 그림과 같이 직선
$y=2x-8$에 평행하고 포물선
$y=x^2-2x-2=(x-1)^2-3$에
접하는 직선의 방정식을
$y=2x+m$이라고 하면
$x^2-2x-2=2x+m$
즉, $x^2-4x-m-2=0$에서 판별식 $D=0$이므로
$\dfrac{D}{4}=4-(-m-2)=0$ $\qquad\therefore m=-6$
따라서 $y=x^2-2x-2$와 $y=2x-6$의 그래프의 교점의 좌
표를 구하면
$x^2-2x-2=2x-6$에서 $x^2-4x+4=0$
$(x-2)^2=0$ $\qquad\therefore x=2$
$x=2$를 $y=2x-6$에 대입하면 $y=-2$
$\therefore P(2,\ -2)$

23 물건의 처음 가격을 a원, 판매량을 b개라 하면 x일 후
의 가격은 $a\left(1+\dfrac{5}{100}x\right)$원, 판매량은 $b\left(1-\dfrac{2}{100}x\right)$개이므로
(판매 수입)$=$(가격)$\times$(판매량)
$$=ab\left(1+\dfrac{5}{100}x\right)\left(1-\dfrac{2}{100}x\right)$$
$$=\dfrac{ab}{1000}(20+x)(50-x)$$
$$=\dfrac{ab}{1000}(-x^2+30x+1000)$$
$$=-\dfrac{ab}{1000}(x-15)^2+\dfrac{49}{40}ab(원)$$
따라서 $y\leq\dfrac{49}{40}ab$에서 판매 수입의 최대는 $\dfrac{49}{40}ab$이고 그때
의 x의 값은 15이므로 $x=15$일 때, 판매 수입은 최대이다.

24 가격이 $(3000+10x)$원이면 판매량은 $(100-2x)$kg
이므로 판매 금액은 $(3000+10x)(100-2x)$원이고, 원가
는 $2000(100-2x)$원이다.
따라서 하루의 이익 P는
$P=(3000+10x)(100-2x)-2000(100-2x)$
$\quad =(1000+10x)(100-2x)$
$\quad =-20(x+100)(x-50)$
$\quad =-20(x^2+50x-5000)$
$\quad =-20(x+25)^2+112500$
따라서 $x=-25$일 때 P는 최대가 되므로
$a=3000+10\times(-25)=2750$(원)씩 판매할 때 최대 이익
을 낸다.

25 교차점의 좌표를 $O(0,\ 0)$
으로 하면
$A(-5,\ 0)$, $B(0,\ -4)$
이므로 t시간 후의 점 A,
B의 좌표는
$A(-5+4t,\ 0)$,
$B(0,\ -4+2t)$이다.
$\overline{AB}=\sqrt{(4t-5)^2+(2t-4)^2}$
$\qquad =\sqrt{20t^2-56t+41}$
$\qquad =\sqrt{20\left(t-\dfrac{7}{5}\right)^2+\dfrac{9}{5}}$
따라서 대응하는 $\overline{AB}$의 값의 범위는 $\overline{AB}\geq\sqrt{\dfrac{9}{5}}$이므로
$\overline{AB}$가 최소인 $\sqrt{\dfrac{9}{5}}$일 때의 t의 값은 $\dfrac{7}{5}$이다.
즉 $t=\dfrac{7}{5}=1.4$(시간)$=$(1시간 24분)일 때, A와 B의 거리
가 가장 짧아진다.

개념 확장

최상위수학

수학적 사고력 확장을 위한
심화 학습 교재

심화 완성

개념부터
심화까지

수학은 개념이다